O Pergaminho de Masada

O Pergaminho de Masada

Paul Block e Robert Vaughan

Tradução de Samuel Dirceu

Copyright © 2007 by Paul Block e Robert Vaughan
Título original: *The Masada Scroll*

Todos os direitos reservados, incluindo o direito de reproduzir o livro
ou partes dele sob quaisquer formas.
Publicado por Tom Doherty Associates, LLC (selo Forge). Forge © é uma marca registrada
da Tom Doherty Associates, LLC.
Esta é uma obra de ficção. Todos os personagens e acontecimentos registrados neste romance
são fictícios ou são utilizados de maneira fictícia.

Todos os direitos reservados.
© 2007 Editora Novo Conceito

Editora: Bete Abreu
Assistente Editorial: Monika Kratzer
Produtor Gráfico: Samuel Leal
Tradução: Samuel Dirceu
Preparação de Texto: Patricia De Cia
Revisão de Texto: Isney Savoy e Eliel Cunha
Capa: Henrique Silva
Composição e Diagramação: Triall Composição Editorial Ltda.

**Dados Internacionais de Catalogação na Publicação (CIP)
(Câmara Brasileira do Livro, SP, Brasil)**

Block, Paul
  O Pergaminho de Masada / Paul Block, Robert
Vaughan ; [tradução Samuel Dirceu]. -- São Paulo :
Novo Conceito Editora, 2007.

  Título original: The Masada Scroll
  ISBN 978-85-99560-12-9
  1. Ficção norte-americana
I. Vaughan, Robert. II. Título.

07-1243   CDD-813

Índices para catálogo sistemático:

1. Literatura norte-americana

Editora Novo Conceito
Rua Marquês de Itu, 408 – 5º and. – Cj. 55 – V. Buarque
01223-000 – São Paulo – SP
www.editoranovoconceito.com.br

*Com muito amor,
nós dedicamos este livro para nossas esposas,
Connie Orcutt Block
Ruth Vaughan*

CAPÍTULO 1

Uma esfera de luz cintilou quando Gavriel Eban acendeu um cigarro. Protegendo os olhos do sol da tarde, ele avistou a baixa estrutura de pedra que dois milênios antes estocara grãos e outras provisões para o ataque final contra a fortaleza de Masada. Contra o vão da porta aberta, viu a silhueta de meia dúzia de homens e mulheres, membros da equipe de arqueologia, reunidos no local durante uma pausa no trabalho para desfrutar um pouco a brisa fresca que soprava do interior. Eban estava longe demais para entender algo além de uma palavra ocasional, mas fantasiou que eles eram fanáticos zelotes debatendo como derrotar as tropas romanas que haviam sitiado sua fortaleza no topo da montanha. E viu-se como um guarda zelote com uma espada de lâmina larga presa à cintura, em lugar da pistola 9 mm Jericho 941, que era o equipamento-padrão da polícia israelense.

Em sua imaginação, o ataque final tinha começado e logo caberia a ele e a um punhado de outros homens da segurança — não, guerreiros zelotes — levar glória à nação judaica com a ponta de suas espadas.

Mas este não era o século 1, era o século 21, lembrou-se Eban. Não havia soldados romanos, nem uma insurreição zelote para aliviar o tédio paralisante de outro longo e quente dia de trabalho protegendo uma escavação arqueológica onde o único ataque inimigo era realizado pelos demônios da poeira que varria o vale desértico que circundava Masada.

Eban deu uma longa tragada no cigarro, jogou-o no chão e o esmagou na terra com sua bota, relembrando a promessa feita a Lyvia de que iria largar tudo. E sorriu pensando na imagem dela a esperar por ele no apartamento em Hebron. Algumas horas mais e ele estaria em casa, enfiando-se embaixo das cobertas ao lado dela.

Um movimento de pés se arrastando, vindo de um dos lados, chamou sua atenção. Virando-se diretamente contra a luz do sol, viu a figura de um homem que se aproximava, vindo de um dos pequenos edifícios externos do forte.

— Moshe? — ele chamou, semicerrando os olhos na tentativa de descobrir se era um dos outros guardas de serviço. — Moshe, o que você está fazendo aqui? Pensei que você estivesse...

Uma lâmina prateada zuniu uma vez e penetrou na garganta de Eban. Ele sentiu uma pontada e logo o sangue da artéria carótida escorreu em seu pescoço. Ele abriu a boca, mas a traquéia estava seccionada, o grito silenciado enquanto ele caía de joelhos e agarrava o pescoço. Eban ergueu os olhos para ver seu agressor, a expressão suplicante, os lábios formando a pergunta: *Por quê?*

Apenas os olhos ferozes e intensos do homem eram visíveis por trás do capuz preto que cobria aquele rosto. Sua resposta foi tão fria quanto o aço que ele trazia nas mãos ao se inclinar e enfiar a lâmina de baixo para cima no coração de Eban. Então, com os pés, virou o corpo sem vida contra a terra.

O braço erguido e o punho cerrado do assassino convocaram outros, e mais onze homens com capuzes negros e roupas negras se materializaram de detrás de rochas e paredes de pedra ao redor.

Com sinais e gestos, ele comandou a horrível empreitada. Sem suspeitar, desarmadas, as vítimas foram abatidas pelas facas e pelos garrotes do grupo de ataque.

Mesmo através das grossas paredes de pedra, eles ouviam os aterradores sons vindos de cima, os gemidos, gritos e orações dos moribundos.

— Rápido — ela disse. — Não podemos deixar que ele seja descoberto.

Seu acompanhante pôs-se de joelhos para escavar a terra com a pá de cabo curto, o odor pungente de terra fresca penetrando em suas narinas.

— Rápido — ela insistiu. — Não temos muito tempo!

— Já estou quase na profundidade certa. — Ele respirou fundo e aumentou o ritmo.

Outro grito, dessa vez tão perto que fez os dois darem um salto. E depois um cântico plangente:

Yeetgadal v'yeetkadash sh'mey rabbah
B'almah dee v'rah kheer'utey

— Dê-me — ele disse, deixando cair a pá e se aproximando dela.
— É fundo o suficiente? Isto não pode cair em mãos erradas.
— Tem de ser. Não temos mais tempo.

Y'hey sh'met rabbah m'varach l'alam u'l'almey almahyah.
Y'hey sh'met rabbah m'varach l'alam u'l'almey almahyah.

No alto, o canto do Kaddish foi enfraquecendo à medida que as vozes desapareciam, uma a uma.

O ASSASSINO CAMINHOU entre os corpos, virando cada um deles para ver os rostos, enquanto o resto do grupo dava uma busca na área. Um deles veio correndo e disse com um encolher de ombros: — Não está aqui.
— Está por perto — ele respondeu, sem se dar ao trabalho de olhar o sujeito. — Ela disse que estava aqui, e eu acredito nela.
— Procure você mesmo; não está aqui, estou dizendo.
— Você procurou dentro de todos os edifícios? — ele perguntou.
— Claro.
— Procure de novo. — Ele fez um gesto de desdém. — Encontre a mulher. — Ele não se preocupou em dizer o nome. Sua equipe havia sido treinada incontáveis horas; todos sabiam muito bem quem e o que tinham ido buscar. — Encontre-a, mas tenha cuidado para que ela não seja ferida. Ela vai nos levar até ele.

ABAIXO, NO SUBSOLO do edifício de pedra, a mulher vigiava o alto da escada enquanto o homem rapidamente fechou o buraco, alisou a terra e jogou a pá de lado.
— A pá — ela sussurrou nervosa, apontando para a ferramenta.
— É mesmo — ele disse, percebendo que a pá indicava o lugar do esconderijo. Ele a agarrou de volta e depois passou o pé sobre a terra, apagando qualquer marca no lugar onde tinham cavado o buraco.
Ela estava outra vez vigiando o alto da escada, o vão da porta, quando ele se aproximou e colocou a mão em seu ombro.
— É hora de irmos embora.
— Você acha seguro? — ela perguntou, o medo evidente naqueles olhos que o fitavam.
— Fizemos tudo o que pudemos. Se a porta vai se abrir para o Céu ou para o Inferno, agora é com Deus.

Do lado de fora, os gritos e as preces tinham cessado, substituídos pelo suave sussurro do vento.

O SUAVE SUSSURRO do vento escorregando pelo MD-111 gradualmente penetrou em sua consciência. Abrindo os olhos, ele piscou por causa da luz forte que entrava pela janela do avião e depois apertou os olhos para ver a superfície tremeluzente do Mediterrâneo.

— Padre?

Ele mal ouviu a voz, seus pensamentos concentrados no que ele havia acabado de experimentar. Ruínas desérticas antigas... Terroristas encapuzados e vestidos de preto... lâminas de aço cortando a pele enquanto um homem e uma mulher enterravam seu tesouro no chão. Tinha sido um sonho? Uma visão? Estaria ele resgatando uma memória distante de um livro ou de um filme?

— Padre Flannery? — a mulher insistiu. — O senhor é o padre Michael Flannery?

Deixando de lado seus devaneios, Flannery virou-se para a jovem aeromoça que o encarava com olhos de um verde tão brilhante que só podia ser o resultado de lentes de contato. — Sim — ele confirmou com um sorriso forçado.

Ela lhe estendeu um pedaço de papel. — O comandante recebeu isto para o senhor. — Os olhos se estreitaram, a expressão era quase conspiratória quando ela se inclinou por sobre a poltrona vazia do corredor. — O senhor deve ser um homem muito importante. Não é sempre que um passageiro recebe um fax do governo de Israel a bordo.

— Muito obrigado — Flannery disse, pegando o fax. Ele esperou até que ela deixasse a primeira classe antes de lê-lo, embora tivesse a certeza de que ela já tinha feito isso:

> *Padre Michael Flannery:*
> *Logo após a chegada, por favor apresente-se no escritório do chefe da segurança do aeroporto. Vou encontrá-lo lá para facilitar o desembaraço alfandegário. Aguardo ansiosamente sua chegada. Penso que você vai achar essa visita muito esclarecedora.*
>
> *Preston*

Preston Lewkis era professor de arqueologia na Brandeis University. Ele e Michael Flannery tinham se encontrado, e se tornado amigos, quase uma década antes, quando o padre irlandês deu um curso de um semestre sobre objetos cristãos em Israel no *campus* de Waltham, em Massachusetts. Mantiveram contato desde então, e a recente mensagem de e-mail de Preston era tão misteriosa quanto intrigante:

> *Michael, venha a Jerusalém tão logo possível. Acredite em mim, meu amigo, você não vai querer perder essa oportunidade. Não faça perguntas agora. Apenas responda indicando o número de seu vôo. Todas as despesas serão reembolsadas.*

Se o e-mail de Preston visava despertar a curiosidade de Flannery e garantir sua obediência, tinha conseguido. Agora, menos de 24 horas depois, ele estava a ponto de descobrir do que se tratava.

— Masada — Flannery murmurou, como se respondesse. Da última vez que tinha tido notícias, Preston trabalhava como consultor para a equipe que fazia escavações no antigo sítio judaico.

O que possivelmente explica o meu sonho, ele admitiu com um assentir de cabeça. *Mas o que Masada tem a ver comigo?*

Flannery tentou afastar da mente as questões que o preocupavam desde que havia recebido aquele e-mail. Tudo seria respondido logo, ele sabia. Melhor aproveitar o resto do vôo para recuperar um pouco do sono que tinha perdido na azáfama da preparação para a viagem.

Enfiando o fax no bolso do paletó, ele abaixou a veneziana e fechou os olhos. E para serenar a confusão de pensamentos, rezou silenciosamente o pai-nosso, pronunciando as palavras em latim com vagar, quase como um mantra de meditação.

Pela segunda vez ele percebeu um leve brilho, como se o sol estivesse nascendo no horizonte. O brilho aumentou e aos poucos foi suplantando a escuridão de sua visão interior, dando forma ao panorama estéril, às ruínas que povoavam seus arredores. Um tênue movimento chamou sua atenção e ele percebeu duas figuras, um homem e uma mulher, afastando-se de braços dados, emoldurados pelo sol nascente. E então um sussurro... o vento, ou uma voz?, ele se perguntou.

— Céu ou Inferno... agora é com Deus — a mulher repetiu, olhando por sobre o ombro como se dirigisse as palavras ao padre que observava de longe.

O homem falou coisas que Flannery não conseguiu distinguir; então o casal se abraçou e começou a entoar uma prece em hebraico. Eles deram mais alguns passos à frente e depois desapareceram na eclosão de luz quando o sol se ergueu acima do horizonte.

Flannery permaneceu imóvel, mas sentiu seu corpo projetando-se à frente para onde eles tinham estado. Ele se viu à beira de um precipício, olhando para um vale deserto, centenas de metros abaixo. O sol ficava cada vez mais brilhante, raios de luz perfuravam sua cabeça, sua garganta e seu coração. Não havia mais sinal do homem ou da mulher... apenas a ofuscante luz branca. E o grito de milhares de vozes vibrando dentro dele quando entoou o plangente cântico Kaddish:

Que Seu grande nome seja abençoado para sempre e sempre.
Que Seu grande nome seja abençoado para sempre e sempre.

CAPÍTULO 2

O PILOTO REDUZIU o coletivo e o helicóptero Bell Jet Ranger iniciou a descida, as hélices estalando ruidosamente enquanto cortavam o ar agitado pelo movimento do rotor. Inclinando-se pela porta aberta, Preston Lewkis olhou a terra marrom-amarelada abaixo.

— É aqui — disse ele por sobre os ombros para Michael Flannery, que estava sentado no meio do helicóptero, o mais longe possível do vão das portas.

Flannery, obviamente desconfortável com a viagem de helicóptero, concordou por entre os dentes.

— Há dois anos uma parede enterrada foi localizada com imagens de satélite. — Preston gritou por cima do barulho. — Eles têm certeza de que é parte de alguma área do forte anteriormente desconhecida.

— O antigo forte judaico? — Flannery falou de volta.

— Sim.

Preston olhou fixamente para a fortaleza que havia sido abandonada pelos zelotes alguns anos antes do final da resistência contra os romanos e do suicídio em massa no ano 73 da Era Cristã. Ela tinha sido construída num platô montanhoso cerca de 1.200 metros acima do Mar Morto. O topo tinha uma forma rombóide, alongando-se de norte a sul, e isolado dos arredores por profundos desfiladeiros em todos os lados.

Assim que a parede da fortaleza foi descoberta, a Agência de Objetos Arqueológicos Israelense começou uma meticulosa exploração, patrocinada principalmente pela Brandeis University, onde Preston era professor. Ele havia sido incluído na equipe de campo em virtude de um pedido específico de Daniel Mazar, especialista em objetos arqueológicos da Hebrew University e um dos principais membros da equipe de pesquisa israelense.

Mazar era uma espécie de mentor de Preston, que tinha feito um estágio na Hebrew University durante seu último ano na Washington University, em Saint Louis. Havia sido uma experiência fascinante e enriquecedora trabalhar com o venerado especialista sobre os Manuscritos do Mar Morto. Na verdade, depois de graduar-se, Preston tinha voltado às escavações em andamento em Qumran por mais um ano.

Ele e Mazar tornaram-se amigos desde então, e escreveram juntos um livro intitulado *Arqueologia Litúrgica: As Lições Aprendidas em Qumran*. O *New York Times* assim se referiu à obra: "Um exame agradável e abrangente sobre a doutrina apocalíptica nos manuscritos de Qumran. Os professores Mazar e Lewkis têm um notável senso de proporção; esse livro extraordinário será importante não apenas para cursos sobre os Manuscritos do Mar Morto mas também sobre o judaísmo do Segundo Templo, o apocaliptismo e o Novo Testamento".

Para Preston, esse projeto em curso era uma tarefa dos sonhos, daquelas que acontecem só uma vez na vida. Aos 36 anos, com a maior parte de sua carreira de professor e pesquisador à frente, sem mulher ou filhos, ele ainda estava em ascensão. Talvez a direção de um departamento, ou uma prestigiosa bolsa de estudos aparecesse em seu horizonte.

Preston pegou um boné de beisebol do St. Louis Cardinals, lembrança de sua cidade natal, e colocou-o sobre os cabelos louros sujos de terra enquanto o helicóptero pousava num turbilhão de areia que se dissipou rapidamente após o piloto nivelar o manete e desligar o motor. Depois de desatar o cinto de segurança, Preston desceu, abaixando-se de leve, embora isso não fosse estritamente necessário, e afastou-se rapidamente do *uuusshh* das hélices que giravam cada vez mais lentas. Ele acenou ao piloto em agradecimento e esperou por Michael Flannery, que tinha acabado de sair do helicóptero e parecia meio bambo de volta à terra firme.

O padre era alto, com um corpo esguio de corredor, um homem atlético em torno dos 45 anos, que parecia não estar acostumado a tanta instabilidade. Ele se abaixou muito mais do que o necessário para proteger a cabeça, uma das mãos pressionando o espesso cabelo castanho escuro, como se fosse um boné prestes a ser arrancado pelas hélices do helicóptero.

Quando Flannery chegou a seu lado, Preston apontou uma área aberta perto das ruínas do antigo forte, onde um poço raso, de uns 10 metros de profundidade, tinha sido escavado. — Antes de examinarmos nosso achado no laboratório, quis mostrar onde o encontramos. A localização torna tudo ainda mais extraordinário.

— Você ainda não me disse do *que* se trata — disse Flannery, mostrando uma certa frustração diante do contínuo ar misterioso de Preston.

— Paciência, Michael, paciência. Tudo no seu devido tempo. Quero que você seja exposto da mesma forma que nós, para sentir o mesmo impacto. E isso pode ajudar você a nos ajudar a entendê-lo.

— *Ele*, novamente? — Flannery forçou um sorriso. — Bem, não gosto de ser mantido no escuro, mas vou aceitar a brincadeira. — Ele deu uma risadinha: — Como se eu tivesse escolha.

Eles se aproximaram do poço, onde uma dúzia de jovens usando macacões trabalhava sob a supervisão de dois homens com jeito de cientistas e vestidos com aventais brancos de laboratório. Em vários pontos ao redor da área, guardas de segurança armados do Exército de Israel vigiavam tudo.

— Como você vê, a escavação continua — Preston falou.

— Foi aqui que os Ishars foram mortos... uns três anos atrás?

— Aqui perto — Preston concordou, indicando com a cabeça um lugar à esquerda. — A equipe deles estava escavando uma edificação na borda noroeste das ruínas.

Flannery olhou para dentro do poço. — Pensei que todo o trabalho em Masada tivesse sido interrompido depois do ataque.

— E foi, por quase um ano. E com a tensão aumentando na Cisjordânia o governo ficou temeroso de designar novas tropas para cá. Mas as coisas mudaram após as descobertas feitas pelo satélite, e quando surgiram informações sobre os terroristas que...

Ele foi interrompido pela chegada de uma oficial israelense. A mulher — que tinha por volta de 20 e tantos, 30 anos no máximo, calculou Preston — era desconcertantemente atraente, com maçãs do rosto salientes, tez morena, olhos da cor de chocolate e cabelo preto brilhante preso sob uma boina militar. Atraente a ponto de Preston sentir-se um pouco embaraçado com sua reação, pois seu companheiro era um clérigo católico. Mas Preston relaxou quando olhou para Flannery e viu que o padre tinha sido igualmente afetado, talvez mais pela incongruência de ver tal beleza usando um uniforme cáqui de batalha e pesadas botas pretas, o conjunto realçado por uma Uzi presa a seu ombro direito, o cano voltado para baixo.

— Sou a tenente Sarah Arad — disse imediatamente a oficial em inglês, dispensando cumprimentos. — Você é o dr. Preston Lewkis?

— Sim — ele respondeu, mostrando o documento com sua foto da Agência de Objetos Arqueológicos.

Preston havia visitado o sítio várias vezes, e parecia que em cada uma delas um novo oficial supervisionava a segurança, e mostrava-se tão descontente com a missão quanto o anterior. Pela expressão da tenente, ele presumiu que dessa vez não era diferente.

— E este é o padre Michael Flannery? — ela perguntou virando-se para o clérigo, que assentiu com a cabeça e mostrou o distintivo de segurança que Preston lhe tinha dado no helicóptero. — Disseram-me que você estava vindo, padre Flannery. — Ela hesitou um pouco e depois perguntou: — Este é o modo correto de chamá-lo?

— Sim, está ótimo — ele respondeu com um sorriso.

— Se você indicar o caminho, tenente Arad — Preston disse, cioso do protocolo de segurança no sítio —, eu gostaria de mostrar ao padre Flannery onde a descoberta foi feita.

— Então vamos. — A tenente apontou para uma vala longa e estreita, cuja base formava uma suave descida de cerca de 6 metros até o fundo do poço, terminando junto a uma abertura na parede.

— Descobriram alguma coisa nova? — ele indagou.

A oficial meneou a cabeça. — Os cacos de alguns vasos quebrados, mais nada. Se algum dia houve alguma coisa em qualquer um desses vasos, agora não há mais.

— Vamos? — Preston falou, conduzindo seu amigo na frente enquanto a tenente começava a descer.

MICHAEL FLANNERY ABAIXOU-SE para entrar na abertura em arco da parede de pedra. A porta que existira lá muito tempo atrás apodrecera, mas havia claras marcas de onde as dobradiças tinham sido inseridas na moldura de pedra. Ao entrar na câmara, ele piscou contra o clarão de um tripé iluminado. Quando seus olhos se acostumaram, viu-se numa sala de aproximadamente 3 metros por 6 metros, com um chão de terra batida e paredes feitas de pedras muito bem encaixadas. O teto, apenas alguns centímetros acima de sua cabeça, era uma maravilha de construção, com grandes placas de pedra que atravessavam toda a largura da sala. O tripé de luzes estava fixado num poço raso de mais ou menos 1,5 metro de diâmetro que havia sido cavado no chão.

Andando pela câmara, Flannery inalou o ar e sorriu. A aridez fria estava permeada por uma clara fragrância — de mofo, mas não desagradável — que ele já tinha experimentado antes. Era o buquê dos tempos, produto de uma bolha de ar presa que tinha ficado em repouso por cerca de 2 mil anos.

— Foi aqui que Azra o encontrou — Preston Lewkis disse, interrompendo sua divagação.

— Azra?

Seu amigo apontou para a extremidade da sala, e pela primeira vez Flannery percebeu que alguém já estava lá quando entraram, protegido pelo clarão das luzes.

Ao ouvir seu nome, a mulher adiantou-se, e Preston falou: — Esta é Azra Haddad. Ela está na equipe de escavação desde que a exploração começou.

Azra era uma mulher madura com aparência jovem e idade indeterminada, dona de uma pele que poderia ser descrita como curtida ou temperada pelo tempo, mais do que enrugada. Na cabeça, ela usava um lenço de tecido quadriculado, o que sugeria que ela fosse palestina e tornava sua presença surpreendente na esteira do mortal ataque contra a escavação dos Ishars. Mas foram seus olhos afetuosos e negros que chamaram a atenção de Flannery. Ele sentiu uma estranha familiaridade e pensou ter percebido um reconhecimento mútuo quando ela olhou para ele. Ele tinha certeza de que nunca tinham se encontrado, e se perguntava se uma coisa dessas era possível quando Preston quebrou o silêncio.

— Azra, conte ao padre Flannery sobre a descoberta.

Com um sorriso recatado, ela deu alguns passos adiante e ajoelhou-se na beirada do poço. Indicou um lugar quase exatamente no centro. — Foi lá que desenterramos a urna — ela disse com um sotaque que misturava sua ascendência árabe e uma pitada de nobreza britânica. Obviamente ela recebera uma boa educação, provavelmente numa universidade britânica.

Flannery veio para mais perto e examinou o poço. Havia marcas de pás, mas nada extraordinário que indicasse uma descoberta notável. — Uma urna, você disse? — ele perguntou. — E foi você quem fez a descoberta?

— Ela percebeu uma alteração sutil na superfície do chão — Preston interpôs-se. — Como se a terra tivesse sido remexida, não foi assim, Azra? — E sem esperar uma resposta, ele continuou: — Muito bem, você já viu onde o encontramos. Agora, o que você me diz de voltarmos para Jerusalém, jantarmos e instalar você em seu hotel? Logo de manhã iremos ao laboratório e você vai poder ver o que estava dentro da urna.

— Não podemos ir ver agora?

— Você já trabalhou com a Agência de Objetos Arqueológicos Israelense antes. Você sabe como eles são — Preston falou. — Eles querem que seu pessoal esteja sempre presente quando o examinamos, e na hora em que chegarmos lá não haverá mais tempo.

Flannery sacudiu os ombros, resignado. — Tudo bem, como você preferir.

— Vamos, então. — Preston acenou para a tenente Arad ir na frente no caminho de volta ao helicóptero.

Ao segui-los saindo da câmara, Flannery parou para olhar de novo o sítio da descoberta que, segundo Preston Lewkis, mudaria fundamentalmente como o mundo é entendido. Azra Haddad ainda estava de joelhos no chão, olhos fechados como se fizesse uma prece. De repente a cena mudou, e ele viu um homem e uma mulher enterrando alguma coisa no buraco recém-cavado, seus movimentos pontuados pelas preces e pelos gritos dos moribundos. Ele sacudiu a cabeça para afastar a visão que havia tido pela primeira vez adormecido no avião.

Sonhos, imagens sem sentido, pensou. Mas, de alguma forma, ele tinha juntado eventos díspares — a promessa de Preston de relíquias desenterradas, o trágico ataque terrorista a Masada três anos antes, quando Saul e Nadia Ishar e sua equipe de arqueólogos foram brutalmente assassinados por terroristas palestinos.

Quando Flannery começou a se virar, a mulher chamada Azra ergueu o olhar para ele. Nenhuma palavra foi trocada entre eles, mas era a voz dela que ele tinha certeza de estar ouvindo sussurrando: *Finalmente nos reencontramos.*

Flannery atravessou a porta em direção à forte luz da tarde. Ele fitou as ruínas uma última vez, mas não conseguiu ver Azra. A mulher tinha desaparecido novamente, retornando às sombras fora do globo de luz que pulsava no coração da câmara.

CAPÍTULO 3

Na manhã seguinte, o clérigo católico romano e o professor de Brandeis mostraram seus documentos a quatro soldados israelenses armados, no *lobby* de um edifício comum, propositadamente não identificado, no *campus* da Hebrew University nos arredores de Jerusalém. Um dos guardas conferiu seus nomes numa prancheta e depois fez um gesto para que seguissem pelo corredor.

Acompanhando o amigo, Michael Flannery perguntou: — Estas são as Catacumbas? — Ele já tinha ouvido falar do local secreto e vigiado conhecido por aquele apelido onde a universidade desenvolvia suas pesquisas politicamente mais sensíveis.

— Exatamente — Preston concordou.

— Mas as Catacumbas não são uma base militar?

Seu amigo abriu um largo sorriso conspiratório. — Ah, um laboratório foi construído em uma das bases, mas aquela pequena instalação não é mais do que um subterfúgio. O trabalho verdadeiro acontece aqui. — Ele abriu a porta na extremidade do corredor e conduziu o padre para dentro.

Quando Flannery entrou na sala, seus olhos foram atraídos para uma mulher de pé no canto oposto, falando num tom abafado com um dos soldados de guarda. Quando a mulher os viu entrar, fez um sinal de reconhecimento com a cabeça.

Com um choque, Flannery percebeu que era a mesma tenente que ele tinha encontrado na escavação em Masada. Agora ela não usava uniforme militar, mas um vestido civil apropriado para o verão, com uma colorida estampa floral e elegantemente mais curto na frente. Ela não se parecia nada com uma oficial israelense, e quando Flannery viu a expressão de Preston, percebeu que seu amigo compartilhava aquela opinião.

Havia outros três homens na sala, todos de pé em volta de uma mesa central com cerca de 3 metros de comprimento. Cobrindo a mesa, havia um requintado pano azul com um delicado recamo em fios de ouro — um tipo de mortalha que Flannery esperaria encontrar numa sinagoga e não exatamente num laboratório. O pano estava estendido, exceto por uma saliência em cada extremidade. No lado direito, ele cobria alguma coisa cilíndrica, tão larga quanto a mesa, mas com apenas uns poucos centímetros de altura.

— Michael, deixe-me apresentá-lo aos outros — disse Preston, levando-o para junto de um homem magro, baixo e calvo, exceto por um tufo de cabelo acima de cada orelha. — Este é o dr. Daniel Mazar. Ele foi meu professor durante meu estágio aqui, e ainda é meu mentor, mecenas e amigo.

Flannery estendeu a mão. — Muito prazer em conhecê-lo.

— O prazer é meu, padre.

— Você trabalhou com Yigael Yadin, não trabalhou? — Flannery perguntou.

— Sim, tenho orgulho de dizer que trabalhei.

— Estudei um pouco de sua obra; ele era brilhante. E corajoso, lutando ao lado da Haganah.

— É verdade, um dos pais de nosso país. — Mazar virou-se para apresentar o homem mais moço que se juntara a ele. — Este é o dr. Yuri Vilnai, diretor administrativo do Instituto de Arqueologia.

Flannery e Vilnai apertaram-se as mãos.

— E este é o rabino David Itzik, ministro de Assuntos Religiosos e chefe do Conselho da Ortodoxia Religiosa.

— Oh, rabino Itzik, é bom vê-lo de novo — disse Flannery, com um sorriso que deixava escapar pouco mais que um cumprimento formal. O que se podia ver da expressão do rabino por detrás da barba branca crespa e das sobrancelhas espessas era, no máximo, um ar de condescendente tolerância. — O rabino e eu trabalhamos juntos antes — Flannery explicou, voltando-se para os outros.

— Ótimo, ótimo — Preston disse, com um meio sorriso. — Então você não vai perder o interesse em função da reputação dele como um combatente ríspido como político e defensor da fé.

— Nem um pouco.

Durante as apresentações, Flannery tinha percebido os olhos de seu amigo fitando mais de uma vez a tenente, que parecia divertir-se com aquela atenção.

Como em resposta, ela avançou em direção a eles, dizendo: — Que bom vê-los novamente, professor Lewkis... padre Flannery. — Ela fez um leve meneio de cabeça para cada um.

— Oh, acredito que vocês já conheceram Sarah Arad — o dr. Mazar disse.

— Sim, já. — Flannery respondeu. Ele viu que Preston estava tendo dificuldade para manter seu sorriso profissional.

— Bem, sim... olá, de novo — Preston gaguejou. E depois, como se não conseguisse resistir à tentação, acrescentou: — Um uniforme muito mais bonito hoje, se posso falar.

— Uniforme? — Mazar se interpôs. E olhando para ela, riu. — Ah, sim. Você estava de uniforme ontem, não estava? Sarah está aqui hoje numa função diferente.

— Estou numa equipe de reserva, e me permitiram terminar meu mês de rodízio no sítio de Masada ontem — ela explicou. — É meu trabalho normal que me traz aqui hoje.

— Sim — disse Mazar. — Sarah é uma especialista em preservação de objetos arqueológicos.

— Que tipo de trabalho de restauração você faz? — Preston perguntou.

— Restauração não. É mais a manifesta destruição dos tesouros da nação que me diz respeito.

— Sarah trabalha na segurança israelense — Mazar contou. — O rabino Itzik e eu mexemos uns pauzinhos e conseguimos que ela fosse designada para o nosso projeto. — Ele sorriu para Sarah e depois se voltou para Flannery e Preston. — Mas tínhamos um motivo oculto, devo confessar. Sarah também é formada em medicina legal arqueológica, e é especialista nas ruínas de Masada. Queremos ocupá-la de mais do que assuntos de segurança.

— Vou cobrar essa promessa — Sarah disse ao professor.

— Medicina legal arqueológica? — Preston perguntou, parecendo ansioso em continuar o assunto.

Mazar o interrompeu levantando a mão. — Chega dessas amenidades — declarou, agarrando a manga do terno preto de Flannery como uma criança impaciente. — Está na hora da verdadeira apresentação.

Seus colegas se afastaram, abrindo caminho para Mazar, que levou os convidados até a mesa.

— A urna de Masada — Mazar anunciou, enquanto Yuri Vilnai cuidadosamente erguia o pano na extremidade esquerda da mesa. Ele dobrou o pano, revelando a urna mas deixando o resto da mesa fora de vista.

Quando Flannery se aproximou, Preston lhe ofereceu o conteúdo de uma caixa de luvas cirúrgicas, e cada um vestiu um par. No início, Flannery hesitou em tocar a urna, mantendo suas mãos alguns centímetros acima dela, seguindo seus contornos. Mas Mazar assegurou que estava tudo bem e o encorajou a fazer um exame minucioso.

A urna era feita de argila marrom-avermelhada, e qualquer pintura que tivesse decorado o exterior desaparecera havia muito tempo. Ela tinha a forma ligeiramente semelhante à de um barril, cerca de 60 centímetros de altura e 30 centímetros no ponto mais largo. Alargava-se um pouco perto da borda, formando uma abertura em forma de lábios com 25 centímetros de diâmetro. Uma tampa achatada da mesma argila avermelhada estava pousada ao lado da urna.

— Primoroso — Flannery sussurrou, passando a mão sobre a superfície, que trazia entalhes de um *menorah* e de chifres de carneiro.

— Sim, é sim. — Preston aproximou-se dele. — Se te pedissem para datá-la, Michael, em que período você a colocaria?

Inclinando-se à frente para examinar mais detidamente o entalhe, Flannery observou alguns salpicos de pintura de ouro nas fendas das chamas tremeluzentes. — Diria que entre o início e meados do século 1. Mas tenho certeza de que vocês já sabem disso, assim como tenho certeza de que essa não é a razão para eu estar aqui. Alguma coisa dentro da urna, talvez?

— Removemos o conteúdo — Mazar afirmou. — Mas antes disso, registramos a imagem com ressonância magnética. Aqui está uma montagem das imagens. — Ele mostrou uma cópia feita por computador.

A ressonância magnética tinha produzido imagens de cortes transversais do interior, que, quando colocadas juntas, revelaram em perfeitos detalhes um pergaminho, aparentemente quase imaculado e cuidadosamente enrolado e preso por um barbante.

Flannery concordou com a cabeça, sem demonstrar nenhuma surpresa. Os pergaminhos descobertos em Qumran estavam em jarros semelhantes a essa urna. O que o surpreendeu, contudo, foi a aparente condição do achado. A maior parte dos manuscritos do Mar Morto não passava de fragmentos de texto que tinham de ser unidos a duras penas.

Ele bateu com o indicador nas imagens da ressonância magnética. — Pela sua condição, isto parece muito mais novo do que do século 1.

— Ele foi datado com carbono como tendo cerca de 2 mil anos — Sarah Arad retrucou. — A mesma idade de algumas cinzas de um fogo de cozinha também desenterradas na câmara.

— Padre Flannery — Yuri Vilnai disse do outro lado da mesa —, tenho certeza de que já o atormentamos bastante. O senhor quer ver o manuscrito?

— Não, acho que vou para casa agora — ele gracejou, provocando algumas risadas cautelosas.

Vilnai olhou para o professor Mazar, que acenou para ele continuar. Com Preston Lewkis observando perto da mesa, os dois homens começaram a enrolar o pano, partindo do lado da urna e indo até o outro extremo da mesa. À medida que o faziam, o manuscrito ia se revelando, estendido e protegido por um vidro grosso, colocado um pouco acima da superfície, para não tocar o papel.

Flannery percebeu imediatamente que não era papel, inventado na China no século 11, mas papiro, feito de folhas de plantas de papiro, que cresciam nas águas limpas do Nilo e em tempos bíblicos eram chamadas de junco. Somente alguns manuscritos do Mar Morto eram em papiro, a maioria tinha sido escrita sobre peles de animais.

Maravilhado, Flannery grudou os olhos no manuscrito, que estava em condições excepcionalmente boas. Ele tinha cerca de 35 centímetros de largura e quase 1 metro de seu comprimento estava visível; o resto ainda estava enrolado, junto da extremidade direita da mesa. Sua superfície estava coberta com uma pátina de poeira, de cor ocre. Seria essa a poeira, ele se perguntou, levantada há tanto tempo pelos mártires zelotes de Masada durante sua gloriosa e apocalíptica batalha contra os romanos?

Enquanto se detinha examinando a escrita, assombrou-se de como ela estava em perfeito estado de preservação. Mas então piscou, surpreso. — Está em grego! — exclamou. E olhou para todo o grupo em volta da mesa.
— Este documento veio de Masada?

— Daquele mesmo lugar onde estivemos ontem à tarde — Preston falou.

— Mas não está em hebraico nem em aramaico. Isso é estranho.

— E fica mais estranho — Preston respondeu. — Já conseguimos traduzir a maior parte.

— Vou ler a primeira parte em voz alta — Mazar disse.

Yuri Vilnai trouxe uma pasta de papel manilha contendo um maço de folhas. Limpando a garganta, o professor mais velho começou a ler:

> *O relato de Dimas bar-Dimas.*
> *Registrado por sua própria mão no 30º ano*
> *após a Morte e a Ressurreição de Cristo,*
> *feito na cidade de Roma por ordem de*
> *Paulo, o Apóstolo, por este Servo e Testemunha.*

Eu, Dimas, filho de Dimas da Galiléia e mensageiro de Jesus Cristo pela vontade de Deus, o Pai, e por solicitação do Espírito Santo, aqui registro uma prova para os crentes e os que vierem a acreditar, segundo Sua vontade.

O testemunho de tudo o que Jesus fez e ensinou antes de Sua crucificação por sentença de Pôncio Pilatos, o prefeito romano de Judéia, foi transmitido para mim pela boca dos próprios Santos Apóstolos, mas de sua crucificação fui testemunha direta, e do que se seguiu, até que Ele ascendeu ao Céu à direita do Pai Todo-poderoso.

Estas são as coisas que os crentes acreditam ser verdade: que um filho nasceu de Maria de Nazaré, em cujo ventre o próprio Senhor, pelo poder do Espírito Santo, fez gerar o Filho para ser o Rei do prometido Reino do Céu; que o filho de Maria, esposa de José da Casa de Davi, ela sem nenhuma mácula ou pecado e Mãe do Senhor, tinha sido previsto pelos profetas de Israel como o Salvador e sinal de Deus entre nós, seu povo escolhido; que seu nome era Jesus...

Michael Flannery sentiu a cabeça rodar. E estendeu a mão para apoiar-se na mesa onde estava o manuscrito.

— Padre, o senhor está bem? — perguntou Sarah, aproximando-se dele rapidamente.

— Sim. — Ele respirou fundo algumas vezes. — Sim, estou bem. — Ele olhou para Preston, depois para Mazar e os outros. — Isto... isto é real?

— Acreditamos que sim — Preston assegurou-lhe.

— Naturalmente não queremos nos expor imediatamente — Vilnai interpôs-se. — Todos sabemos o que aconteceu com o chamado ossuário de Tiago.

— Claro, não queremos um outro engano igual àquele — Mazar disse, segurando a respiração e com o queixo rígido.

Flannery percebeu a troca de olhares entre os dois homens e lembrou-se de que Daniel Mazar tinha autenticado o ossuário com o caixão de Tiago, o irmão de Jesus, para imediatamente ver sua autenticação desafiada e posta em dúvida pelo colega mais jovem, Yuri Vilnai. O incidente tinha não apenas provocado ressentimentos, mas quase determinou o fim da carreira de Mazar.

— Todas as evidências, até agora, apontam para a autenticidade do documento — Preston afirmou.

— Se isso é verdade, vocês sabem o que significa, não sabem? — Flannery disse, ainda mal conseguindo respirar só de pensar no que estava à sua frente. — Isto pode ser o único relato escrito de alguém que viu Cristo vivo.

— Pode ser o documento Q — Preston falou.

Todos os presentes conheciam bem os boatos sobre um documento Q, um evangelho teórico sobre o qual não havia nenhuma fonte histórica, direta ou mesmo indireta. Sua existência tinha sido postulada por teólogos que descobriram que haveria mais possibilidade de reconstruir o desenvolvimento do Novo Testamento supondo uma única fonte escrita que teria sido usada pelos autores dos três Evangelhos sinóticos — Mateus, Marcos e Lucas. O nome veio da palavra alemã para fonte: *Quelle*.

— O que nos traz ao motivo de sua presença aqui — Preston continuou. — Pois todos — o rabino Itzik incluído — concordaram quando sugeri que você fosse consultado. — Preston colocou a mão no braço do amigo. — Sei que é muito cedo para afirmar, mas o que seu nariz lhe diz? Encontramos o Q?

— Isso não seria incrível? — o padre murmurou.

Flannery permitiu a sua imaginação pensar na possibilidade, desejar a possibilidade, ter esperança mesmo contra as probabilidades. Havia algo notável sobre essa descoberta, além da sua extraordinária proximidade, algo que o tocara profunda e espiritualmente. Ele não se sentia assim desde que era um jovem seminarista prestes a embarcar nos estudos que o qualificariam para o clericato, para ser um ministro do verdadeiro evangelho que eles estavam discutindo tão informalmente e tão academicamente.

Enquanto refletia sobre o que poderia ser a maior descoberta em séculos, Flannery examinava detidamente os caracteres gregos que haviam sido tão cuidadosa e carinhosamente inscritos no papiro — e se recriminava por ter sido um estudante tão relapso de grego antigo. Ele passou para o lado esquerdo, onde o autor primeiro tinha assinado o manuscrito, e começado a contar a história.

— Dimas bar-Dimas... o filho de Dimas da Galiléia. Você acha realmente que pode ser?... — ele balançou a cabeça em admiração e descrédito.

— O Bom Ladrão — Preston afirmou, completando o pensamento do amigo. — É sim, se o documento for verdadeiro.

— Aparentemente é — o professor Mazar acrescentou. — Mais adiante, no documento, ele descreve a morte de seu pai na cruz do lado direito de Jesus.

— Se isto for verdadeiro — Flannery disse —, é o único registro do nome do Bom Ladrão, pois ele nos chegou apenas em lenda, e não corroborado por relatos de nenhum evangelho.

Flannery mal podia compreender o que estava ouvindo ou vendo. Seria aquele um verdadeiro evangelho escrito por um cristão convertido cujo pai tinha sido um dos dois prisioneiros judeus a compartilharem o destino de Cristo no Gólgota? Mas no momento em que Flannery permitia a si mesmo pensar que era possível, permitia-se acreditar, ele viu ao lado do nome de Dimas um símbolo não muito diferente de um *ankh* egípcio, mas muito mais elaborado. Aquilo o trouxe de volta à realidade, e ele soltou um suspiro.

— Nós também o notamos — Preston disse ao perceber o que Flannery olhava. — Ainda não pudemos identificá-lo. Você tem alguma idéia?

Flannery afastou-se do manuscrito, balançando a cabeça. — Tenho sérias dúvidas se este é o Q ou mesmo um autêntico documento do século 1. Não, se este símbolo foi escrito pela mesma mão que escreveu o resto do manuscrito.

— O que você quer dizer?

— Isto é o Via Dei, ou uma representação muito próxima — Flannery respondeu.

— Via Dei? O Caminho de Deus? — Preston falou. — Nunca tinha visto.

— Ele raramente foi visto, e nunca em um documento tão antigo quanto este aparenta ser.

— Nunca sequer tinha ouvido falar do Via Dei. — Preston virou-se para os professores Mazar e Vilnai, que encolheram os ombros indicando que o termo também era desconhecido para eles.

— É cristão, mas não é muito conhecido — Flannery explicou.

— E por que isto coloca em questão a autenticidade do pergaminho? — seu amigo quis saber.

— O Via Dei é de um período muito posterior, a Idade Média, pelo menos. Definitivamente não é do século 1.

— Você tem certeza?

Foi a vez de Flannery encolher os ombros. — Mas sei onde posso descobrir.

— Onde?

— No Vaticano.

A despeito do silêncio que acolheu aquela afirmação, Flannery viu o olhar desaprovador de todos — e até certa dose de hostilidade da parte do rabino Itzik. A presença de um representante de Roma na sala era sem dúvida uma fonte de controvérsia, e um testemunho do poder de persuasão de Preston Lewkis. Para convencer esses especialistas, teólogos e autoridades israelenses a permitir a vinda de alguém do Vaticano, Flannery tinha concordado que não revelaria nada do que tinha visto ao público ou à Igreja. E agora ele sugeria abrir ainda mais aquela porta.

Flannery sorriu para Daniel Mazar, que estava chefiando a equipe, mas então se virou para o rabino, detentor de muito poder, e lhe disse no tom mais tranqüilizador que conseguiu: — Claro, qualquer pesquisa será feita no mais absoluto segredo. Ninguém, em Roma, vai ficar sabendo de meus propósitos.

Quando o rabino não objetou, e simplesmente baixou os olhos, Flannery percebeu que poderia prosseguir.

Preston Lewkis também percebeu que a vontade de seu amigo tinha prevalecido, e anunciou: — Ótimo, então se você está voltando para Roma, há muita coisa que precisamos verificar antes.

— Mostre-lhe o outro — o professor Mazar se interpôs, voltando-se novamente para o pergaminho. — O outro... como você o chamou?... Via Dei.

— Outro símbolo? — Flannery perguntou, suas dúvidas sobre a autenticidade do manuscrito ofuscadas pelo intrigante mistério de sua origem.

— Sim, aqui.

O professor bateu de leve no vidro, mais ou menos na metade visível do manuscrito. Lá, espremido entre duas palavras gregas, havia uma versão menor do símbolo do Via Dei. Flannery percebeu que a tinta estava um pouco mais esmaecida do que nas palavras em volta, e comparou-o com o outro, verificando que o símbolo maior também parecia ter sido desenhado com uma tinta diferente do resto do documento.

Ele voltou a examinar o símbolo menor e tentou ler o texto ao seu redor. — O que diz? — perguntou, indicando as palavras de cada lado do símbolo do Via Dei.

— É um nome. — Mazar apontou para a palavra de um lado. — Simão. — E para a outra. — Cirene.

Flannery balançou a cabeça com incredulidade. — Simão de Cirene? Aquele mesmo que... — suas palavras não saíram, como se ele não pudesse dizer o que estava pensando.

A sala ficou em silêncio quando o rabino Itzik deu um passo à frente. Fechando os olhos, o clérigo judeu ergueu a mão esquerda e recitou de memória uma passagem do Evangelho cristão de Marcos:

"E eles começaram a saudá-lo, 'Salve! Rei dos Judeus!'. E batiam-lhe na cabeça com um caniço, cuspiam nele e, pondo-se de joelhos, o adoravam. E depois de o escarnecerem, despiram-lhe o manto púrpura e o vestiram com as suas próprias vestes. Então conduziram Jesus para fora, com o fim de o crucificarem. "E obrigaram a Simão de Cirene, que passava, vindo do campo, pai de Alexandre e Rufus, a carregar-lhe a cruz. E levaram Jesus para o Gólgota".

CAPÍTULO 4

A viagem de Simão a partir de Cirene tinha levado várias semanas, pois as estradas estavam apinhadas de peregrinos que se dirigiam a Jerusalém. Ele pensou em adiar a visita até depois da Páscoa judaica, mas tinha ouvido falar que os soldados romanos estavam procurando novos fornecedores de óleo de oliva e estava determinado a chegar lá antes que os soldados tivessem cessado os contatos.

No final da tarde, ele parou para descansar à sombra de uma figueira numa pequena depressão ao lado da estrada. Pretendia descansar só alguns minutos, mas a grama estava macia, a sombra era fresca, e ele caiu no sono.

Agradáveis imagens de botes, água azul e mulheres bonitas foram interrompidas pelas vozes estridentes de seus filhos, Alexandre e Rufus. No sonho, eles ainda eram garotos e discutiam a respeito de um insulto imaginário. Quando seus gritos se elevaram, Simão olhou em volta para ver do que se tratava, mas era como se uma névoa tivesse baixado sobre seus olhos, penetrada apenas por uma voz estranha que gritava: — Vá embora, ladrão!

Seus garotos eram travessos, mas não eram mal-intencionados. Contudo, ele tinha certeza de que eram eles os acusados.

Simão esforçou-se para distinguir se era Alexandre ou Rufus que dizia, num tom baixo mas ameaçador: — Passe a bolsa e você não será ferido.

Rufus? Simão se perguntou, não sabendo mais se as vozes do sonho eram as de seus filhos ou se ainda estava dormindo. Lutando para acordar, ele se ergueu num cotovelo, meio perdido na escuridão e embaraçado por descobrir que seu curto repouso tinha durado até depois do pôr-do-sol.

— Não tem sentido brigar — o homem continuou. — Somos três e você é só um.

— Se vocês querem meu dinheiro, vão ter de tirá-lo de mim — veio a resposta.

Completamente acordado agora, Simão percebeu que um roubo estava ocorrendo bem acima, na estrada. Pegando rapidamente seu bastão, subiu o aterro e viu, recortados pela luz do luar, três homens abordando um quarto. Enquanto dois dos ladrões tentavam agarrar a presa, Simão adiantou-se rapidamente e, antes que alguém pudesse reagir, golpeou com o bastão o mais próximo, jogando-o inconsciente ao chão. Com o bastão novamente em posição, ele saltou para o lado da vítima e enfrentou os outros dois ladrões.

— Agora somos dois de nós e dois de vocês — disse ele sibilando, sua pele negra brilhando na luz cinza-azulada.

Os ladrões, percebendo que não tinham mais vantagem, ergueram o outro do chão e fugiram.

— Corram! — a vítima gritou atrás deles. — Vocês não são apenas ladrões, são covardes.

— Eles o feriram? — Simão perguntou quando ficaram a sós.

— Não, e tenho de agradecer-lhe isso. Sou Dimas bar-Dimas.

O estranho falou seu nome em hebraico, e não em aramaico, a língua comum que estavam utilizando.

— Dimas, filho de Dimas — Simão repetiu em aramaico. Ele observou o homem. Era difícil ver com clareza ao luar, mas achou que Dimas tinha 20 e poucos anos — alguns anos mais moço do que Simão. Dimas tinha uma barba castanha bem cuidada, olhos grandes que chamavam a atenção, embora Simão não pudesse determinar sua cor, e uma expressão franca e calorosa. — Suponho que você seja judeu. Peregrinando, talvez?

Dimas concordou com a cabeça. — E suponho que você não seja nem judeu nem peregrino. — Ele fez um gesto, indicando a cor da pele de Simão.

— Eu sou Simão de Cirene, da província Cirenaica. Há judeus entre o meu povo, mas não, não professo a sua fé.

— Contudo você está na estrada de Jerusalém durante a peregrinação. Suas razões não são da minha conta, mas agradeço você estar aqui. E estou em débito. Eu poderia estar estendido na vala a esta hora, muito ferido, e pior, sem uma moeda no meu nome.

— Por que você viaja sozinho? — Simão perguntou. — Muitos peregrinos vão em caravana.

— Caravanas custam muito dinheiro, e prefiro colocar minhas irrisórias moedas em outros usos. E você? A pé e sozinho.

— Como você, procuro não desperdiçar minha riqueza, por mais magra que seja, no dorso de um camelo. — Simão mostrou o bastão. — Esta madeira é companheira suficiente.

Dimas deu uma risada. — Posso não ser tão rijo quanto esse bastão, embora meu irmão mais novo de sangue quente pense que eu seja um cabeça-dura. Mas atrevo-me a dizer que pelo menos sou um bom conversador. Já que estamos indo pelo mesmo caminho, por que não viajamos juntos? Não apenas por segurança, mas também por companhia, pois sinto que fiz um novo amigo neste dia.

Dimas bar-Dimas estendeu a mão. Com um sorriso aberto, Simão segurou firmemente o antebraço do moço num gesto de amizade, e seguiram pela estrada.

José Caifás mergulhou seu pão num prato de óleo de oliva e colocou um pedaço de queijo de cabra sobre ele. Mordeu um pedaço e engoliu-o com água, desejando que fosse vinho, mas sabendo que teria de esperar até que se chegasse a um veredicto no caso em julgamento.

A Sala de Pedra Lavrada era um caos de tanto barulho, pois aqueles a favor da condenação e aqueles a favor da absolvição perguntavam e argumentavam aos gritos. Na Sala, estavam 47 dos 71 membros do Sinédrio, o supremo conselho e corte de justiça dos judeus. Isso era muito mais do que o quórum de 23 exigido pelo Beth-Din, ou Casa de Julgamento, para chegar a um veredicto numa questão criminal. Eles se posicionavam em semicírculo para que cada um pudesse ver o outro enquanto defendia suas posições.

Caifás parecia prestar pouca atenção aos procedimentos, que tinham ocorrido calmamente no início, com os membros do Sinédrio expondo suas opiniões por ordem de idade, dos mais jovens para os mais velhos. Mas os ânimos foram esquentando, até qualquer sinal de ordem desaparecer. Caifás parecia imperturbável, esperando sua refeição leve terminar para finalmente erguer a mão direita. Como sumo sacerdote do Sinédrio, a ele eram devidos todo o respeito e atenção dos outros membros. A seu sinal instalou-se silêncio, e aqueles que tinham se levantado durante a discussão voltaram a sentar-se.

Caifás passou um guardanapo de linho nos lábios e depois, com cuidado, dobrou-o e colocou-o sobre o colo. — Ouvi atentamente os dois lados nesta questão — ele começou. — Há dentre vós aqueles que perdoariam os zelotes porque seus atos de assassinato e revolta existem para acabar com a opressão de nosso povo por Roma. Mas estamos aqui para deliberar sobre uma questão legal, não para validar seus motivos. Portanto, como súditos de Roma, estamos submetidos à sua lei em tudo o que não desafie a lei de Deus. Deliberar de outra forma seria convidar a ira, não apenas de Roma mas de Nosso Senhor.

Caifás fez uma pausa, para criar um clima, olhando cada um dos membros do conselho, até que todos os olhos naquela sala se fixassem nele.

— Vocês devem, por lei, considerar apenas os fatos pertinentes quando votarem. A questão é muito simples. Esse prisioneiro, assim como os dois prisioneiros antes dele, cometeu o ato pelo qual está sendo julgado? Vocês ouviram e indagaram as testemunhas, que juraram que ele o fez, e ninguém surgiu para contradizer o testemunho delas. Como sumo sacerdote, agora declaro a discussão terminada, e abro a votação.

Dois ajudantes foram chamados, e começou a votação no julgamento de Dimas da Galiléia, um zelote acusado de ser membro dos Sicários, grupo secreto que usava pequenas adagas, ou *sicae*, para assassinar judeus acusados de colaborar com Roma. Embora a condenação exigisse maioria de dois terços, a absolvição exigia maioria de apenas um voto. A vantagem era dada ao acusado porque, se ele fosse condenado, a pena era a morte.

Ao ser chamado, cada um dos juízes anunciava seu veredicto, na forma da lei.

— Eu, Rosadi, era pela condenação, e continuo sendo.

— Eu, Dupin, era pela absolvição, mas agora voto pela condenação.

Trinta membros votaram pela condenação e 17 pela absolvição. Assim que os votos foram devidamente registrados nos autos, Caifás proclamou o prisioneiro culpado e ordenou aos meirinhos que submetessem seu nome, junto com os nomes de Gestas e Barrabás, ao prefeito romano para a execução.

Dimas bar-Dimas subiu numa grande pedra arredondada e viu lá embaixo o muro leste da cidade. O pôr-do-sol marcava o começo da Páscoa judaica, e os fiéis tinham acorrido a Jerusalém aos milhares para a mais sagrada das semanas. Ele podia ver centenas de peregrinos aglomerados na Ponte Dourada. Muitos tinham acabado de completar sua exaustiva viagem e atravessavam a ponte para entrar na cidade. Contudo, igual número usava os últimos minutos antes do pôr-do-sol para fazer negócios com os comerciantes que tinham instalado barracas do outro lado do muro. Havia de tudo à venda, de alimentos e bebidas para os viajantes exaustos até véus para preces e pombos para sacrifício dentro do templo.

Dimas desceu da pedra e aproximou-se de Simão, que estava apoiado em seu bastão. — Aposto que não há uma única cama desocupada em toda a cidade — falou. — Por que não descansamos esta noite e deixamos os negócios para amanhã?

— Isso seria apenas adiar o inevitável — Simão respondeu, não parecendo muito entusiasmado de enfrentar o aperto da multidão. — Foi um prazer viajar com você, Dimas, mas agora preciso ir tratar dos negócios que me trouxeram a Jerusalém.

— Mas o sol já quase se pôs. Você não vai encontrar nenhum romano com ânimo para negociar contratos de óleo de oliva, nem comerciantes dispostos a romper a Páscoa para atender às suas necessidades.

— É verdade, mas... — Hesitante, Simão balançou a cabeça, incerto.

— Minha companhia é tão cansativa que você está ansioso para ir embora? — Vendo que tinha provocado um ligeiro sorriso, Dimas aproveitou. — Venha até o jardim. Você vai se sentir em casa acampando debaixo de um dossel de galhos de oliveira. E talvez o Rabino apareça. Ele passa a maior parte do tempo lá.

— Eu adoraria encontrar esse pregador de vocês, bem como os outros amigos, mas...

— Não amigos, realmente. Mais companheiros de caminho.

— Ah, você parece granjear amigos em todos os caminhos por onde passa.

— É o Rabino — Dimas falou. — Ele tem um jeito de atrair as pessoas; — mesmo as mais diferentes.

— Tais como um comerciante de olivas de Ciréia e um peregrino da Galiléia?

— Precisamente.

— É que eu não sou um homem religioso... não um homem em busca, como você. No momento estou mais preocupado em alimentar minha família nesta vida do que na próxima.

— E que tal alimentar seu próprio estômago? Você ficou se queixando de fome a tarde inteira, e meus amigos certamente têm uma panela no fogo. Eles são bons, gente comum — pescadores e agricultores como você.

— Se eles são seus amigos, ficarei honrado em encontrá-los. — Simão deu um tapinha no ombro de Dimas. — Vamos ver esse jardim de que você fala tanto.

— Getsêmani — Dimas falou, balançando a cabeça cheio de expectativas, enquanto conduzia seu amigo para fora da estrada, através de um campo, na direção do Monte das Oliveiras e além.

CAPÍTULO 5

Ao entrar em Getsêmani, Dimas bar-Dimas foi detido por Simão, que agarrou a manga de sua túnica.
— Aquele é o Rabino, não é? — Simão perguntou, indicando com a cabeça os homens sentados ao redor de uma fogueira na extremidade do bosque de oliveiras.

Dimas ouviu uma conversa animada, mas não distinguiu o que estava sendo dito. Então o fogo se avivou o suficiente para revelar o rosto do único homem que estava em pé.

— Sim, é ele... Jesus de Nazaré — ele falou. — Os outros são seus discípulos.

— Discípulos? — Simão perguntou, claramente confuso com o comentário. — Pensei que fossem companheiros, não seguidores. Quem exatamente é o nazareno?

— Um pregador, a quem alguns chamam de Messias — Dimas respondeu sem demonstrar paixão, como se relatasse um fato histórico. — Mas há alguns que o chamam de falso profeta, um blasfemo.

— E quem *você* acha que ele é?

Dimas pensou um momento, e então respondeu: — Já vi curas e outros milagres feitos por suas mãos e acredito que ele é um homem que tem dentro de si o Espírito de Deus.

— Que tipo de homem reivindicaria para si o Espírito de Deus? — Simão perguntou.

— Ele não reivindica, mas prega para todos que queiram ouvir sobre o amor por Deus e pelo próximo.

— Muitos profetas, verdadeiros e falsos, já falaram da mesma forma.

Dimas sorriu e ergueu um dedo. — Ah, mas eles também pregam que devemos amar nosso inimigo?

— Amar nosso inimigo — Simão zombou. — Mesmo aqueles ladrões que o atacaram na estrada?

— Especialmente aqueles. E se eles nos atacam, devemos dar a outra face para que possam nos atacar uma vez mais. Isto, sim, é o verdadeiro amor.

Simão deu uma risada. — Vi muito pouco amor entre você e aqueles salteadores.

— Não é fácil colocar em prática tudo o que ele prega. Mas aqueles que o ouvem e procuram seguir seus preceitos se transformam para sempre — Dimas declarou. — Você gostaria de conhecê-lo?

— Um homem que quer que eu ame meu inimigo? — Simão esfregou as mãos em seu peito largo, como se elas estivessem sujas, e depois as estendeu. — Estas mãos já despacharam muitos inimigos. E se Jesus me achar indigno?

Dimas riu. — Seja rico, seja pobre, mendigo ou ladrão, pecador ou saduceu, Jesus de Nazaré vai recebê-lo de braços abertos. Ele diz que está construindo um templo com as pedras que os construtores rejeitaram, e ouso dizer que você e eu estamos nessa categoria. Vamos... eu prometo, você vai gostar dele.

— ...E ENTÃO O QUE É QUE O RABINO FAZ? Ele alimenta cada um de milhares apenas com cinco pães e dois peixes — dizia um discípulo quando Simão de Cirene aproximou-se da fogueira. — Agora, alguns podem chamar isso de milagre, mas os peixes eram tainha. — O orador abanou o indicador e fez uma carranca de desaprovação. — Não carpa, vejam bem, mas tainha, tão repulsiva que não seria preciso mais que uma para alimentar uma multidão. — Seu comentário desencadeou um coro de risadas.

Simão esperava que o Rabino fosse mais velho e tivesse um ar mais sério, e ficou surpreso de ver Jesus rindo tanto quanto os outros.

— André — disse o Rabino, aproximando-se da luz —, seu apetite é tão prodigioso que se o garoto tivesse trazido carpa, temo que você teria comido tudo, deixando os outros com fome, independentemente da fartura.

— Acho que o Mestre conhece meu irmão muito bem — falou um grandalhão, enquanto os outros riam com a caçoada.

Mas então Jesus viu os dois homens se aproximando e exclamou: — Bar-Dimas... que prazer em vê-lo. E você trouxe um amigo.

— Mestre, este é Simão de Cirene — Dimas disse, e virou-se para Simão: — O de grande apetite é André, o irmão e companheiro de pescaria é Pedro, e aquele homem alto é João. Os outros vão se apresentar eles mesmos, se quiserem. Mas tenha cuidado; são um bando de desleixados e descontentes. — Ele abrandou as palavras com um sorriso.

Na verdade o grupo parecia mesmo desleixado, pensou Simão, com cabelos longos e malcuidados, roupas simples e puídas, as modestas sandálias rasgadas e cobertas de poeira. Ou tinham vindo de uma longa viagem ou não se preocupavam com a impressão que causavam.

Mas apesar de o grupo não se parecer com os ladrões que tinham abordado Dimas — ou talvez os ascéticos que se chamavam essênios e levavam uma existência selvagem no deserto —, havia alguma coisa diferente naquele a quem chamavam Mestre. Como os outros, suas feições semíticas rudes tinham sido bronzeadas por longas horas debaixo do sol, mas havia uma luz nele que não era o mero reflexo da fogueira. Seus olhos positivamente brilhavam com uma doçura capaz de dissipar a fome que Simão vinha sentindo a tarde inteira.

Desviando o olhar daqueles olhos profundos e irresistíveis, Simão observou o grupo em torno e percebeu a pequena espada de lâmina larga que Pedro mantinha de lado. — Você está armado?

— Muitos desejam mal ao Rabino — Pedro explicou, batendo com sua enorme mão de pescador contra o punho da espada. — Se o fizerem, terão de se haver comigo.

— Mas não devemos amar nosso inimigo? — Simão contra-argumentou, lembrando-se das palavras de Dimas. — Mas não amar até a morte.

O gracejo desencadeou imediatamente uma rodada de risadas, com vários homens acenando para Simão tomar lugar no grupo. Quando o cireno sentou-se no chão entre Dimas e Pedro, o pescador bateu com a mão no braço de Simão e deu um sorriso pesaroso. — Você fala com sabedoria, amigo, mas para mim é muito mais fácil amar meu inimigo sabendo que ele tem um pouco de medo de mim.

— Como os vendilhões — André acrescentou. — Você devia tê-los visto, quando o Rabino os expulsou do templo. — Ele imitou Jesus revirando os bancos e jogando moedas para cima das mesas gritando: — Esta é a casa do Senhor! Para fora! Para fora, seus ladrões!

Fingindo ser um dos vendilhões, João demonstrou um ar de choque, com os olhos e boca abertos. Os outros, Jesus entre eles, riam com as palhaçadas de João e Pedro.

— Bar-Dimas, esta noite vamos compartilhar nosso jantar de Páscoa. Você e seu amigo devem jantar conosco. — Pedro fez o convite com a autoridade de uma pessoa acostumada à liderança.

Um homem magro, de aspecto sério, que vinha remexendo as brasas, enfiou seu graveto profundamente entres as chamas e olhou furioso para Pedro. — Não me preparei para convidados extras. Seria preciso mais dinheiro do que nossa magra...

— O mundo não gira ao redor do dinheiro — João interrompeu. — Podemos acomodar mais comendo menos.

— Não, Judas está certo — Jesus proclamou, indo para trás de Judas e colocando a mão em seu ombro. — Bar-Dimas e Simão não poderão comer conosco.

— Eu não entendo, Mestre — disse Tomás. — O senhor quer que sejamos pescadores de homens, e no entanto o senhor rejeita estes dois bons amigos?

Jesus ergueu a mão. — Digo isto para todos vocês...

Simão notou uma alteração, uma urgência, no tom de Jesus enquanto ele se afastava de Judas, em direção à luz da fogueira no centro do círculo.

— Como vocês, meus fiéis discípulos, me serviram durante minha vida mortal, da mesma forma Dimas bar-Dimas e Simão de Cirene vão me servir depois de minha partida. Mas esta noite, outro serviço os chama.

Havia tanta certeza no tom de Jesus que por um instante Simão se viu acreditando na afirmação. Então, sua natureza normalmente duvidosa voltou à tona, e ele perguntou: — Rabino, por que diz que eu o servirei? Não sou da sua fé ou da sua raça.

— Mas você *é* da minha fé, Simão — Jesus retrucou. E andou até o cireno e colocou uma mão sobre seu coração. — E não somos todos da mesma raça humana?

Quando Simão ergueu o olhar para Jesus, viu com surpresa que o homem a quem chamavam Mestre tinha uma pele tão escura quanto a sua. Nenhum dos outros percebeu, inconscientes da transformação, ou acostumados demais com os poderes do Rabino.

— Mestre! — Simão exclamou, pondo-se com os cotovelos no chão e tocando o chão com a testa.

— Simão? — Dimas perguntou maravilhado com a conversão aparentemente instantânea de seu amigo.

— Mestre, como posso servi-lo? — Simão perguntou, a cabeça ainda premida contra o chão.

— Quando chegar a hora você saberá — Jesus respondeu. — Agora, levante-se, Simão. Abra seus olhos para que você possa ver.

Simão olhou para cima e piscou de perplexidade, pois o homem que um momento atrás tinha feições tão negras quando as do cireno era novamente o judeu de face rude e olhos castanhos que ele tinha encontrado ao chegar.

— Meu amigo Dimas falou a verdade — Simão sussurrou. — Dentro de seu corpo mora o Espírito de Deus.

DIMAS BAR-DIMAS OBSERVOU com orgulho e ciúme quando Jesus e os discípulos se juntaram em torno de Simão de Cirene como se estivessem dando as boas-vindas ao filho pródigo de que o Rabino tanto gostava de falar em seus sermões. Seu orgulho era compreensível, pois tinha sido ele o pastor a levar a ovelha negra ao rebanho. O ciúme, contudo, o surpreendia e perturbava. Ainda assim, ele não conseguia afastar o desejo de ser ele a receber o abraço caloroso de todo o grupo.

Seus pensamentos foram interrompidos por alguém que chamava dos fundos do jardim.

— Dimas bar-Dimas! Por favor, alguém me ajude. Eu procuro o filho mais velho de Dimas da Galiléia. Sou seu irmão e tenho notícias para ele!

Reconhecendo a voz, Dimas correu até a escuridão e chamou: — Tibro, estou aqui!

Houve um farfalhar de mato rasteiro e então um judeu jovem adiantou-se para o círculo de luz. Embora fosse um pouco mais alto e mais musculoso que Dimas, ele se parecia muito com o irmão, com a mesma barba aparada e olhos verdes que chamavam a atenção. E como o discípulo Pedro, Tibro trazia uma curta espada de lâmina larga presa a um cinturão amarrado no peito. Do mesmo cinturão pendia uma adaga.

Embora semelhantes na aparência, os irmãos diferiam em temperamento. Dimas tinha o espírito gentil da mãe, e era um homem instruído, capaz de falar e escrever em grego, latim, hebraico e aramaico. Tibro, que aos 19 anos era três anos mais moço que Dimas, tinha a natureza feroz e mercurial do pai, rápido no julgamento e igualmente rápido a agir de acordo com o julgamento.

— Ainda bem que eu o encontrei! — Tibro exclamou, dando tapinhas nos ombros do irmão. — Precisamos agir depressa. O pai está em perigo.

— O que aconteceu?

— Fomos atacados por soldados romanos. Eu consegui fugir, mas o pai, Gestas e Barrabás foram capturados.

As notícias na verdade não surpreendiam Dimas. O pai deles havia muito tempo abraçara a causa do nacionalismo fanático. Ele e o filho mais novo seguiam Barrabás, o líder de uma facção de zelotes. Eles acreditavam que qualquer um que impusesse ou reconhecesse qualquer outra lei que não a do Deus hebraico era um pecador a ser erradicado — não apenas os romanos, mas também os judeus que colaboravam com eles.

— Os romanos o prenderam? — Dimas perguntou.

— Eles o levaram para o Sinédrio, para julgamento. Você pode imaginar uma traição maior do que judeus julgando judeus por um crime contra Roma?

— Há muito tempo eu temia por isso — Dimas falou. — Mas venha, vamos fazer o que pudermos. — E saíram do jardim.

— Bar-Dimas — Jesus chamou, e os irmãos pararam e se viraram. — Não há nada que vocês possam fazer. O pai de vocês precisa desempenhar o papel que está escrito para ele, da mesma forma que eu.

— O papel escrito para ele? — Tibro zombou, dando alguns passos em direção ao Rabino, a mão instintivamente na direção da adaga. — Você, falso profeta, que leva nosso povo para longe de Deus, vai nos dizer que nosso pai tem de desempenhar um papel em sua heresia?

— Por prestar homenagem a mim, seu pai será lembrado com honrarias até o fim dos tempos — Jesus falou.

— Meu pai não lhe faz homenagem! Ele está na prisão, esperando ser crucificado pelos cães romanos porque é um homem honrado e de princípios que não se curva a nenhum homem. E vai morrer como homem honrado e de princípios!

— Venha, Tibro — Dimas comandou, agarrando o manto do irmão. — Você disse que o pai precisa de nós.

Liberando-se, Tibro balançou o punho para Jesus com ira: — Homenagem? Eu prefiro vê-lo morto a cometer uma blasfêmia homenageando pessoas como vocês.

— Deixe-me ensinar uma lição a este insolente, Mestre — Pedro falou, agarrando o punho de sua espada.

— Não, Pedro. Pois mesmo Tibro tem uma parte a desempenhar neste mistério.

Sorrindo, Jesus virou-se e afastou-se do irado jovem zelote e abriu seus braços como se para conduzir seu rebanho. — Venham, está na hora de nossa ceia.

Enquanto os discípulos se dirigiam a um local próximo onde fariam a refeição Seder, Simão permaneceu parado entre seus novos companheiros e aquele que o havia levado ao jardim e agora se afastava na escuridão.

Ele sentiu uma mão em seu ombro, virou-se e viu o Rabino olhando para ele com compaixão e compreensão.

— Siga-o — Jesus falou gentilmente. — Nosso tempo junto está por vir. Mas seu amigo ainda necessita de seus conselhos sábios.

Simão hesitou, mas depois se viu cedendo à vontade do Mestre. — Vou vê-lo de novo? — perguntou.

— Com certeza. Vamos andar juntos a partir deste dia — foi a resposta.

Acenando a cabeça em aceitação, Simão virou-se e correu para a noite.

CAPÍTULO 6

Dimas e Tibro aguardavam numa câmara externa da Fortaleza Antonia, ansiosos para serem recebidos em audiência pelo prefeito. Eles tinham passado a noite inteira indo de uma autoridade judaica a outra, até finalmente descobrir que seu pai já tinha sido condenado pelo Sinédrio e mandado de volta aos romanos para a execução.

Quando retornou, o funcionário que tinha recebido a solicitação dos irmãos balançou a cabeça e anunciou sem rodeios: — Sua Excelência Pôncio Pilatos não vai recebê-los. Agora saiam.

— Talvez ele não tenha entendido nosso objetivo — Dimas falou com calma forçada, com um braço estendido à frente de seu irmão mais temperamental. — Não viemos pedir a libertação de Dimas da Galiléia, apenas a permissão do prefeito para visitar o prisioneiro antes de a sentença ser executada.

— Esta não é uma hora propícia — o funcionário retrucou com um movimento rápido da mão. — Aquele homem, Jesus de Nazaré, acabou de ser trazido diante do prefeito. O Sinédrio também sentenciou sua crucificação.

— O quê? — Dimas deixou escapar. — Jesus vai ser crucificado? Mas por quê? Que crime ele cometeu?

O homem balançou a cabeça. — Sua Excelência está perplexo com essa mesma questão. O pobre homem não parece mais do que um autoproclamado profeta, e esta terra amaldiçoada está cheia deles. Contudo, Caifás insiste em sua execução, e Herodes Antipas o apóia.

— O que tem Herodes a ver com isso? Ele governa a Galiléia, não a Judéia.

— Mas ele está passando a Páscoa aqui na capital. E como Jesus é de Nazaré, na Galiléia, o prefeito achou que seria politicamente interessante mandá-lo a Herodes.

— Então foi Herodes quem o condenou...

O funcionário sorriu afetadamente. — Herodes? Dizem que ele está petrificado de medo desse profeta; acha que ele é a ressurreição daquele batista que ele concordou em decapitar. Não... ele quis manter as mãos limpas, como sempre. Ele o mandou de volta para cá dizendo que apoiaria qualquer decisão que o Sinédrio recomendasse.

— E o conselho recomenda qualquer decisão que Caifás determine — Dimas murmurou, apertando as mãos.

O funcionário deu de ombros e atravessou a câmara.

— Eu não te entendo — Tibro falou entre os dentes. — Nosso pai está condenado, e sua preocupação é com aquele homem Jesus?

— Ele não é culpado de nada mais do que pregar a palavra de Deus.

— E o pai? — Tibro perguntou agarrando a manga de Dimas. — Enquanto seu Jesus fala de uma vida melhor para os judeus, o pai trabalha para que ela vire realidade.

— Sim, o trabalho de um zelote — Dimas murmurou. — E ele já sabe aonde este trabalho pode levá-lo... bem, para este fim.

Vendo que o funcionário estava quase saindo da câmara, Dimas se livrou das mãos do irmão e chamou o homem: — Mais uma coisa, por favor. — Quando ele parou e olhou para trás já junto à porta aberta, Dimas continuou. — O senhor disse que o Sinédrio está determinando a crucificação de Jesus. Então seu destino ainda não está selado? Pôncio Pilatos ainda pode comutar a sentença?

— Se você correr até o tribunal, Sua Excelência pretende dar uma demonstração de sua benemerência, perdoando um prisioneiro como presente de Páscoa para o seu povo.

— Qual? — Tibro perguntou.

Outra vez o homem deu de ombros. — Jesus, Barrabás? Talvez seu amigo Dimas? A escolha será do povo.

— Venha — Tibro falou, puxando o irmão pelo braço. — Vamos rápido fazer um apelo por nosso pai.

DIMAS E TIBRO se juntaram a uma multidão que logo somava mais de 2 mil pessoas aglomeradas no Pretório, o pátio pavimentado da Fortaleza Antonia. Todos os olhos estavam fixos no alto das escadas, onde estava Pôncio Pilatos, o prefeito romano da Judéia, sentado na Sella Curulis — a cadeira de marfim que os altos dignitários de Roma usam como cadeira do julgamento. Embora não tivesse nascido na casta senatorial da sociedade romana e fosse descendente de treinadores e comerciantes de cavalos, soldados e mercadores, Pilatos subiu na hierarquia do exército e daí para o serviço do governo imperial por meio de perspicácia, inteligência e crueldade, e como apreciador da arte e da ciência do suborno.

— Lá está ele — Dimas falou, apontando para uma figura flanqueada por soldados e que tinha acabado de ser trazida e colocada perto de Pilatos. Mesmo a distância, as marcas vermelhas dos açoites eram visíveis, e era aparente que ele fazia um grande esforço para permanecer de pé. — Oh, veja como ele está ferido. Eles o espancaram!

— O pai?

— Jesus.

— Por que você demonstra tanta preocupação com esse nazareno? Você não tem amor, nenhuma compaixão, por seu próprio sangue?

— Claro que tenho. Mas vimos esse problema surgir há muito tempo, e eu não sou a sua causa.

— Você está sugerindo, meu irmão, que eu sou?

— Você estava com ele — Dimas replicou.

Antes que Tibro pudesse responder, Pilatos levantou-se da cadeira e andou até a beira dos degraus para dirigir-se à multidão. Usando a estola púrpura de seu cargo imperial como se tivesse nascido para isso, ele falou num tom alto e enfático, mas que não conseguia mascarar seu desprazer por estar em Jerusalém durante os feriados santificados e não no conforto de seu próprio palácio em Cesaréia, na costa do Mediterrâneo.

— Este homem, este Jesus, foi trazido a este tribunal — Pilatos começou — acusado de blasfêmia contra a religião judaica, o que não está dentro de minha jurisdição, e incitar a nação à revolta e a aceitar seu reinado, o que muitos realmente fizeram. Mas eu próprio o interroguei e não vi nele nenhuma culpa.

— Então o liberte — gritou Dimas bar-Dimas.

Muitos na multidão olharam para ele, demonstrando desaprovação.

— Acalme-se — Tibro disse, agarrando o ombro do irmão. — Não devemos chamar atenção.

Dimas balançou a cabeça, respirando rapidamente para acalmar suas emoções.

— Herodes Antipas também o interrogou e não viu culpa; então o devolveu a mim — Pilatos continuou. — Portanto, esta é a minha conclusão: ele não fez nada para merecer a pena de morte.

— Crucifique-o! — alguém gritou. — Que ele morra! — Outros, na multidão, acompanharam os gritos.

— Por que eles querem o seu sangue? — Dimas perguntou, chocado com o comportamento cruel e cáustico a sua volta.

O prefeito ergueu as mãos pálidas, pedindo silêncio. — Eu pretendo disciplina-lo e depois liberta-lo.

— Não! — ouviu-se um coro de vozes.

— Ele deve morrer!

— Execute-o!

— Crucifique-o!

Os gritos encheram o pátio e ecoaram nas muralhas da fortaleza.

Novamente Pilatos ergueu as mãos. Quando a multidão aquietou-se o suficiente para ouvi-lo, ele continuou: — Em honra da celebração de seu dia santo, eu vou libertar um prisioneiro. Quem vocês querem que eu liberte? — ele acenou para os soldados atrás dele, que colocaram três outros homens ao lado de Jesus.

— Lá está ele — Tibro disse, acenando na direção de seu pai, que estava na extremidade direita. — Esta é a nossa chance. — Ele colocou as mãos em concha sobre a boca e gritou: — Dimas! Queremos Dimas da Galiléia! — Virando-se para o irmão, ordenou: — Grite! Grite o nome de nosso pai o mais alto que puder.

O irmão mais velho hesitou, querendo proclamar a todos os reunidos no local que estavam prestes a condenar o homem que tinha o poder de salvar toda a Judéia, toda a humanidade. Mas era como se ele estivesse ouvindo o Rabino dizer que mesmo esse momento tinha sido escrito no livro de Deus, que ele devia vestir o manto de um filho e honrar o pai que o tinha gerado. Antes de perceber o que estava fazendo, ouviu-se gritando, incerto a princípio, mas depois com crescente convicção: — Dimas! Dê-nos Dimas!

— Dimas! — Tibro juntou-se a ele, batendo nas costas do irmão e depois virando-se para os que estavam mais perto. — Por favor, ajudem-nos a pedir a libertação de Dimas!

Alguns se uniram aos gritos, mas de outra parte do pátio vozes começaram a gritar o nome mais conhecido de Barrabás. Os gritos se transformaram em coro, aumentado por mais e mais vozes, até absorver aqueles que gritavam os nomes dos outros prisioneiros.

— Dimas! — os irmãos continuaram a gritar, suas vozes soterradas pelo uníssono em favor de Barrabás.

Uma vez mais Pôncio Pilatos ergueu as mãos pedindo silêncio e ordem. — Quem vocês querem que eu liberte? Barrabás, o zelote, ou Jesus, o Messias?

— O Messias? Ele não é o Messias!

— Barrabás! — a multidão rugiu. — Dê-nos Barrabás!

— Pedintes insaciáveis — Pilatos murmurou. Virando-se para um servo, que tinha trazido uma grande bacia de prata com água, Pilatos colocou as mãos na água aromatizada, como se quisesse se limpar de qualquer associação com a libertação de um criminoso ou a condenação à morte de um inocente.

Sabendo agora que qualquer tentativa de libertar seu pai era fútil, Tibro e Dimas abriram caminho de volta por entre a multidão. Deixando o pátio, ainda ouviam vozes estridentes exigindo a crucificação de Jesus.

— Certamente eles não o conhecem — Dimas disse, com os ombros caídos enquanto seguia o irmão rua abaixo. — Eles não estiveram com ele, não o ouviram falar. Se o conhecessem, não pediriam o seu sangue.

— Você me dá nojo — Tibro disse ao parar e se voltar para o irmão mais velho. — Nosso próprio pai vai ser enforcado e, no entanto, você condena publicamente o destino desse falso messias.

— Ele não é falso.

— Então quem é ele?

Dimas hesitou, depois disse com convicção: — O Filho de Deus.

Tibro estendeu a palma da mão à frente para criar uma distância entre eles. — Não posso ouvir tal heresia — declarou. — Afaste-se de mim. Você não é meu irmão. — E virando-se, ele se afastou.

— Tibro, espere! — Dimas chamou, estendendo a mão.

— Não! — Tibro fez um gesto de desdém. — Eu não o conheço!

CAPÍTULO 7

Dimas bar-Dimas vagou sem objetivo pelas ruas, pensando no horrível desenrolar dos eventos. Ontem ele havia chegado a Jerusalém numa alegre peregrinação para celebrar a Páscoa. Ele tinha ansiado, com grande prazer, prostrar-se sobre o chão de pedras do grande templo. Tinha feito um amigo durante a viagem, e na última noite Dimas tinha desfrutado um encontro com Jesus, o homem que ele verdadeiramente acreditava ser o Filho de Deus.

Mas depois de uma noite longa e insone, Dimas se via sozinho nas ruas apinhadas, cansado, desanimado, com fome, abandonado com raiva pelo irmão, seu pai a horas, talvez minutos, da cruz, seu mentor aguardando um destino horrível demais para ser compreendido.

— Dimas, meu amigo! — uma voz chamou.

Virando-se, Dimas viu um rosto escuro, sorrindo por entre a multidão que tinha se derramado para as ruas a partir do Pretório. — Simão! — ele chamou.

Simão de Cirene abriu caminho por entre a multidão até o lado de Dimas, e os dois homens seguraram-se os antebraços em saudação.

— Você viu seu pai? — Simão perguntou.

— Não. Tentamos a noite inteira, mas sem sucesso.

— Sinto muito.

— Simão, você soube? Jesus vai ser crucificado.

— Soube, mas eu não entendo. Por que seu povo mataria um dos seus próprios homens santos?

— Nem todos acham que ele é um santo — Dimas retrucou.

— Então eles não o viram, como nós vimos.

Eles foram interrompidos pelo grito de um soldado romano. — Afastem-se! Afastem-se! — ordenou. Dois outros soldados o seguiam, o trio armado formando uma cunha que singrava a multidão.

— O que está acontecendo? — Simão perguntou.

— Eles devem estar trazendo prisioneiros. — De repente Dimas percebeu que essa poderia ser sua última possibilidade de falar com o pai. — Simão, nós temos de chegar mais perto.

— Fique comigo.

Com poderosos movimentos de seus braços musculosos, Simão adiantou-se, abrindo caminho até que os dois chegaram à frente da multidão, que agora se aglomerava dos dois lados da estrada.

Dois soldados a cavalo abriam a procissão, cavalgando lado a lado pela rua estreita e pavimentada de pedras, empurrando os espectadores contra os edifícios e para as vielas para abrir mais a passagem.

— Para trás! Para trás! — os soldados ordenavam, com o auxílio de um ocasional estalar de seus chicotes.

Atrás dos cavaleiros vinham seis soldados a pé, com peitorais e capacetes, seguidos pelos três homens condenados. Jesus era o primeiro da fila, quase não conseguindo carregar a madeira pesada e árdua que iria se tornar o travessão da sua cruz. Uma coroa de espinhos tinha sido colocada em sua cabeça, cortando a pele e tingindo seu rosto de sangue. Em volta do pescoço, pendia um cartaz dizendo "Rei dos Judeus". Um manto esfarrapado revelava seu torso riscado de ferimentos ensangüentados, e suas pernas tremiam de cansaço. Mesmo aqueles entre a multidão que tinham gritado mais alto por sua crucificação agora recuavam com dó, e muitos começaram a chorar.

Gestas era o próximo da fila. Ainda ostentando um olhar desafiador e feroz, ele carregava seu próprio pedaço da cruz com facilidade. Era incomum que os romanos espancassem um homem condenado à morte, o que confirmou para Dimas que a intenção do prefeito havia sido punir Jesus, não executá-lo.

Seguindo Gestas estava Dimas da Galiléia. Embora tão forte quanto seu companheiro zelote, Dimas não tinha o mesmo olhar desafiador. Ao contrário, mantinha uma expressão de resignação ao andar com esforço pela rua, arrastando o travessão de sua cruz apoiado nos ombros.

— Pai! — o jovem Dimas gritou enquanto tentava abrir caminho até mais perto.

Quando o condenado ouviu a voz do filho, seu rosto se iluminou. Ele procurou entre os que margeavam a rua, e quando viu o filho mais velho, sorriu.

— Meu filho! — ele gritou feliz. — Como estou alegre por Deus ter me dado a oportunidade de olhar para você uma vez mais.

— Tibro e eu tentamos vê-lo durante toda a noite — bar-Dimas contou. — Eles não permitiram.

— Eu senti sua presença — assegurou o pai. Ele apontou para Jesus com um movimento de cabeça. — Ele não é o homem de que você nos falou? Aquele que você chama de Messias?

— Ele *é* o Messias, o Filho de Deus — o jovem declarou sem hesitação.

— Sinto pena dele. Não é certo espancar alguém que vai ser crucificado.

— Como está você, pai? Sua fé está forte?

— Deus está comigo.

— Confie também em Jesus — bar-Dimas pediu. — Deus não vai abandonar seu próprio filho, nem o filho dele vai abandonar você.

Logo à frente Gestas olhou rápido para trás e deu uma risada de zombaria. — Filho de Deus, é? Olhe para ele. O homem que se chama nosso rei quase não consegue andar.

Próximo dali, Simão foi tomado pelo drama que acontecia na estrada entre a Fortaleza Antonio e o Gólgota, que um dia seria conhecida como Via Dolorosa — a Via Crucis. Ele compreendeu a amargura da última conversa de Dimas bar-Dimas com seu pai, mas compreendeu também o sofrimento de Jesus, e desceu um pouco a rua para acompanhar a caminhada do Rabino. Jesus tinha dito a ele para cuidar do novo amigo, e Simão vinha seguindo Dimas noite e dia, apenas fingindo tê-lo encontrado acidentalmente pouco antes. Mas Jesus também havia prometido que ele e Simão andariam juntos sempre, e essa lhe parecia a última chance de fazer isso.

De repente, Jesus cambaleou e caiu para a frente. Ele atingiu o chão duro, incapaz de diminuir a queda, pois suas mãos estavam amarradas em volta do travessão. A viga se soltou, e foi lançada à frente com um forte baque.

— Levante-se! — o soldado romano ordenou, correndo até Jesus e chutando-o no lado. — Vamos andando!

Simão saiu correndo da multidão. Ele ergueu o travessão de madeira crua e colocou-o sobre seus ombros, depois se abaixou e ofereceu a mão livre a Jesus. Quando Jesus a agarrou e conseguiu ficar de pé, Simão olhou seu rosto, riscado por fios de sangue que corriam das feridas feitas pelos espinhos de uma imitação de coroa. Então, sem titubear, Simão rasgou um bom pedaço da bainha de sua túnica e o usou para limpar um pouco do sangue.

Simão sentiu Jesus olhando profundamente em sua alma. Uma vez, quando Simão era criança, ele tinha caído de uma árvore e ficado sem poder respirar. Foi um momento de pânico, estendido no chão, incapaz de inspirar nenhum ar, imaginando se ainda voltaria a respirar. Ele tinha aquela mesma sensação agora, uma perda de respiração acompanhada de tontura, e um desligamento da realidade. Por um instante ele imaginou que estava olhando para o futuro, vendo coisas que só podia entender de forma abstrata: surpreendentes cidades e campos de vergonha, banquetes e fome, guerra e paz, triunfo, tragédia.

— O que você está fazendo? — um dos soldados romanos perguntou áspero, ameaçando Simão com o chicote levantado. Fez um gesto para o negro devolver o pesado travessão, mas então hesitou, fitando Jesus em dúvida. Finalmente o soldado balançou a cabeça como se para clarear a mente e gesticulou para Simão continuar a ajuda. — Movam-se; movam-se! — ele grunhiu, sacudindo o chicote para indicar que não hesitaria em usá-lo.

Quando Simão começou a andar ao lado de Jesus, ele soube que, a despeito do que havia acontecido hoje, sua vida tinha mudado para sempre.

PASSAVA POUCO do meio-dia, e o sol, alto e quente, fazia cintilar as folhas de um bosque de oliveiras próximo. Os três condenados pendiam de suas cruzes no alto do Gólgota, virados para a cidade sagrada de Jerusalém. A maior parte da multidão tinha ido embora, já que o espetáculo de amarrá-los, pregá-los nas vigas e erguê-los contra as estacas tinha terminado. Não havia mais nada o que ver agora, exceto os momentos finais de agonia da morte por asfixia. E como pender na cruz tinha rapidamente minado suas forças, havia muito pouco som ou espetáculo capaz de atrair o interesse dos espectadores.

Vários tinham permanecido, contudo: os morbidamente curiosos, os amigos e a família dos condenados. Mas os seguidores de Jesus eram muito poucos, muitos deles temerosos de que pudessem ser presos pelos romanos ou chacinados pela multidão se fossem reconhecidos como membros de seu círculo íntimo.

Alguns detratores e descrentes estavam a postos, e um deles gritou para Jesus na cruz colocada ao centro: — Se você é o Filho de Deus, desça da cruz!

— Dizem que você ajudou outros. Você não pode se ajudar? — um outro desafiou.

Gestas, em sua agonia, fez um apelo desdenhoso: — Você reivindica ser o Messias? Então se salve! Salve-se, e nos salve também.

Dimas da Galiléia, que tinha ficado em silêncio desde que o colocaram na cruz da direita, agora olhou para Gestas. — Você não teme a Deus? — ele perguntou. — Estamos recebendo a mesma punição que o Messias. Mas somos culpados de nossos crimes, enquanto ele é um homem inocente.

Bar-Dimas tinha ficado observando, sentindo a dor de seu pai no próprio coração, orando por ele. Agora ele ouvia seu pai referir-se a Jesus como o Messias, e olhou em redor para a multidão que diminuía, na esperança de ver seu irmão, mas Tibro não estava à vista. De fato, ele não tinha visto o irmão desde que se separaram brigados mais cedo naquele dia.

O Dimas mais velho olhou para baixo, para seu filho, e conseguiu sorrir. Depois, fazendo uma careta, esforçou-se para virar-se para Jesus. — Lembre-se de mim, Jesus de Nazaré, quando chegar à sua glória — ele disse, contrito.

Jesus olhou de volta para Dimas. — Verdadeiramente eu te digo, hoje você estará comigo no Paraíso.

CAPÍTULO 8

Quando Simão começou sua longa viagem de volta a Cirene, não conseguia tirar da cabeça os eventos de Jerusalém. Não era apenas o açoitamento brutal e a execução de um homem bondoso e gentil que o tinha emocionado tanto, mas a estranha sensação experimentada diante do olhar de Jesus quando ele pegou o travessão da cruz. Foi como se o futuro lhe tivesse sido mostrado — não apenas o dele, mas o da humanidade. No que deve ter sido apenas um instante, ele tinha visto coisas surpreendentes que ainda não podia compreender. Quem era ele para ter uma visão tão extraordinária? Ele não era nem da raça nem da religião desse Jesus, então por que tinha sido tão afetado?

Ele relembrou as palavras do Rabino naquela noite junto à fogueira — "Não somos todos da mesma raça humana?" — e como sua pele tinha ficado tão negra quanto a de Simão. Aquilo poderia ter sido uma ilusão da luz, claro, pois as sombras tinham aumentado muito no Jardim de Getsêmani.

— Simão — uma voz soou interrompendo suas reflexões enquanto caminhava sozinho pela estrada deserta.

Ele parou e olhou em volta, esperando ver seu amigo Dimas bar-Dimas vir a sua procura. — Sim? — ele chamou, mas não viu nada, então encolheu os ombros e continuou caminhando pela estrada de terra batida.

— Simão.

Simão virou-se e outra vez não viu ninguém. Mas, dessa vez, quando ficou de frente, alguém estava bloqueando o caminho. Por um momento ele não reconheceu o homem. Então, prendendo a respiração, nervosamente, ele percebeu que estava olhando para Jesus.

— Não, não pode ser! — Simão caiu de joelhos, murmurando o nome do Rabino.

— Levante-se, Simão — Jesus disse. — Eu não disse que andaríamos juntos outra vez?

— Senhor, perdoe a minha dúvida — Simão sussurrou, temeroso de erguer o olhar para ele.

— Em meu sofrimento você usou a sua túnica para limpar o sangue de meus olhos. Olhe agora para o pano.

Simão tinha agarrado o pano rasgado durante toda a crucificação, e mais tarde se deu conta de que ainda o prendia firmemente ao punho. O pano estava tão encharcado de sangue que ele pensou em jogá-lo fora. Mas alguma coisa o compeliu a guardá-lo, como se ele não quisesse se separar de uma lembrança de Jesus. Naquela manhã ele o tinha enfiado na bolsa de viagem, e agora abriu a bolsa e retirou o pano.

— Abra-o e olhe para o sinal.

O pano tinha aproximadamente 30 centímetros de largura e estava rígido por causa do sangue seco quando Simão o desdobrou. Ele olhou para o tecido, depois fitou interrogativamente Jesus, que apenas sorriu. Quando Simão olhou novamente para o pano, arregalou os olhos admirado, pois o sangue amarronzado incrustado estava ficando vermelho e úmido de novo. E começou a pingar sobre a terra aos pés de Simão, deixando o tecido imaculadamente branco — um branco mais brilhante do que quando o tecido fora um dia urdido.

Mas nem todo o sangue escorreu. Parte do que fora uma mancha disforme permaneceu, agora na forma de um estranho e desconhecido símbolo. A parte superior parecia uma lua crescente com as pontas para cima e se tocando no ponto mais alto. No centro daquele círculo lunar havia uma estrela de cinco pontas, com as duas pontas inferiores alongando-se para baixo como raios de luz e formando uma pirâmide com a linha horizontal do chão. Ligando o chão ao círculo crescente, havia uma cruz em forma de T, muito parecida com a que suspendeu Jesus no Gólgota.

— O que... o que é esta coisa tão estranha?

— Trevia Dei — os três grandes caminhos para Deus são um — Jesus falou. — É um símbolo dos diferentes caminhos que os homens devem percorrer na busca do Pai.

— Eu não compreendo.

Estendendo a mão, Jesus tocou Simão na testa e depois no coração. Simão sentiu uma sensação de formigamento, e depois se viu cercado por uma esfera de luz. Todos os seus sentidos ficaram aguçados: as cores tornaram-se mais vibrantes, os cheiros mais doces, os sons mais ressonantes; até a terra dura pareceu delicada sob seus pés.

Ainda fitando a imagem no tecido, ele viu o Trevia Dei transformar-se em três símbolos separados que se ergueram no ar lentamente, afastando-se uns dos outros. O de cima girou e formou uma lua crescente e uma estrela. A pirâmide se duplicou, dobrando-se sobre si mesma numa estrela de seis pontas. Finalmente, o transepto da cruz desceu e formou uma cruz com quatro braços.

Repentinamente Simão foi transportado para um novo tempo e um novo lugar, e embora a experiência fosse diferente de tudo o que ele podia conceber, não estava nem temeroso nem confuso. De um distante ponto ideal de observação, ele fitou uma bola azul brilhante suspensa num vácuo negro, e soube, sem compreender como, que aquela esfera era o lar do homem.

A visão se expandiu e ele viu maravilhosas máquinas dotadas de asas riscando os céus como carruagens, cidades em fogo com luzes que nunca piscavam, edifícios mais altos do que a Torre de Babel. Mas viu também homens e mulheres com a pele tão negra quanto a sua serem amontoados e transportados em barcos mercantes de escravos, judeus serem conduzidos às centenas para a morte em campos de concentração, milhões de homens e mulheres de todas as raças e nações serem mortos por terríveis máquinas de guerra.

Por fim ele se tornou parte da imagem, sentindo-se não apenas um observador mas presente fisicamente num grande templo, embora diferente de qualquer outra estrutura que tivesse visto. Ele estava de pé numa enorme câmara com um teto em forma de cúpula, tão alto e tão largo que ele não podia deixar de pensar no que impedia que ele caísse no chão.

As paredes pareciam feitas de ouro, com incríveis estátuas e pinturas de Deus e seus anjos. Imagens da cruz estavam em toda parte, e em cada cruz um homem crucificado que parecia ser Jesus em espírito, se não em sua forma real.

O templo estava lotado por centenas de pessoas divididas em grupos que ocupavam todo o santuário, muitas usavam ricos mantos vermelhos, e a que estava no altar se vestia inteiramente de branco. Simão ouviu o suave murmúrio de homens e mulheres em oração e sentiu um leve movimento de ar que trazia o aroma de incenso.

Ninguém parecia notar Simão ali em pé, em seu manto empoeirado, sozinho numa das passagens que levavam ao altar. De repente ele sentiu que alguém o fitava — um único homem entre todos lá reunidos. Simão virou-se para aquele homem, cuja atitude e cuja curiosa veste preta com rígido colarinho branco eram muito mais simples do que a dos outros. Alguma coisa nesse homem fazia a ponte para o longo lapso de tempo entre eles, e seus olhos se uniram em reconhecimento mútuo.

Simão estendeu a mão, e o gesto foi repetido por esse homem de elegante simplicidade. Então, quando Simão deu o primeiro passo em direção a ele, a imagem começou a diluir-se, a grande catedral e o domo tremeluziam como névoa enquanto desapareciam, até que novamente Simão se viu na estrada que saía de Jerusalém.

Simão olhou o pano em suas mãos. A estrela e o crescente, a Estrela de Davi e a cruz novamente tinham se juntado no símbolo vermelho-sangue que Jesus chamara de Trevia Dei.

— Você viu? — Jesus perguntou.

— Vi, Senhor — Simão respondeu. — Não sei por que fui o escolhido para ver coisas tão espantosas, mas eu vi e nunca vou esquecer.

— Com o tempo você verá e entenderá mais, pois o Trevia Dei vai te ensinar — Jesus disse. — É um sinal do caminho do homem para Deus. Eu o escolhi, Simão, para ser o guardião deste sinal até que você não seja mais capaz. Então você deverá encontrar alguém digno, que no seu tempo encontrará outro, que o passará para mais outro por cinqüenta gerações... até o tempo de o Trevia Dei ser revelado.

— Sim — Simão respondeu, olhando novamente para o maravilhoso símbolo sobre o pano. — Farei como o Senhor diz, sempre...

Houve um leve farfalhar de vento, e então Simão ergueu o olhar e descobriu que estava sozinho outra vez. Por um instante, ele pensou que tudo tinha sido um sonho, mas então viu nas mãos o pano com o símbolo do Trevia Dei, e qualquer dúvida remanescente desapareceu. Ele caiu de joelhos no chão, fazendo uma oração de agradecimento por ter sido o escolhido, e uma oração de súplica para se tornar digno de tão grande confiança.

CAPÍTULO 9

O padre Michael Flannery estava entre os que se reuniram na parte traseira da grande nave, observando o espetáculo e a grandeza de uma Missa Pontifical. Era um espetáculo quase tão antigo quanto a própria cristandade, a que Flannery tinha assistido muitas vezes e que nunca deixava de emocioná-lo, pois nessas horas até as pedras da basílica de São Pedro pareciam ganhar vida.

Não parecia um exagero para Flannery imaginar os cardeais vestidos de escarlate como o sangue da Igreja, o sangue de Cristo. Eles eram o vinho do Sacramento.

— Este é o meu sangue, o sangue da nova aliança, que é derramado por vós.

O novo papa, vestido de branco e no trono de São Pedro havia um ano, era o Corpus Christi — o Corpo da Igreja.

— Este é o meu corpo, que é dado a vós.

Flannery se esticava para ouvir as palavras do Santo Padre.

— Oh, Cristo ressuscitado, fonte de nova vitalidade, capaz de abrandar mesmo os corações mais empedernidos e renovar a coragem daqueles que perderam o caminho, Senhor e redentor da raça humana, luz e guia para os pacificadores. Oh, vencedor da morte, dai força aos que defendem a justiça e a paz no mundo, e especialmente na Terra Santa, onde as esperanças de coexistência pacífica ainda são colocadas em risco por almas desencaminhadas que recorrem à força e à violência.

Força e violência, pensou Flannery. As bombas dos terroristas e os helicópteros armados de Israel podem diferir do método com que a força e a violência foram perpetradas na Terra Santa há 2 mil anos, mas não havia diferença no ódio que a gerou, nem havia nenhuma diferença na matança resultante de corações endurecidos. E o que mortificava a alma de Flannery é que os mais acerbos desses eventos foram provocados pela intolerância religiosa.

Enquanto pensava nessas coisas, Flannery percebeu um halo dourado cintilando na nave próxima. De início, ele achou que fosse um efeito da luz, a interação de raios divergentes do sol. Ele olhou em volta procurando pela fonte daquela luz, mas não viu nada, e quando se virou de novo na direção do halo, ele tinha desaparecido. Em seu lugar, havia um homem, um homem negro muito forte, vestido num manto grosseiro e tosco.

Não era uma aparição; era um homem de carne e osso olhando em volta da catedral, maravilhado. E não o tipo de admiração que Flannery tinha visto em vários peregrinos de primeira viagem ao Vaticano, mas a perplexidade de alguém que via algo para o qual sua experiência de vida não o havia preparado. E havia alguma coisa a mais no homem, algo além da expressão de temor respeitoso... uma paz além de toda compreensão. Flannery se sentiu atraído pelo homem de uma maneira que nunca tinha sentido por outro ser humano, uma poderosa conexão que parecia sair de suas próprias almas.

Seus olhos se encontraram, e Flannery sentiu alguma coisa muito próxima de um choque elétrico. Ele quase gritou ao ir em direção ao estranho, cuja mão estava estendida para ele. A esfera brilhante de luz reapareceu, tão brilhante que Flannery teve de proteger os olhos contra seu brilho intenso. Quando o brilho diminuiu, a figura tinha desaparecido.

— O quê? — Flannery resmungou alto.

Os que estavam perto olharam para ele, alguns com curiosidade, muitos com irritação, pois o Santo Padre ainda estava falando. Aparentemente apenas Flannery tinha visto a aparição — se é que tinha sido uma aparição. E se era, o que ela significava?, ele se perguntou. O que aquele peregrino negro num manto grosseiro queria com ele?

Fechando os olhos, Flannery lutou para fixar a lembrança do estranho em sua memória. Ao fazer isso, a voz trêmula do pontífice parecia se encher de intensidade e luz.

Que Seu grande nome seja abençoado para sempre e sempre.
Que Seu grande nome seja abençoado para sempre e sempre.

O TERRAÇO DE SARAH ARAD tinha o mesmo piso de lajotas creme e azul roial do resto de seu apartamento em Jerusalém, e era mobiliado como se fosse uma outra sala com um sofá e uma otomana de vime e uma mesa de jantar de aço e vidro. Como resultado, o terraço não parecia estar separado, mas era uma parte integrante da sala de estar. E com as portas de correr completamente abertas como estavam hoje à noite, a atividade fluía sem nenhum esforço de dentro para fora.

Preston Lewkis, que tinha aceitado um inesperado, mas muito caloroso, convite para jantar, estava junto ao gradil da sacada, olhando para a cidade. A noite estava agradável, o ar fresco e aromático.

— Espero que você esteja com fome — disse Sarah atrás dele.

— Eu nasci com fome, e nunca deixei de estar — ele respondeu, virando-se e apoiando-se no gradil. Ele se lembrou que quando viu Sarah pela primeira vez a achou atraente mesmo em uniforme de batalha. A mulher para quem ele olhava agora era muito mais atraente. Seu cabelo preto-azulado, os olhos amendoados, a tez morena estavam perfeitamente realçados por um vestido de malha preto curto que contornava seu corpo. Ela parecia feminina, sexy e extremamente atraente.

O rosto de Sarah enrubesceu um pouco, e ela sorriu meio embaraçada.

— Você está me encarando.

— Você deve estar acostumada com os homens fazendo isso — Preston retrucou, entrando.

— Bem... obrigada... acho. — Ela abriu o forno e retirou uma assadeira com dois apetitosos espetos de carne e legumes.

— Hummm... o cheiro é ótimo.

— Espetos de cordeiro — ela disse, retirando a carne e o legume dos espetos. — Você serve o vinho enquanto vou apanhar o arroz?

Voltando ao terraço, Preston abriu a garrafa, colocou um dedo de vinho numa das taças, girou-a e tomou um gole. Satisfeito, terminou de servir as duas taças no momento em que Sarah trazia os pratos. Ele ajeitou a cadeira para ela sentar, e então se acomodou à sua frente.

Sarah ergueu a taça. — *L'chaim*.

— *L'chaim* — Preston respondeu, e depois acrescentou: — E que você veja estrelas.

— Ver estrelas? — Ela riu, interrogando.

— Uma brincadeira lá de casa.

— E onde fica isso?

— Bem, agora é Waltham, Massachusetts, onde fica a universidade. Mas eu sou de Saint Louis.

— Oh, eu estive lá — ela disse com entusiasmo. — Meu pai uma vez fez uma conferência na Washington University.

— Seu pai deu conferência lá?

— Sim, sobre as descobertas arqueológicas na Terra Santa.

— Hummm... eu já devia ter saído da escola então. Não me lembro de nenhum conferencista chamado Arad.

— Meu pai era Saul Ishar.

Colocando a taça sobre a mesa, Preston olhou para ela com espanto. — Saul Ishar? — E finalmente disse: — Você quer dizer, Saul Ishar era seu pai?

— Você já ouviu falar dele?

— Claro. Quem nesta área não ouviu falar de Saul Ishar? E sua mãe, também... Suponho que Nadia era sua mãe.

— Sim.

— Eu assisti à conferência. Fiz meu curso de graduação na Washington University. Então você estava com eles? Isso quer dizer que estávamos no mesmo prédio na mesma hora.

Ela deu um sorriso largo. — E agora, do outro lado do mundo, nos encontramos de novo.

— Mas seu sobrenome...

— Arad é meu nome de casada — ela explicou.

— Casada?

— Meu marido era major do Exército de Israel. — Sua voz ficou baixa. — Há dois anos ele foi morto num posto de patrulha.

— Sim... sinto muito ouvir isto. — Mudando para um assunto mais confortável, ele continuou. — Saul e Nadia eram arqueólogos sem iguais. Não espanta que você tenha também se interessado, crescendo com tanta inspiração.

— E pode também ser muito perigoso. Não guardo segredo, mas costumo não mencionar que eles eram meus pais, principalmente se esperam de mim mais do que posso dar.

— O mundo perdeu dois dos seus mais brilhantes especialistas quando eles... — Fez uma pausa, como se acabasse de perceber um fato doloroso. — Que estupidez e insensibilidade a minha. Seus pais foram mortos quando...

— Sim, quando terroristas palestinos atacaram sua escavação.

— Foi a primeira escavação em Masada, não foi? — ele perguntou, enquanto ela fechava os olhos e concordava com a cabeça. — E é por isso que você quis trabalhar lá agora.

— Continuar o trabalho deles e honrar sua memória — disse ela, com um pálido sorriso.

— Seu marido *e* seus pais. Não tenho palavras para dizer que sinto muito.

— Sim, bem, essas coisas fazem parte da vida por aqui — Sarah disse. — A gente tem de ir em frente.

Houve um silêncio embaraçoso, durante o qual Preston provou o *kebab*. — Isto está absolutamente delicioso.

— Que bom que você gostou. É uma velha receita da família. Bem, não o *kebab*. Qualquer um faz *kebab*, quero dizer as ervas e os temperos.

— E é isso que deixa a comida tão deliciosa. Quais são?

— Não posso dizer. É um segredo tão velho quanto... tão velho quanto o manuscrito de Masada.

— Como judia, o que você acha do pergaminho? — ele perguntou.

— O que você quer dizer com "como judia"?

— Bem, ele não desafia algumas das suas crenças? Ele fala de Cristo, contudo foi descoberto em Masada, que é um dos lugares mais sagrados dos judeus... e até agora completamente desvinculado do início da cristandade.

— E por que deveria desafiar minhas crenças? Jesus foi um dos nossos garotos, de qualquer forma — ela disse com um leve sorriso. — Assim, a história dos judeus e do início da cristandade deve se sobrepor. Mas no mínimo acho que ele desafia suas crenças como cristão.

— Minhas? Nãooo — ele zombou. — Talvez se eu fosse católico, como o bom padre Flannery. Mas nós protestantes estamos acostumados a desafiar e a ser desafiados.

— Eu venho querendo perguntar a você sobre o padre Flannery — Sarah falou, em tom cauteloso.

— Sim?

— Você tem certeza de que foi prudente trazê-lo para a equipe?

— Michael Flannery? Confio nele totalmente.

— Talvez. E a despeito de ele ter conquistado sua confiança, ele depositou uma confiança maior... — Ela lutou para encontrar as palavras certas.

— Em Deus?

— Não, no Vaticano e na autoridade papal — ela afirmou.

— Ele deu a palavra de que não vai falar nada sobre o manuscrito, não até que nós...

— Não estamos falando de uma relíquia comum — ela interrompeu, colocando o garfo sobre a mesa. — Se ficar provado que o manuscrito é autenticamente do século 1 — e especialmente se descobrirmos que é o documento Q —, ele pode se sentir compelido por uma autoridade maior a quebrar seu voto terreno.

— Michael não. — Preston inclinou-se sobre a mesa e pôs a mão gentilmente sobre a mão de Sarah. — Confio nele com minha vida... com a nossa vida. E com o segredo do pergaminho.

Sarah deu um breve suspiro. — Espero que você esteja certo.

— E nós precisamos dele — Preston continuou. Ele tocou a mão dela, depois pegou o garfo e espetou outra porção do cordeiro. — Não há ninguém melhor para nos ajudar a desvendar os mistérios que o manuscrito possa revelar.

— Mas não é realmente com o padre Flannery que estou preocupada — ela disse. — É com a idéia de o Vaticano estar envolvido em qualquer nível. Apenas não quero que a integridade do manuscrito seja comprometida.

— O que você quer dizer?

— Embora eu tenha sempre admirado o cristianismo como um movimento quintessencialmente judeu, não posso sentir a mesma afeição pelo Vaticano. Existe no mundo alguma organização de mentalidade mais fechada do que a Igreja Católica Romana? — ela perguntou. — Sua principal motivação é a defesa da fé... não da verdade ou do conhecimento. Se encontrarmos alguma coisa nesse documento que de alguma forma coloque em xeque sua doutrina, eles não economizarão esforços para desacreditá-lo ou destruí-lo... ou, mais provavelmente, enterrá-lo em seus cofres com todos os outros escritos antigos que não cabem em sua rígida ideologia.

— Acho que não precisamos nos preocupar com isso — Preston disse. — Seu governo pode estar disposto a fornecer fotocópias do manuscrito, mas nunca abrirá mão da posse dele. E o Vaticano teria de se haver conosco, americanos, primeiro.

— Vocês?

— Minha universidade está financiando a escavação em Masada, lembra-se? Brandeis teria de ser consultada se Israel tentasse repassar o pergaminho para o Vaticano.

— Espero que você esteja certo — ela disse, balançando a cabeça em dúvida. — Mas quando a política se mistura com a religião, quem sabe o que pode acontecer? Quais negociações podem ser feitas? Ah, mas é melhor deixar isso para os sacerdotes e os políticos. — Ela ergueu a taça e sorriu. — O que foi que você disse? Ver estrelas?

Preston riu, ergueu sua taça, brindou com ela, e os dois esvaziaram seus copos.

— Bem, chega de conversa sobre manuscritos sagrados e religião — Sarah declarou. — Se eu quisesse discutir negócios esta noite teria convidado você para ir ao laboratório.

— Oh? — Preston falou, momentaneamente confuso. Depois, vendo o que seu olhar dizia enquanto ela o estudava por sobre a taça de vinho, ele balançou a cabeça em concordância. — Oh — ele repetiu, devolvendo o sorriso. — Sim, é claro.

CAPÍTULO 10

Com um bule de prata, o padre Sean Wester encheu duas xícaras de café e depois acrescentou copiosas porções de creme e açúcar à xícara de Michael Flannery. — Eu sei, meu caro, como você gosta de pouco café com o seu creme e açúcar — ele brincou.

Flannery reprimiu um sorriso ao se inclinar sobre a mesa e receber a xícara. — O senhor me conhece muito bem, padre.

— Conhecia melhor quando você era um padre jovem, ávido por aprender tudo, que passava todo o tempo livre nos arquivos. Éramos irlandeses numa terra estranha e tivemos belas conversas, sim, tivemos. Mas você quase não aparece mais, e este velho amigo fica solitário.

— Ora, padre. Como o senhor pode ficar solitário num lugar como este? Cercado por todos estes santos e seus milagres.

Wester tomou um gole do café e olhou em volta, para as pilhas de livros e manuscritos. Já com 70 e tantos anos, tinha passado uma boa porção desses anos isolado entre os artefatos dos arquivos do Vaticano, alguns dos quais anteriores ao nascimento de Cristo.

— Sem dúvida há alguma verdade no que você diz. — Ele deu um leve suspiro. — A sabedoria dos tempos está reunida entre estas velhas paredes. E se você está aqui tempo suficiente — e o Bom Deus sabe que eu sou mais do que qualificado para isso —, nem precisa abrir algumas das capas para ler, pois os próprios santos sairão e sussurrarão em seus ouvidos.

— Isto já aconteceu com o senhor?

— Já, meu rapaz. E como não poderia, neste lugar?

— Não, não estou falando metaforicamente. Quero dizer, o senhor já viu alguma coisa que não pode explicar? Uma figura, um santo talvez?...

— Flannery fez uma pausa no meio da frase quando viu a maneira como o padre mais velho olhava para ele. — Bem, eu só... hummm...

— Você viu alguma coisa?

Flannery engoliu um pouco de café, tentando evitar a pergunta de Wester.

— Michael, meu rapaz, você viu alguma coisa?

Flannery assentiu.

— E o que seria?

— Durante a missa de ontem em São Pedro. Pensei ter visto alguma coisa, alguém...

— Um dos santos? A própria Virgem Maria?

— Não, nada disso. Era um homem comum, um homem negro, forte e vestido de uma maneira estranha. Ele estava lá num segundo; de repente, desapareceu.

— Será que você não o perdeu na multidão?

— Aaa... acho que isso pode ter acontecido — Flannery falou. — Mas não afastei meu olhar. Quero dizer, estava olhando para ele, e ele... bem, simplesmente desapareceu.

— A onda de calor — Wester declarou. — Pode durar muito, muito, e ficar muito quente.

— Sim, mas o senhor não respondeu minha pergunta, padre. Alguma coisa assim já aconteceu com o senhor?

Wester escolheu as palavras cuidadosamente. — Michael, você não voltou a...

— Não, padre — Flannery interrompeu. Ele estava resoluto, mas não desafiador. — Estou sóbrio há doze anos.

— Coisas surpreendentes apareceram na Santa Sé nestas últimas centenas de anos. Visões que foram relatadas, e muitas que não foram. Quem pode dizer que você não foi abençoado com uma delas?

— Mas o que isso significa? — Flannery perguntou. — Um homem negro num manto de tecido grosseiro, aproximando-se de mim... tocando minha alma de uma forma que não sei explicar... O que isso pode significar?

Wester balançou a cabeça. — Eu não sei, embora esteja certo de que aqui, entre 2 mil anos de história sagrada, haja uma resposta. Se você foi escolhido para ter uma visão por algum propósito sagrado, então não tenho nenhuma dúvida de que você vai descobrir o porquê.

— Eu tenho outra pergunta — Flannery falou, colocando a xícara na mesa. — E esta é mais concreta. Uma vez, há muito tempo, eu vi isso em algum lugar. — Ele mostrou a Wester um pedaço de papel no qual havia desenhado o símbolo do início do Evangelho de Dimas bar-Dimas. — Recentemente eu o vi de novo.

Wester olhou para o símbolo, e por um único momento Flannery pensou ter visto um tremor nos olhos do velho clérigo.

— Onde foi isso?

— Não me lembro de onde vi pela primeira vez. — Tomando cuidado para não mencionar o pergaminho de Masada, Flannery continuou: — Mas alguém em Israel me mostrou isto recentemente, e me lembrei de que já o tinha visto. Acho que se chama Via Dei.

Num sussurro o velho padre retrucou: — É, Via Dei.

— Então o senhor também já ouviu falar disto?

— Acho que sim.

— O senhor sabe alguma coisa sobre isto? Há alguma referência sobre isto nos arquivos?

Wester segurou o queixo por um momento, então balançou a cabeça. — Vamos ver o que consigo encontrar.

Flannery tamborilou os dedos na mesa enquanto observava o homem mais velho se afastar. Wester não era muito alto, e a longa batina cobria seus pés, criando a ilusão de que deslizava em vez de caminhar no chão de mármore. Flannery conhecia o padre irlandês desde que foi pela primeira vez a Roma, encontrando-o primeiro por causa de seu grande interesse pelos arquivos, e depois se tornando seu amigo por terem a mesma ascendência irlandesa — e algo mais. Alguma coisa que o padre Wester tinha percebido e chamado à atenção de Flannery muito antes de qualquer outra pessoa.

— Cuidado, meu caro — ele tinha dito a Flannery não muito depois de terem se encontrado pela primeira vez. — Não deixe que seu gosto pelas bebidas prejudique seu amor pelo Espírito Santo... pelo Senhor.

Wester tinha lhe confiado que ele, também, tinha demônios com que lutar, e foi parcialmente sua gentil cutucada que evitou o que poderia ter sido um desastre para o jovem padre. Flannery seria sempre grato.

Quando Wester retornou, ele carregava um manuscrito encadernado com couro. Ele o abriu sobre a mesa e o empurrou para a frente de Flannery, que notou a caligrafia esmerada, clara e legível. O manuscrito parecia não ter mais que cem anos.

— Isto não foi publicado — Flannery disse, olhando para Wester.

— Não publicado, exatamente. Não é um livro católico, mas uma obra escrita — ou canalizada, como afirma a autora — pela famosa médium e fundadora da Sociedade Teosófica, Helena Petrovna Blavatsky, mais conhecida como Madame Blavatsky. Ela estava trabalhando nele quando de sua morte, em 1891.

— Como conseguimos o livro? — Flannery perguntou, começando a virar as páginas e examinar o escrito.

— Quem pode dizer? — Wester retrucou, com um meneio de ombros. Sua boca formou um sorriso evasivo. — Talvez um espião católico entre os teosóficos. Mas ele acabou aqui, e ouso dizer que é a única cópia, porque não está entre os catorze volumes da sua obra completa.

— O senhor o leu?

— Li. Como você, eu vi o símbolo uma ou duas vezes em minha juventude e quando dei com ele no manuscrito, fiquei curioso e li tudo. Felizmente está em inglês, embora seja um pouco difícil de entender alguns trechos. A língua nativa de Madame Blavatsky era o russo, mas ela se mudou para a Inglaterra ainda jovem. Apenas o último capítulo se refere ao Via Dei.

Wester se inclinou e folheou o manuscrito relativamente fino até encontrar a página correta. A passagem incluía um símbolo desenhado a mão quase idêntico ao que Flannery lhe tinha mostrado.

— Aqui está — ele disse, apontando para o símbolo. — É o único lugar onde o vi descrito. Esta pode ser a única referência registrada, e por uma autoridade dúbia, na melhor hipótese. Mas vou deixar você tirar suas próprias conclusões. Fique o tempo que for necessário. — Ele se afastou da mesa. — Você pode trabalhar aqui mesmo; não será perturbado.

— Obrigado.

Nas horas seguintes Flannery estudou atentamente o manuscrito, primeiro lendo o capítulo final sobre o Via Dei, depois começando da página 1. Outros clérigos entraram e saíram, mas ele não os viu. Portas distantes se abriram e se fecharam, ecoando no salão como a batida de tímpanos, mas ele não ouviu nada. A hora do jantar veio e passou, mas ele não sentiu fome, até chegar à passagem pela qual tinha começado mais cedo naquele dia:

> *Via Dei, significando Caminho de Deus e comumente chamado O Caminho para Deus, é uma das mais antigas organizações no catolicismo. Suas origens se perdem na história antiga. Alguns afirmam que suas raízes estão na religião druida e que ela sobreviveu à conversão para o cristianismo. Outros dizem que era uma sociedade militar formada pelos Cruzados e usada como sua autoridade para matar, sem arrependimento, muçulmanos e outros não crentes. Alguns remetem sua ori-*

> gem aos contemporâneos de Jesus, em particular um Gaius de Éfeso, que passou sua linha espiritual para Dimas, o também chamado Bom Ladrão, crucificado ao lado do Salvador.
>
> Muitos especialistas creditam Via Dei pela manutenção viva dos mais profundos mistérios da cristandade durante a Idade das Trevas, quando verdadeiros crentes eram sistematicamente mortos como heréticos por sua própria igreja. Desde a Reforma, contudo, afirma-se que o Via Dei é uma sociedade altamente secreta, encarregada de preservar a pureza católica com a destruição de qualquer grupo ou indivíduo considerado uma ameaça à Mãe Igreja. Alguns consideram que o símbolo do Via Dei — uma pirâmide e cruz encimadas por um círculo — recebeu a influência dos franco-maçons e dos rosacruzes, outros acreditam ter sido ele a fonte das duas sociedades.

Embora Flannery não tenha ficado surpreso por encontrar uma referência ao Via Dei como uma sociedade secreta da Idade Média, ele ficou admirado ao ver que Blavatsky tenha feito uma conexão direta entre o suposto fundador do grupo e Dimas, o Bom Ladrão, pai do autor do pergaminho de Masada. Havia vários homens chamados Gaius no Novo Testamento, e embora nenhum fosse especificamente chamado Gaius de Éfeso, somente um tinha ligação com o apóstolo Paulo, que passou a maior parte de seu ministério pregando em Éfeso.

Flannery examinou o símbolo do Via Dei, desenhado por Madame Blavastky, notando as similaridades e as mínimas diferenças com o símbolo do pergaminho de Dimas. A principal variação era na parte de cima, onde em vez da lua crescente com as pontas se tocando havia um círculo perfeitamente simétrico, e a estrela de cinco pontas acima da pirâmide parecia menos uma estrela e mais finos raios de luz, o que lhe conferia uma aparência maçônica. Mas a similaridade era indiscutível.

Enquanto Flannery meticulosamente esboçava o símbolo em seu bloco de anotações, uma voz alegre intrometeu-se no seu devaneio.

— Você vai passar a noite aqui, então?

— O quê? — Flannery perguntou, erguendo o olhar do manuscrito.

— São 10 horas — disse o padre Sean Wester, contornando a mesa e entrando na linha de visão de Flannery.

— 10 horas? Da noite?

O velho padre deu uma risada. — É, meu caro, duas horas antes da meia-noite. Você ficou aqui o dia inteiro; não jantou.

— Acho que me distraí.

— Eu diria que sim.

— Padre Wester, o senhor conhece qualquer documento católico que confirme ou negue o que está escrito aqui?

— Deixe estar, meu caro.

— O quê?

— Há algumas coisas que devem ser deixadas de lado. Eu sei pouco sobre o Via Dei, mas o que sei me diz para deixar tudo nos arquivos.

— Então há documentos católicos sobre o assunto?

— Eu lhe disse tudo o que sei — Wester falou, mas enquanto ele falava Flannery podia ver a falsidade em seus olhos.

— O senhor não está me dizendo a verdade, está? Pelo menos não toda a verdade, não é?

— Michael, você é como meu filho, você sabe — o padre disse, com voz terna. — Deixe esse assunto de lado.

EM SEUS APOSENTOS no Vaticano, Michael Flannery esquentou uma torta no microondas, comeu-a vagarosamente e depois tomou um copo de suco de laranja. Não era exatamente uma ceia, mas ele não estava com fome de fato. Muita coisa tinha acontecido nos últimos dois dias, desde a aparição na Basílica de São Pedro e a conversa com o padre Wester até a descoberta do manuscrito de Blavatsky.

De uma coisa Flannery tinha certeza. A sociedade Via Dei, ou pelo menos seu símbolo, era anterior às Cruzadas. Era anterior até mesmo aos Evangelhos conhecidos, pois ele o tinha visto claramente desenhado no manuscrito de Masada. Não sabia o que ele era, mas sabia o que não era: um símbolo criado por algum cavaleiro andante a fim de justificar a morte dos muçulmanos.

Qualquer que fosse a sociedade que ele outrora representara, essa sociedade ainda estava por aí. Flannery sabia disso graças a uma coisa que não havia compartilhado com o padre Wester, ou mesmo com os arqueólogos de Israel: as circunstâncias nas quais ele vira o símbolo pela primeira vez. Durante seus primeiros anos no Vaticano, ele havia sido cortejado por outro padre que o convidara para se juntar a um grupo chamado Via Dei. A corte era tão secreta que, quando Flannery pedia mais informações, a resposta era que mais nada podia ser dito.

— Você precisa nos aceitar com fé — o padre declarou.

Insinuava-se que a filiação ao Via Dei era uma garantia de promoção rápida na hierarquia católica. Ele queria cargos de responsabilidade no Vaticano? Ele aspirava ao purpurado? Ele pretendia ser cardeal um dia? Embora a filiação não garantisse esses objetivos, ela certamente ampliaria as possibilidades.

Flannery não aceitou nem recusou a oferta, esperando para ver o que aconteceria. No fim, nada aconteceu, e ele tinha quase esquecido tudo até que viu novamente o símbolo, desta vez claramente escrito num documento com 2 mil anos de idade.

O padre tentou afastar os pensamentos sobre o Via Dei de sua mente quando se despiu e deitou na cama. Ele ficou inquieto por um tempo, até finalmente cair no sono. Contudo, foi um sono intranqüilo, cheio de imagens de Jerusalém, do pergaminho e do estranho homem negro que tinha aparecido diante dele durante a missa. Mas enquanto sonhava com aquele homem, a imagem se transformava num rosto mais familiar, embora Flannery não o visse talvez fizesse mais de vinte anos.

— Padre Leonardo Contardi! — ele exclamou, sentando-se instantaneamente na cama e acordando ao mesmo tempo.

Ele falou o nome de novo, desta vez num sussurro, enquanto se recordava, com mais detalhes, do homem que primeiro lhe havia mencionado o Via Dei, quando os dois eram seminaristas em Roma. Ele tinha perdido contato com o padre logo depois, quando Contardi foi designado para uma missão no Oriente Médio.

Uma coisa era certa, Flannery disse a si mesmo, estendido de costas na cama e de olhos fechados. — Amanhã preciso encontrar o padre Leonardo e descobrir o que ele sabe sobre o Via Dei e seu símbolo.

CAPÍTULO 11

Michael Flannery levou duas semanas para descobrir o paradeiro de Leonardo Contardi. Da última vez que ouvira falar dele, o jovem e entusiasmado padre havia deixado Roma para servir num mosteiro em Israel. Mas, como Flannery agora tinha descoberto, o Mosteiro do Caminho do Senhor fora fechado alguns anos mais tarde, e Contardi tinha sido transferido para um pequeno povoado na planície amazônica do Equador. Lá, vivendo entre a primitiva tribo huaorani, o padre perdeu primeiro a saúde e depois a estabilidade emocional. Havia apenas três meses ele tinha sido mandado de volta a Roma, para o asilo de San Giovanni, para padres. Ele tinha voltado para casa para morrer.

Quando Flannery entrou no pequeno quarto particular no asilo, não pôde acreditar que a figura esquálida e contorcida estendida na cama era o mesmo homem que outrora era capaz de vencê-lo com facilidade num jogo de handebol. Apenas vinte anos tinham se passado desde que os dois estudaram, se divertiram e riram juntos. Como Flannery, Contardi ainda estava na casa dos 40, embora agora parecesse algumas décadas mais velho.

— Leonardo — Flannery sussurrou, segurando a frágil mão do padre na sua. A mão não tinha nenhuma força. — Por que você não disse que estava de volta a Roma?

Contardi ergueu o olhar para o visitante. Seus olhos cinza lacrimejantes não mostravam nenhum indício de reconhecimento. Numa voz surpreendentemente forte ele disse, em inglês, "lentilhas".

— O que foi?

— Sopa de lentilhas, é só o que nos servem aqui, entende? Sopa de lentilhas. — Sua voz era um pouco aguda, mas firme, seus olhos arregalados denotavam uma nota de excitação. Seu antigo forte sotaque italiano tinha diminuído sensivelmente, sem dúvida resultado de anos no exterior em companhia de homens de várias nacionalidades.

— Oh, tenho certeza de que o cardápio é mais variado do que isso. Talvez haja alguma razão médica para...

— Suas coisas estão protegidas da chuva? — Contardi interrompeu. — As chuvas são terríveis, entende? Algumas vezes parecem uma cachoeira.

— Sim, tenho certeza que as chuvas foram terríveis. — Flannery gentilmente deu um tapinha na mão do padre.

— O Santo Padre está zangado comigo.

— Ora, por que o Santo Padre estaria contrariado?

Os olhos do padre se estreitaram, e ele sussurrou como se estivesse contando um segredo. — Há 322 delas, entende?

— 322? Leonardo, desculpe, não sei do que você está falando.

— Ora, lentilhas, claro. Algumas vezes chove dentro da sopa de lentilhas. Todas as enfermeiras são protestantes, entende? Por que há enfermeiras protestantes num asilo católico?

Flannery suspirou. A condição do padre Contardi era pior do que ele imaginara. Eles ficaram em silêncio por um tempo; então Flannery fez o sinal-da-cruz sobre o amigo e sussurrou uma prece. Virou-se para sair.

— Michael, por que você está aqui? — Contardi perguntou, com surpreendente clareza.

Flannery voltou-se rapidamente. — Vim visitá-lo — ele falou, chegando até a cama, esperando que não fosse o fim da conversa sobre sopa ou chuva. — Você deveria ter contado aos amigos que estava de volta a Roma.

— Veja como eu estou — Contardi respondeu. — Não quis abusar de ninguém.

— A oportunidade de ajudar um amigo nunca é um abuso.

— Ajudar-me? Diga-me, Michael, como você me ajudaria?

— Posso orar com você.

— Guarde suas preces para aqueles que não perderam a fé.

— Leonardo, você não quer dizer isso.

Contardi virou a cabeça um pouco. — Não, há mais alguma coisa... uma outra razão para você ter vindo.

— Por que você diz isso? — Flannery perguntou, subitamente desconfortável por perturbar um homem naquelas condições com os seus próprios problemas.

Quando os lábios de Contardi arremedaram um sorriso, Flannery percebeu o quão enfraquecido e doente seu amigo estava, a realidade de que ali era um asilo, e que ele somente sairia da cama quando chamado pelo Senhor.

O padre levantou um dedo que era só osso e tocou o rosto, logo abaixo do olho direito. — Você vê, aprendi algumas coisas nos meus anos na selva. Não vejo apenas o que está na superfície... mas abaixo. A verdade invariavelmente é revelada. — Ele fez uma pausa, estreitando os olhos enquanto perguntava: — O que é? Por que você veio, realmente?

Graças a Deus, ele está lúcido agora, Flannery pensou. — Sim, há uma razão — ele admitiu. E pegou o papel onde o símbolo de Dimas estava desenhado. — Você se lembra, quando éramos muito mais jovens, como certa vez discutimos a organização Via Dei? Este era o símbolo dela, acho.

Contardi olhou para o papel. Como se isso fosse possível, sua tez ficou ainda mais cinzenta, ele cobriu os olhos com um braço e se afastou.

— Não! — ele disse sacudindo a cabeça, a voz ficando mais alta e raivosa enquanto continuava: — Não! Afaste isto! Afaste isto! Você não vê as chamas? Você não sente o cheiro do enxofre? Satã, saia daqui!

— Leonardo, o que é isso? O que há de errado? — Ele colocou a mão gentilmente sobre o braço do padre, mas ele a afastou com força.

— Enfermeira! Enfermeira! — Contardi gritou.

Um atendente masculino entrou correndo no quarto. — *Padre! Che cosa?* — ele perguntou.

— *Diavolo!* — Contardi apontou um dedo acusador para Flannery, que olhou para ele por uns instantes com a boca aberta, em choque. — *Chi l'anima mi lacera?* — o padre murmurou, livrando-se dos dois homens e outra vez escondendo o rosto, como se visse algum demônio. — *Che inferno! Che terror!*

— O que é isso? — Flannery suplicou a seu amigo. — O que eu fiz?

— Sinto muito, padre, ele fica assim às vezes — o atendente disse num inglês carregado de sotaque, mas inteligível, ao se colocar entre Flannery e o padre doente, que agora balbuciava numa língua ininteligível. — Talvez seja melhor o senhor sair. Dou a ele um sedativo e ele vai descansar.

— Sim — Flannery concordou. — Sim, vou sair.

Nesse ponto, o delírio de Contardi tinha se reduzido a soluços audíveis. Flannery atravessou o quarto, olhando para trás mais uma vez antes de entrar no corredor. Seu amigo lutava para ficar sentado enquanto o atendente lutava para mantê-lo deitado.

Com um ímpeto final de energia o padre Contardi exclamou: — *L'anima!* A alma, ela é eterna. É tudo o que me resta. Eu não vou renunciar à minha alma!

Chegando à conclusão de que não receberia mais ajuda do padre Wester nos arquivos do Vaticano, e sem querer perturbar outra vez o padre Contardi, Michael Flannery continuou a busca de informação sobre o Via Dei por conta própria. Ele vasculhou todas as bibliotecas do Vaticano a que teve acesso, depois retirou o colarinho para não atrair atenção indesejada, e visitou as bibliotecas e livrarias de livros antigos de Roma.

Ele estava prestes a desistir quando topou com um livro intitulado *Black Mass*. Todo o conceito da Missa Negra era tão repugnante, tão diabólico, que ele quase sentiu o livro queimar suas mãos enquanto o segurava. Forçando-se a folhear o livro, ele encontrou uma referência ao Via Dei:

> *A marquesa de Montespan, amante de Luís XIV, procurou os serviços de um padre excomungado para rezar uma Missa Negra para ela, pois ela achava que o Rei estava interessado em outra mulher. Usando Montespan como um altar nu, o padre invocou Satã e seus demônios da lascívia e da falsidade, Belzebu, Asmodeu e Astaroth, para darem a Montespan tudo o que ela desejasse. Ele consagrou a hóstia enfiando pedaços em sua vagina. Mais de 200 pessoas, incluindo algumas da mais alta nobreza da França, presenciaram a cerimônia, que terminou com uma grande orgia.*
>
> *Sabendo da heresia, a Ordem Católica do Via Dei conduziu um julgamento secreto, obtendo confissões por meio de tortura. Muitos da nobreza receberam penas de prisão ou exílio, mas 36 plebeus foram executados, entre eles o padre excomungado, que foi queimado vivo em 1680.*

Quando Flannery retornou a seus aposentos naquela noite, o telefone estava tocando. Ele atendeu e ouviu o padre Contardi dizer numa voz clara e forte — Michael, você chegou. Aqui é Leonardo.

— Leonardo! Como você está?

— Tenho momentos de confusão. Aparentemente eles acontecem cada vez com mais freqüência. Espero que você entenda e perdoe minha explosão hoje de manhã.

— Não há nada a perdoar, meu amigo — Flannery assegurou.

— Você perguntou sobre o Via Dei.

— Sim.

— Será que você pode me visitar novamente? Precisamos conversar. Acho que é importante conversarmos.

— Sim, claro, vou agora mesmo.

— Não — disse Contardi. — É tarde; qualquer visitante agora seria submetido a um minucioso exame. Seria melhor se você viesse de manhã, depois do café.

— Tudo bem, estarei aí às 9.

— Michael, se não for muito incômodo, você poderia me trazer uns dropes de limão?

Lembrando da predileção do amigo por essa bala, Flannery riu. Esse sim era o jovem e despreocupado padre que conhecia. — Vou levar o maior pacote que encontrar — prometeu.

NUMA OUTRA PARTE DO ASILO, havia alguém no escuro, com a mão sobre o bocal de um telefone, ouvindo a conversa. Ao perceber que os dois telefones tinham sido desligados, ele também desligou. Depois aguardou o tom de discar e fez uma chamada.

— As coisas não parecem boas para o padre Contardi. Acho que sua hora chegou — disse para a pessoa do outro lado da linha. — Está na hora de administrar os últimos ritos.

E colocou o telefone no gancho.

— Que Deus o receba em Seu reino — entoou imergindo ainda mais na escuridão.

"In Nomine Patris, et Filii, et Spiritus Sancti. Amen."

Ouvindo a bênção, o padre Contardi abriu os olhos e, na fraca luz de seu pequeno quarto, viu um homem usando um manto encapuzado de pé a seu lado. Uma mão saía da manga volumosa do manto, dois dedos ossudos projetaram-se à frente, fazendo o sinal da cruz no ar.

— Extrema-unção? — Contardi falou. — Cheguei a esse ponto?

— Ora, padre, o Concílio Vaticano Segundo decretou que não usaremos mais a expressão "extrema-unção" — foi a resposta. — Nós ungimos os doentes.

— Contardi não conseguia ver o rosto do homem, escondido nas dobras do capuz. Mas podia ouvir sua voz, um sussurro calmo, como o som das asas de Gabriel.

Com dedos esqueléticos e cobertos de óleo, o visitante noturno de Contardi ungiu sua testa e mãos.

— Através desta sagrada unção possa o Senhor em seu amor e misericórdia ajudá-lo com a graça do Espírito Santo. Que o Senhor que o liberta de seus pecados possa salvá-lo e elevá-lo.

O celebrante fez uma pausa, e depois continuou, em latim:

"Misereatur vestri omnipotens Deus, et dimissis peccatis vestris, perducat vos ad vitam aeternam".

O celebrante afastou-se para as sombras do quarto, desaparecendo completamente de vista. Por um momento, padre Contardi ficou sem saber se o misterioso visitante ainda estava no quarto, ou mesmo se ele estivera lá.

Teria tudo isso sido uma alucinação provocada pelo delírio?

Contardi fechou os olhos, e assim não viu o segundo homem se adiantar, colocar um travesseiro sobre seu rosto e pressioná-lo com tal força que o padre não conseguia respirar. Ele soube então que estava morrendo, e tentou dizer uma rápida prece, mas não conseguiu pronunciar as palavras, exceto mentalmente.

"Kyrie eleison. Christe eleison."

Como o padre Contardi não lutou, tudo acabou muito depressa, e o homem que empunhava o travesseiro olhou no escuro para o outro, que usava a batina com capuz.

Trocaram acenos de cabeça. Nenhuma palavra fora pronunciada. Nenhuma foi necessária.

MICHAEL FLANNERY TINHA uma dúzia ou mais de perguntas que gostaria de fazer, e desejou que seu velho amigo estivesse lúcido naquela manhã como no inesperado telefonema da noite anterior. Carregando uma sacola cheia de pacotes de dropes de limão, Flannery saltou rapidamente as escadas do asilo e cruzou o *lobby*, chegando à recepção.

A jovem freira de serviço levantou o olhar e, reconhecendo-o por causa de sua visita anterior, disse: — Bom dia, padre. — Ela parecia ansiosa para praticar seu inglês e perguntou: — Quem o senhor deseja visitar esta manhã?

— Ah, bom dia, irmã. Sou o padre Michael Flannery, e estou aqui para visitar novamente meu querido amigo o padre Leonardo Contardi.

Flannery viu um leve tremor no rosto da irmã. — Um momento, padre. Vou chamar o padre Guimet.

— Padre Guimet?

— *Sì*. O diretor do asilo.

Desejando que sua visita passasse o mais despercebida possível, ele disse: — Por que devo vê-lo? Não foi preciso da vez anterior.

— Preciso chamá-lo, senhor — a irmã disse, pegando o telefone.

Flannery estava prestes a protestar outra vez, mas achou melhor não. Aparentemente, tinha havido um relatório sobre a explosão de Contardi no outro dia. Ele falaria com o padre Guimet e explicaria o que tinha acontecido.

Flannery atravessou a sala e sentou-se numa das cadeiras do *lobby*. Brincando com a sacola a seu lado, pensou em abrir uma das caixas de dropes de limão e pegar uma bala. Não era de uísque ou de café, mas para o momento estava bom. Ele resistiu à tentação. Sabia que o amigo seria generoso, mas era melhor esperar que ele fizesse a oferta.

— Padre Flannery?

O padre que se dirigiu a ele tinha uns 60 anos, era muito magro, completamente calvo, e tinha orelhas flácidas grandes demais para a sua cabeça.

— Sim. — Michael falou, levantando-se da cadeira. — Padre, se é sobre a minha última visita...

— Sinto muito — padre Guimet disse abruptamente. — Mas o padre Contardi... sinto muito dizer, mas ele morreu durante a noite.

CAPÍTULO 12

Dimas bar-Dimas estava na rua dos Tecelões, em Jerusalém, saudando os fiéis que chegavam ao salão de encontro da igreja para ouvir a pregação de Estêvão sobre Cristo ressuscitado. Nos seis anos que se seguiram à crucificação de Cristo, Estêvão tinha reunido um crescente número de fiéis em um movimento que ele chamava de *O Caminho*, e Dimas era um dos seus mais entusiasmados e efetivos colaboradores.

Dimas reconheceu a maioria das pessoas que já tinha chegado, e ficou satisfeito ao ver várias caras novas. O comparecimento era maior a cada reunião, e ele sabia que as outras igrejas que divulgavam a mensagem de Jesus estavam atraindo multidões semelhantes.

Um comerciante de meia-idade veio mancando rua abaixo e parou na frente de Dimas, fitando o jovem barbado com um olhar desafiador. — Aqui é onde eles pregam a vinda do Messias? — Seus olhos se estreitaram em descrédito.

— Por favor, junte-se a nós e ouça a Boa-Nova. — Dimas fez um gesto em direção à porta. — Eu sou Dimas bar-Dimas.

— Hershel, o açougueiro — o homem se apresentou.

— Que o espírito de Jesus Cristo esteja sempre com você, Hershel.

— Jesus? Você está falando daquele profeta da Galiléia, aquele que foi crucificado por suas blasfêmias?

— Ele foi crucificado por falar a verdade — Dimas disse. — Ele era o Messias.

— Como *ele* pode ser *o* Messias, se agora ele está morto?

— Ele estava morto, sim, mas ressuscitou dos mortos e agora mora no Céu, à direita do Senhor.

Hershel levantou a mão, como se repelisse o diabo. — Ora, meu senhor, agora acho que o *senhor* está blasfemando. Pois ninguém poderia ressuscitar dos mortos sem usurpar o poder de Deus.

— Ou sendo de Deus — Dimas retrucou.

— Você diz que ele ressuscitou dos mortos. Você viu esse milagre com seus próprios olhos?

— Não vi, mas há muitos que viram. Se você quer saber mais, entre e ouça meu amigo Estêvão.

O açougueiro balançou a cabeça hesitante. — É, acho que gostaria de saber mais sobre ele.

Dimas acompanhou Hershel para dentro da ampla sala de reunião e o apresentou aos que estavam lá reunidos. Havia quase quarenta homens e mulheres, de todas as classes sociais, de donos de terras a escravos. Dentro da igreja não havia nenhuma diferenciação entre eles, ricos e indigentes saudavam-se em nome de Jesus, e tomavam seus lugares em bancos de madeira simples para ouvir Estêvão. Dimas ficou no fundo, onde poderia receber os retardatários.

As conversas pararam quando Estêvão subiu numa plataforma erguida em frente aos presentes. Ele era um homem alto, com feições angulares, quase ásperas, usando sandálias e uma feia capa marrom. Mas impressionantes eram seus olhos negros, muito juntos, e que faiscavam como carvão. Ele ficou de pé, olhando a assembléia, os olhos pedindo sua atenção. Quando o silêncio se fez, ele começou a falar.

— Quando Moisés estava no deserto, perto do monte Sinai, ele viu uma folhagem que queimava, sem contudo ser consumida pelas chamas. Ele chegou mais perto para examinar aquela coisa espantosa quando ouviu a voz do Senhor. — Sou o Deus de seus ancestrais. Tire as sandálias, pois você está pisando terra sagrada.

Dizendo isso, Estêvão tirou suas próprias sandálias, e muitos ali reunidos seguiram seu exemplo.

— Moisés recebeu mandamentos de Deus que ofereciam vida, e apresentou esses mandamentos a nós, mas nós não os obedecemos. Mais tarde, Josué levou nossos ancestrais à terra prometida, e Salomão construiu um templo.

Estêvão levantou a mão e a manteve parada por um momento. Então, sacudindo o dedo, ele continuou falando tão alto que as janelas tremeram.

— Mas o Senhor dos Senhores não habita casas que as pessoas constroem com as mãos.

A congregação prendeu a respiração, ao ouvir o que parecia ser um ataque direto contra o templo, o lugar mais sagrado de Jerusalém.

— Como afirma o profeta: "O Céu é o meu trono, e a Terra é meu escabelo. Então vocês acham que podem construir uma casa para mim? Eu preciso de um lugar para descansar? Lembrem-se, minhas mãos fizeram todas as coisas!".

Alguns dos novatos se agitaram inquietos e pareciam prontos a retirar-se da presença do blasfemador, mas Estêvão os manteve fixos em seus lugares com o poder de seu olhar e a segurança de sua voz.

— Vocês, povo teimoso! Vocês não deram seus corações a Deus, nem O ouviram. Seus ancestrais procuraram destruir cada profeta que anunciou que Aquele que é Deus viria. Eles mataram os profetas, e agora vocês viraram suas costas e mataram Aquele que é Deus.

Estêvão olhou para cima e apontou para as vigas.

— Olhem! — ele gritou. — Vejo o Céu, pleno, e o Filho de Deus está sentado à direita do Senhor!

De repente um homem que estava no banco da frente levantou-se num salto, e como se isso fosse um sinal, três outros correram para junto dele e agarraram Estêvão. O resto da assembléia permaneceu petrificado, pensando que aquilo fizesse parte do sermão de Estêvão.

Dimas também foi enganado pela ação, mas logo reconheceu que o líder dos quatro era o novato que tinha se apresentado como Hershel, o açougueiro, e percebeu a verdade: um certo número dos celebrantes do dia não tinha ido para ouvir, mas para levar preso o vibrante orador.

— Deixem-no! — Dimas gritou.

Ele avançou, mas foi detido por dois outros homens que estavam sentados perto do fundo. Um terceiro homem, pequeno de estatura mas forte, irrompeu pela porta e ficou na frente de Dimas, bloqueando seu caminho. Ele era completamente calvo, tinha nariz grande e curvado e sobrancelhas unidas. Dimas imediatamente o reconheceu como Saul, um dos mais dedicados perseguidores dos seguidores de Jesus.

Saul apontou o dedo para Dimas. — Não interfira com a lei, bar-Dimas — exclamou.

— Para onde o estão levando? — Dimas exigiu saber.

— Isso não é da sua conta.

— Alguns dos fiéis, finalmente percebendo o que estava acontecendo, levantaram-se e começaram a gritar, enquanto Saul e seus homens arrastavam Estêvão para fora da igreja. Com Dimas à frente, eles também foram para fora, onde um contingente ainda maior de homens de Saul esperava para colocar o prisioneiro sob custódia.

Dimas e seus companheiros cristãos estavam em menor número e sentiam-se impotentes para tentar qualquer coisa, a não ser olhar temerosos enquanto os captores de Estêvão o levavam para fora da cidade, para a ravina de Kidron. Lá eles formaram um círculo em volta de Estêvão e começaram a juntar grandes pedras, enquanto Saul recolhia e segurava seus mantos.

Sabendo o que estava para acontecer, Dimas avançou para Saul, tentando passar pelas fileiras de seus seguidores. Dimas quase conseguiu, mas foi atirado ao chão por vários dos homens. Eles começaram a arrastá-lo para junto de Estêvão, parado sozinho no centro do círculo, mas Saul fez um gesto para que Dimas fosse afastado. Aparentemente, Saul estava agindo sob ordens — possivelmente do Sinédrio — e não ultrapassaria sua autoridade.

Quando Dimas foi puxado pelo pé e arrastado, Saul reuniu-se ao círculo de homens e acenou com a cabeça. Ao sinal, um após o outro atirou sua pedra na vítima. Os outros se juntaram a eles, e Estêvão foi atingido várias vezes. O sangue começou a escorrer dos cortes na cabeça e no corpo. Ele se ajoelhou e baixou a cabeça, sob uma chuva de pedras.

— Senhor Jesus, receba meu espírito! — gritou.

Fora do círculo de apedrejadores, Dimas prendeu a respiração ao ouvir o grito de Estêvão, pois eram quase as mesmas palavras que Jesus tinha dito preso à cruz. As palavras seguintes de Estêvão eram ainda mais surpreendentes.

— Senhor, não deixe este pecado recair sobre eles.

Aquelas foram suas últimas palavras, pois a pedrada seguinte foi fatal.

Os homens de Saul olharam por um momento para o corpo de Estêvão; então, um a um, soltaram as últimas pedras no chão e foram até seu líder.

— Muito bem — disse Saul disse ao entregar a cada um seu manto. — Vocês obedeceram ao desejo de Deus aqui hoje, e isto é bom.

Catorze anos mais tarde, Dimas bar-Dimas estava a muitos quilômetros de Jerusalém, sentado num banco de pedra, num jardim em Éfeso, vendo a luz do sol dançar sobre a superfície do mar Egeu. Pensando no brutal apedrejamento de Estêvão, ele se sentiu muito mais velho do que seus 42 anos, com um cansaço de doer os ossos, fruto de suas longas viagens nas duas décadas decorridas desde a crucificação de Jesus. Tais viagens deviam-se, em grande medida, ao homem responsável pelo apedrejamento, pois logo depois Saul tentou prender Dimas, forçando-o a fugir de Jerusalém. Mais tarde, Saul foi um fator preponderante na ida de Dimas para Éfeso. Mas dessa vez a causa não era o ódio, e sim o amor.

— Dimas?

Virando-se, ele viu um homem baixo, calvo, e com o nariz encurvado.

— Ah, Paulo... você falou com os sacerdotes?

— Sim — Paulo retrucou. — Não poderemos mais usar a sinagoga para nossos ensinamentos. Mas eu encontrei um auditório do Gymnasium Tyrannus que você pode usar.

— *Eu* posso usar?

— Sim, meu amigo. Preciso continuar minhas viagens e minha pregação, mas você deve permanecer aqui e continuar o trabalho que começamos. Deixo você na companhia do jovem Gaius de Éfeso, que vai ajudar a dividir o peso de liderar nosso rebanho. Você fará isso?

— Sim, claro que sim — Dimas disse.

Embora Dimas sentisse brotar um amor inesgotável pelo homem de pé à sua frente, ele se perguntava como era possível ter tais sentimentos pelo mesmo homem que apedrejara seu amigo Estêvão. Naquela época, se alguém dissesse a Dimas que o mais dedicado perseguidor dos seguidores de Jesus um dia se tornaria um apóstolo, Dimas diria que era mentira. Se afirmassem que o próprio Dimas iria participar de viagens de pregação com o assassino de Estêvão, ele os chamaria de loucos. Contudo, foi exatamente isso o que aconteceu, pois Paulo, o terno e dedicado servo de Jesus Cristo com quem Dimas agora viajava e trabalhava, era na verdade o mesmo homem que organizara o apedrejamento de Estêvão.

Paulo, conhecido naquela época como Saul, era um fariseu destinado ao rabinato por nascimento, educação e temperamento. Na trajetória para essa elevada posição, ele aceitou a tarefa dada pelo Sinédrio de defender o judaísmo e mergulhou de corpo e alma na perseguição àqueles que acreditavam que Jesus era o Messias. Mas Paulo viveu uma conversão milagrosa na estrada para Damasco, quando foi atingido por um raio de luz e ouviu a voz de Jesus.

Pouco depois, Saul foi batizado, recebeu o nome de Paulo e foi a todas as sinagogas pregando que Jesus era o Filho de Deus. Foi na terceira viagem que Dimas se juntou a ele, e seu caminho acabou por levá-los a Éfeso, cujo templo de Ártemis — Diana para os efésios — era um grande centro de paganismo no mundo mediterrâneo.

Quando Paulo se aproximou e colocou a mão no ombro de Dimas, Dimas sentiu o cansaço desaparecer, substituído por uma onda de energia como a da seiva que renova uma árvore.

— Foi realmente uma bênção ter você viajando comigo — Paulo declarou com um sorriso —, pois você viu Cristo vivo, e seu pai foi salvo por ele, mesmo que tenha sido preso a uma cruz. E você estava lá na ravina Kidron, uma testemunha daqueles dias negros, antes de eu ver a luz. Contudo, embora você tenha toda razão para me desejar mal, sinto de você apenas o amor do Senhor.

— Eu fui igualmente abençoado por ter tido um professor como você — Dimas retrucou.

Paulo afastou-se uns poucos passos, então parou e disse: — Há mais uma tarefa que devo pedir a você, meu irmão.

Dimas percebeu uma estranha solenidade na expressão do homem mais velho. — Farei o que você pedir.

— Não sou eu, mas alguém muito maior que requer os seus serviços.

— O que eu devo fazer?

— Enquanto estiver aqui em Éfeso, você deve começar a escrever um relato da vida de Nosso Senhor, como você a conheceu.

— Eu? — Dimas perguntou atordoado e descrente. — Não sou um escritor, como você. Sou apenas...

— Você é alguém que esteve com o Cristo quando ele andava por esta terra. Não importa que minhas palavras pareçam educadas, elas são as de um homem cuja fé reside na crença, e não no testemunho. Você recebeu a graça e o dom de ter visto e ter acreditado. É um dom que você deve repartir com todos.

Dimas começou a protestar, mas Paulo levantou a mão.

— Não pense mais nisso, meu irmão. Quando for a hora, Nosso Senhor colocará a pena e o papiro em suas mãos e ordenará que escreva. — Paulo chegou mais perto de seu amigo. — E agora preciso seguir meu caminho.

— Tenha cuidado na viagem.

— Siga, meu irmão, com o amor de Cristo.

Eles apertaram-se os braços, deram-se as costas e cada um seguiu seu caminho.

CAPÍTULO 13

Na sala de despachos do palácio do governador, de pé atrás da cadeira alta que simbolizava seu poder, Rufinus Tacitus olhava pela janela os barcos no porto, desejando estar a bordo de um deles, a caminho de sua terra natal. Já tendo passado dos 55 anos, o governador provincial de Éfeso ressentia-se de ter desperdiçado a carreira num posto tão distante de Roma.

Uma mulher jovem entrou na sala trazendo um buquê de flores. — Não está um dia lindo? — ela disse, pensativa, enquanto colocava as flores num vaso sobre uma das mesas laterais. — E seu jardim é tão primoroso.

— Você mesma as colheu?

— Sim.

— Marcella, já disse que você tem criadas para fazer o trabalho. Como você acha que fica para a mulher do governador fazer algo tão trivial?

— Ora, Rufinus, eu não considero isso um trabalho — Marcella falou. — Agrada-me andar pelo jardim.

O governador virou-se de novo para a janela, escondendo sua raiva. Um homem insignificante e vingativo, Rufinus Tacitus tinha um ciúme feroz de sua jovem esposa e era conhecido por ter punido cruelmente um soldado que apenas olhou para ela, sem nenhuma outra conotação.

Rufinus não tinha apenas ciúme de Marcella; secretamente, ele a temia, pois ela era bem-nascida, e suas relações de parentesco haviam sido responsáveis em grande medida pelo sucesso diplomático da carreira dele. Parte de seu ressentimento por estar em Éfeso era dedicado a ela, mas ele mantinha isso sob controle, pois necessitaria da ajuda da família se quisesse um dia voltar a Roma.

Marcella se aproximava dos 30 anos, e era também quase trinta anos mais moça que Rufinus. O casamento tinha sido arranjado pelos pais dela, como na maioria dos casamentos, e embora ele soubesse que ela não o escolheria para marido, era obrigado a admitir que ela tentava ser uma boa esposa. A tarefa era ainda mais difícil por seu descontentamento permanente, que muitas vezes explodia em raiva e até mesmo em violência.

— Veja — Marcella disse, afastando-se para admirar o arranjo floral. — Vai alegrar a sala para você.

Rufinus olhou as flores mas não disse nada, e voltou ao porto e aos barcos.

— Vou deixar você com seus pensamentos — Marcella disse.

Ele esperou que o som dos passos dela sumisse no corredor. Então se afastou da janela e tomou um gole de vinho da taça que levava nas mãos. Cuspindo o líquido de volta na taça, ele a arremessou contra a parede e gritou: — Tuco!

— Pois não, Sua Excelência — disse o criado-chefe, entrando na sala.

— Traga algum vinho que eu possa beber, não aquele vinagre intragável.

— Sim, Excelência. — Tuco abaixou-se obsequiosamente.

— E mande limpar aquilo — Rufinus ordenou.

Tuco bateu as mãos e dois outros criados correram para limpar a sujeira. Deixou a sala e retornou um momento depois com uma nova taça de vinho. Ofereceu-a por alguns instantes, mas depois recuou esperando a resposta do governador.

Rufinus tomou um gole, mas não esboçou nenhuma reação. Era como se a explosão nunca tivesse ocorrido. Apontou para um barco que estava de partida para o mar.

— Eles estarão em Roma em poucos dias — ele disse —, enquanto estou preso neste lugar esquecido pelos deuses.

— Mas, Excelência, aqui é um lugar bonito — Tuco disse. — E a sua posição é de muita responsabilidade. Todos em Éfeso o respeitam por sua sabedoria e coragem.

— Respeitam, não respeitam? — Rufinus concordou. — Não há muitos que possam governar um povo tão atrasado tão bem quanto eu.

— Não conheço ninguém que poderia — o criado declarou.

— Tuco, você tem ouvido falar dessa nova religião, desses judeus que veneram um homem que foi crucificado alguns anos atrás?

— Sim. Mas não são apenas judeus. Aqui mesmo em Éfeso eles contam com gentios entre eles. Alguns estão se denominando cristãos.

— O que isso significa?

— O homem que foi crucificado era chamado de Jesus, o Cristo.

— Então são cristãos? — Rufinus tomou outro gole de vinho. — Você é um cristão, Tuco?

— Claro que não — Tuco respondeu com ênfase. — Excelência, por que tanto interesse nessa religião?

— Porque um de nossos soldados está enamorado desse estranho culto e quer pedir baixa de sua patente. E não é apenas um soldado, mas um oficial de minha própria guarda.

— Sua Excelência está falando de Marcus? — Tuco perguntou.

Rufinus o olhou com surpresa. — Você tem conhecimento disso?

Tuco concordou com a cabeça. — Marcus tem falado a outros soldados sobre Jesus e os encarecido a ouvir os líderes cristãos em Éfeso, Paulo de Tarso e um homem chamado Dimas.

Beliscando a ponta do nariz, Rufinus sacudiu a cabeça. — É pior do que eu pensava. Convoque o comandante da guarda.

Tuco retirou-se, e Rufinus voltou à janela. O barco que se destinava a Roma estava bem longe agora, tão longe que mal podia ser visto.

Uns minutos depois, passos pesados ressoaram contra o piso, e uma voz disse: "Governador Tacitus".

Quando Rufinus se virou, o *legatus*, ou comandante de legião, levou o punho ao peito, em saudação. Rufinus devolveu a saudação com um displicente movimento da taça, perguntando: — Legatus Casco, você sabia que o centurião Marcus Antonius pediu baixa de sua patente?

O grisalho oficial pareceu um pouco desconfortável. — Sim. Ele comentou comigo.

— E o que você respondeu?

— Acredito que ele está apaixonado por uma mulher efésia — Casco falou. — Eu dei conselhos. Disse que todos os soldados em terra estrangeira têm casos, mas ele não deveria deixar essas coisas subirem à sua cabeça.

O *legatus* deu uma risada. — Durma com ela, divida a casa se for necessário, eu disse, mas não há nenhuma razão para abandonar a patente.

— Você é um idiota — Rufinus grunhiu.

Um lampejo de raiva, depois de mágoa, tomou o lugar do sorriso. — Como, governador? — ele disse.

— Seu desejo de pedir baixa não tem nada a ver com essa mulher. Ele abraçou essa nova religião.

— O senhor está falando da religião que está sendo pregada por esses dois judeus?

— Você conhece esse Paulo e... — Ele tentou lembrar o outro nome.

— Dimas — Casco disse. — Sim, conheço.

— E o que você está fazendo a respeito?

— Mandei homens para ouvirem seus ensinamentos e relatar se estão falando qualquer coisa que seja uma traição.

— Você mandou espiões?

— Sim, Excelência.

— Deixe-me adivinhar, Casco. Um desses espiões poderia ter sido Marcus Antonius?

Casco ficou em silêncio por uns instantes; depois assentiu com a cabeça.

— E você não percebeu que ele foi convencido por esse povo? Que ele virou um deles?

Casco encolheu os ombros. — Excelência, até onde pude observar, era apenas outra religião. Há muitas religiões. Não vi nenhum mal.

— Não é só outra religião — Rufinus falou bruscamente. — É uma religião muito perigosa. E agora Marcus Antonius está pregando essa nova religião para seus companheiros. O que aconteceria se mais deles se tornassem cristãos e desertassem da guarda? Você nos deixaria aqui, indefesos?

— Não, Excelência.

— Espero que não — Rufinus falou. Ele fez um movimento com a mão. — Vá. Traga-me Marcus Antonius.

— Imediatamente. — E Casco outra vez colocou o punho contra o peito.

— Governador — Legatus Casco anunciou — o centurião Marcus Antonius está do lado de fora.

— Mande-o entrar.

Casco dirigiu-se à porta, mas Rufinus falou às suas costas: — Não, não o mande entrar. Traga-o sob guarda.

Rufinus cruzou a sala e sentou-se em sua cadeira. Alguns momentos depois, Marcus Antonius entrou e fez a saudação, escoltado por um soldado de cada lado. Marcus era um pouco mais alto que o romano médio, tinha cabelo preto encaracolado, olhos azuis e uma compleição forte.

Rufinus não devolveu a saudação, e imediatamente começou o interrogatório. — Centurião, soube que você abraçou a religião desse falso profeta, Jesus.

— Não acredito que Jesus seja um falso profeta, Excelência — Marcus respondeu.

— Ééé? E o que você acredita que ele seja?

— Ele é o Filho de Deus.

— Rufinus riu alto. — Qual deus? Júpiter? Marte? Talvez ele seja filho da deusa Diana de Éfeso.

— O filho do único Deus verdadeiro.

— O único? Como pode haver um único Deus? E os deuses de Roma?

— Acredito que esses deuses sejam falsos.

A cabeça de Rufinus começou a palpitar, e seu rosto ficou vermelho de raiva. — Falsos? — ele gritou tão alto que jogou saliva no rosto de Marcus. — Você é um blasfemo! — Virando-se, chamou: — Legatus Casco!

— Sim, governador — Casco disse, entrando correndo na sala.

Rufinus apontou para o centurião. — Prenda este homem. E prepare um tribunal. Pretendo julgá-lo por traição contra o Estado. — Ele virou-se e olhou furiosamente o prisioneiro. — E depois pretendo executá-lo.

CAPÍTULO 14

Marcella colocou as flores em uma mesa em seu quarto de dormir, afastou-se um pouco para admirá-las e então decidiu que elas ficariam melhor sobre uma cômoda. Ela tinha acabado de recolocar o vaso quando uma das suas criadas entrou no quarto.

— O que você acha, Tamara? É melhor aqui ou lá, na mesa?

— Oh, aqui senhora, definitivamente.

Distanciando-se mais, Marcella olhou primeiro o vaso sobre a cômoda e depois para a mesa. — Sim — ela disse, balançando a cabeça afirmativamente. — Sim, acho que você tem razão. — Seu sorriso desapareceu quando ela viu lágrimas nos olhos da jovem mulher. — Tamara, o que é? — ela perguntou.

— Senhora, por favor, a senhora precisa me ajudar — ela falou meio engasgada. — O governador Tacitus prendeu Marcus.

— Marcus? Você quer dizer o centurião Marcus Antonius?

— Oh, por favor, senhora, eu o amo, e temo por ele.

— Por que meu marido iria prender um de seus próprios oficiais?

— Eu não sei — Tamara respondeu. — A senhora pode descobrir? Por favor, vá até seu marido; peça-lhe para poupar Marcus.

— Falarei com ele — Marcella prometeu ao abraçar a mulher.

Quando Marcella voltou à sala de despachos, seu marido ainda estava olhando pela janela.

— Você passa todo o seu tempo olhando para o mar — ela disse.

— Eu deveria estar em Roma — Rufinus respondeu. — E não desperdiçando meu tempo e meu talento neste lugar deprimente. — Ele deu as costas à janela. — O que você quer agora?

— É verdade que você mandou prender o centurião Marcus Antonius?
— Mandei.
— E por quê, posso perguntar?
— Você não pode — ele replicou. Depois, pensando melhor, disse: — O que você tem a ver com isso?
— Uma das minhas criadas, Tamara, gosta dele. Ela está preocupada com o bem-estar dele.
Rufinus riu sem sorrir. — Ela tem boas razões. Ele cometeu traição e pretendo executá-lo.
Marcella prendeu a respiração. — Traição? Marcus Antonius? Não, isso é impossível.
— É?... E por que é impossível?
— Eu conheço Marcus Antonius. Seu pai serviu ao meu pai. Sempre foram cidadãos leais a Roma. Por que ele cometeria traição? O que ele fez?
— Quanto ao porquê, você terá de perguntar a ele — Rufinus disse com um gesto de desdém. — Mas posso lhe dizer o que ele fez. Ele se tornou um... — ele fez uma pausa e deixou a palavra sair de seus lábios como um escárnio — cristão.
— Cristão? O que é um cristão?
— Há judeus na cidade pregando aos gentios sobre um autoproclamado profeta conhecido como Jesus, o Cristo. Eu deveria tê-los parado antes, mas o que importa qual deus os efésios adoram?
— Judeus ou cristãos? Estou confusa.
— Acredite-me, minha querida, é muito mais confuso — Rufinus disse, seu tom cheio de condescendência. — Eles são judeus, mas eles não são aceitos por seu próprio povo, que considera esse Jesus um falso profeta. Contudo, continuam a pregar que ele é o Filho de Deus, e seu amigo Marcus acredita neles. Ele abandonou os deuses de Roma, os deuses e o Estado que ele jurou defender, a fim de adorar o falso profeta, esse Jesus, o Cristo.
— E foi por isso que você o prendeu? Porque ele aceitou essa nova religião?
— E isso não é suficiente?
— Mas, Rufinus, você entende religião — ela disse adiantando-se e colocando a mão, gentilmente, sobre o braço dele. — Há deuses de todo tipo. Quase toda pessoa tem um deus para adorar. Por que você tem tão pouca tolerância com esse aí? É só mais um deus, não é?
Rufinus afastou o braço. — Não, esse é diferente. Esse é perigoso. — Ele esfregou o braço como se apagasse o toque dela. — Você é muito jovem

para lembrar, mas eu lembro, e muito bem. Há muitos anos Pôncio Pilatos mandou crucificar o homem Jesus. Era de esperar que tudo terminasse ali. Contudo, há pessoas viajando, pregando em seu nome.

— E como ele pode ser perigoso se está morto?

Rufinus olhou para sua mulher com olhos bem abertos e fixos. Estranhamente, ela pensou ter visto medo neles.

— Aí é que está — ele disse. — Há alguns que proclamam que ele não está morto, que tem sido visto desde a crucificação.

— Você quer dizer, um fantasma?

— Não. Um fantasma eu posso entender. Mas dizem que ele apareceu em carne e osso.

Marcella riu. — Rufinus, com certeza você não acredita numa coisa dessas, não é mesmo?

— Claro que não. Mas muitos acreditam, inclusive o centurião. E ele pediu baixa de sua patente a fim de se juntar aos que pregam sobre esse Jesus. E se essa doença se espalha para outros? Você sabe o tipo de problema que isso poderia causar.

— Suponha que Marcus renuncie a esse Jesus. Você o pouparia, então?

— Renunciar a Jesus? — Rufinus pensou por um momento, deu alguns passos para mais perto da sua mulher e declarou: — Sim, se ele renunciar a Jesus e a essa... essa religião cristã, eu o pouparei. De fato, poderei recompensá-lo, pois isso revelaria esse insignificante profeta como o charlatão que ele é.

— Posso visitar Marcus na prisão?

— Por que, afinal, você quer fazer isso?

— Eu o conheço há muito tempo. Talvez possa convencê-lo a renunciar a esse falso profeta.

Rufinus concordou. — Visite-o se você quiser.

O CALABOUÇO ERA mal iluminado por raios de sol empoeirados que penetravam pelos buracos do tamanho de um tijolo nas paredes, feitos para deixar passar o ar. Mas não ar suficiente para anular o fedor, e Marcella teve de manter um lenço perfumado sobre o nariz enquanto seguia um dos guardas. Ela olhava, à direita e à esquerda, as celas com grades de ferro ao longo do corredor de pedra.

Os homens que ocupavam as celas eram criaturas esquálidas de aspecto miserável, com cabelos e barba longos e sujos. Alguns vestiam farrapos, mas muitos estavam completamente nus. Mesmo que alguns se surpreendessem ao ver uma bela e jovem mulher em seu meio, estavam longe demais da realidade para reagir. Pouquíssimos se davam ao trabalho de olhá-la passar, e esses não esboçavam nenhuma reação em seus olhos escuros e alheios.

— Ele é o último prisioneiro do lado direito, senhora Tacitus — o guarda anunciou.

— Muito obrigada — Marcella respondeu. — Você pode ir agora.

— Mas, senhora, não devo deixá-la desprotegida.

— Está tudo bem — ela insistiu, e quando ele hesitou, ela disse de modo mais firme: — Vá.

— Como quiser, senhora. — O guarda fez uma saudação e virou-se sobre os calcanhares.

Quando o homem já tinha ido, Marcella aproximou-se da cela do centurião. Marcus ainda usava seu manto vermelho de oficial, e estava sentado no chão, encostado na parede dos fundos com os joelhos erguidos à sua frente.

— Marcus — Marcella chamou baixo.

Surpreso de ouvir uma voz de mulher, Marcus pôs-se de pé e se aproximou das grades. — Senhora Marcella! — exclamou. — O que a senhora está fazendo aqui?

— Vim para ver se ponho algum juízo na sua cabeça — ela respondeu. — Marcus, seu pai serviu ao meu por muitos anos. Nós nos conhecemos desde a infância. Não é verdade?

— Claro.

— E você sabe que me preocupo com você como se fosse meu irmão.

— A senhora sempre foi muito cortês.

— Então você deve saber com certeza que eu não quero que você morra. Mais ainda por alguma coisa boba como sua paixonite por um deus estrangeiro.

— Ele não é um deus estrangeiro. Jesus é filho do único verdadeiro Deus.

— Quem ou o que Jesus é não me diz respeito. O que eu desejo... o que Tamara deseja é que você não se sacrifique por causa de uma teimosa lealdade a uma crença menor.

— Como ela está? — Marcus perguntou, os olhos demonstrando sua preocupação.

— Tamara? Como você acha que ela está? O homem que ela ama está trancafiado na...

— Ela disse que me ama?

— Ela se preocupa muito com você. Claro que você sabe disso.

Marcus deixou escapar um suspiro. — E eu me preocupo com ela. Mais do que ela percebe.

— Então saia deste lugar e volte para ela. Tudo o que Rufinus quer é que você diga que estava enganado a respeito desse homem Jesus.

— Mas eu não estou enganado, e não posso renunciar a ele. É uma coisa que nunca vou fazer.

— Veja, Marcus — Marcella disse calmamente, aproximando-se das grades. — Não importa realmente no que você acredita. É no que Rufinus acredita que é importante. Você pode arranjar um modo de dizer o que ele quer ouvir, independentemente de você acreditar ou não no seu coração.

— Eu nunca vou negar meu Senhor ou seu filho, Jesus Cristo. Sinto muito, mas é uma coisa que não posso fazer. Não por você. Nem mesmo por... — Sua voz desapareceu.

— Nem mesmo por Tamara? Mas ela ama você.

— Se ela ama, então vai entender o que eu devo fazer.

Marcella olhou fixamente para ele por um longo momento, então perguntou com cautela: — Tamara... ela é cristã também?

Os ombros do centurião despencaram. — É alguma coisa pela qual rezo todos os dias, mas não, ela ainda não descobriu o caminho para o Senhor. Já tentei convencê-la a ir a uma das reuniões, mas ela se recusa inabalavelmente. — Ele olhou para Marcella, com olhos suplicantes. — Acho que ela recusa por deferência à sua senhora.

— Essas reuniões... — Marcella disse, mudando de tática. — Foi lá que você ouviu falar dessa religião?

Marcus acenou a cabeça concordando. — Aprendi sobre o Cristo com um homem chamado Dimas. Ele está em Éfeso agora, pregando a palavra de Jesus.

— Onde posso encontrar esse homem? — ela perguntou. — Desejo ir a uma das reuniões.

A expressão de Marcus brilhou. — Sim, a senhora deve ouvir o que ele tem a dizer. Vai mudar a sua vida.

Como eu o encontro?

— Ele prega todas as noites no Gymnasium Tyrannus.

— Tyrannus... sim, eu conheço o lugar — disse Marcella. — Irei lá e... — Ela começou a dizer "falarei com ele", mas sabia que isso não era o que

Marcus gostaria de ouvir, então alterou seu comentário no meio da frase:
— Ouvirei o que ele diz.

Marcus concordou com grande entusiasmo. — Sim, isso é ótimo. E, por favor, leve Tamara. A senhora vai ver com seus olhos e ouvir com seus ouvidos o que estou dizendo. — Ele estendeu a mão através das grades e audaciosamente tocou o rosto dela. — Que o Senhor esteja contigo, Marcella.

CAPÍTULO 15

O GYMNASIUM TYRANNUS era uma escola particular para meninos entre 7 e 15 anos. O edifício incluía um pátio retangular para exercícios, cercado por pórticos formados por colunatas, que se abriam para as salas de aula. No ginásio os alunos tinham treinamento físico e aprendiam música, um pouco de matemática e ciência e especialmente literatura, oratória e comportamento social.

Marcella, acompanhada de Tamara, estava sob as colunatas, observando enquanto as pessoas começavam a se juntar para ouvir o sermão de Dimas.

— Minha senhora, será que... — Tamara começou a falar, mas Marcella levantou um dedo pedindo cautela.

— Lembre-se, eu não sou "minha senhora" esta noite — sussurrou. — Não posso ser reconhecida como a mulher do governador.

— Sim, minha... Marcella — disse Tamara, desconfortável por usar uma forma de tratamento tão familiar.

Em vez das finas sedas de sua posição social, Marcella vestia uma das roupas de Tamara, uma túnica de lã grosseiramente tecida que ia até o tornozelo. Com a cabeça coberta por um xale cinza, ela se parecia bastante com as outras mulheres presentes à reunião.

Um homem de semblante sério, com mais ou menos a mesma idade de Marcella, estava sentado junto a uma mesa, ao lado da porta do local da reunião, e quando ele viu as duas mulheres nervosas, levantou-se e as saudou.
— Bem-vindas à nossa reunião. Eu sou Gaius. — Como elas não responderam, ele continuou. — Senhoras, não fiquem tímidas. A mensagem de Nosso Senhor Jesus Cristo é para ser ouvida por todos. Venham, escolham um lugar confortável antes que a sala fique cheia. — E fez um gesto para elas entrarem, com um sorriso que atenuou sua expressão séria.

Concordando com a cabeça e desviando os olhos, Marcella adiantou-se, com Tamara a seu lado. Lá dentro estavam reunidos judeus e gentios, todos efésios, incluindo trabalhadores e membros das classes mais ricas de comerciantes e profissionais. Marcella escolheu um lugar perto da parede, e depois se cobriu com o xale, para não ser reconhecida.

Alguns minutos depois, um homem barbado, de meia-idade, levantou-se e colocou-se diante dos presentes. Não precisou levantar as mãos e pedir silêncio, pois todas as conversas cessaram imediatamente e todos ficaram atentos.

— Sou Dimas bar-Dimas — o homem começou. — A graça esteja com todos, e a paz de Deus nosso Pai e de Seu filho, Nosso Senhor Jesus Cristo.

A bênção de Dimas foi pontuada por alguns "améns" e "hosanas" por parte dos presentes. Os murmúrios diminuíram, e Dimas fitou a todos com um olhar sério mas amigável, e começou sua pregação.

— Não contem falsidades, mas falem apenas a verdade, pois todos nós pertencemos um ao outro no mesmo corpo.

— Quando estiverem com raiva, não caiam em tentação, e eliminem a raiva até o final do dia, para não darem ao Demônio um meio de derrotá-los.

Enquanto continuava, movia-se pela sala, fitando um e depois outro, como se cada mandamento se dirigisse àquela pessoa apenas, e como se seus mais recônditos segredos estivessem abertos à sua visão.

— Não roubem, e ganhem a vida honestamente. Assim vocês terão alguma coisa que dividir com os que são pobres.

— Quando falarem, não digam nada ofensivo, mas digam apenas palavras que farão bem aos que as ouvirem.

— Não sejam amargos. Não façam nada com maldade. Sejam educados e gentis com todos os que encontrarem, e perdoem uns aos outros, como Deus os perdoa em Cristo.

— Seja você escravo, seja senhor aqui na terra, lembre-se de que seu verdadeiro senhor está no Céu, e como ele ama cada um de vocês, amem e respeitem uns aos outros.

Dimas foi até onde Marcella e Tamara estavam sentadas. Ele olhou para uma e para outra, até que seu olhar fixou-se na mulher do governador. Ela tentou desviar o olhar, mas estava petrificada por uma força que parecia emanar dos arrebatadores olhos verdes de Dimas.

— E se estiver numa posição de grande influência sobre o povo, seja ela de seu inteiro direito, ou daquele a quem ama, não hesite em proclamar a verdade de Nosso Senhor. Pois todo poder, toda posição, vem dele apenas, e todos os que negam sua graça perderão sua condição no Céu, mesmo que a tenham aqui na terra.

Dimas retornou à frente da sala e continuou o sermão. Mas Marcella pouco ouviu, seus pensamentos fixos no que ele tinha falado diretamente para ela, palavras que agora estavam marcadas a ferro em sua alma.

Concluindo a pregação, Dimas disse: — E finalmente, orem por mim, para que, quando eu falar, Deus me dê palavras para contar o segredo da Boa-Nova sem temor.

Outra vez houve um murmúrio de "hosanas" em concordância.

— Recebam a paz e o amor com a fé de Deus nosso Pai, e seu filho, Jesus Cristo. Graças a todos os que amam Nosso Senhor Jesus Cristo com um amor que nunca termina.

Quando o sermão chegou ao fim e as pessoas começaram a sair do recinto, muitos dos presentes foram falar com Dimas. Mas Marcella ficou sentada. Suas palavras a tinham tocado de uma forma que ela não esperava, e ela sentiu a cabeça girar.

Tamara levantou-se e olhou para baixo, para a senhora, com preocupação. — Você não vai falar com ele sobre Marcus?

— Sim — Marcella respondeu, piscando, tentando voltar ao presente. — Mas espere até que os outros tenham saído.

— Está bem — Tamara concordou, e sentou-se.

Foram necessários vários minutos para os freqüentadores saudarem Dimas e saírem. Finalmente, Dimas e o jovem chamado Gaius se dirigiram para fora, mas quando Dimas viu as duas mulheres ainda sentadas, parou em frente a elas. Ele parecia um pouco menor, mais gentil agora, e seu largo sorriso fazia seus olhos verdes cintilarem quando perguntou: — Vocês, mulheres, estão bem?

— Não — Tamara respondeu, engasgada e tentando segurar as lágrimas.

— Oh? Há alguma coisa que eu possa fazer?

— Diga-lhe, minha senhora. — Quando o apelo escapou dos lábios de Tamara, ela colocou a mão sobre a boca.

— Minha senhora? — Dimas falou, ao mesmo tempo que Gaius olhava para a mulher com suspeita.

Ela se levantou e ergueu o xale. — Sou Marcella Tacitus, mulher do governador. Mas o senhor já sabia disso, não é?

Dimas abaixou a cabeça. — Estou honrado de a senhora ter vindo à nossa reunião.

— Nós não viemos para ouvi-lo — Tamara gaguejou, pousando a cabeça entre as mãos e soluçando.

— Está tudo bem, Tamara — Marcella a acalmou, afagando os ombros dela.

Dimas parecia confuso. — Se vocês não vieram para ouvir meu sermão, então para que vieram?

— Viemos por causa do centurião Marcus Antonius — Marcella contou.

— Marcus? O que há com ele? — Gaius interrompeu. — Fiquei surpreso de ele não estar aqui hoje.

— Ele não pôde vir — Tamara falou de chofre, olhando para Dimas. — Está preso, por sua causa.

— Minha?

— Ele se declarou um cristão — Marcella disse.

— Nós sabemos — Gaius falou. — O próprio Dimas o batizou.

— Mas o que vocês não sabem é que o governador mandou prendê-lo por causa disso. Ele pretende julgá-lo e depois executá-lo.

Dimas parecia genuinamente surpreso. — Mas por quê? Roma normalmente é tolerante com a religião, nem sequer tentou impedir os efésios de adorarem Diana.

— Marcus pediu para deixar a guarda — Marcella explicou. — Meu marido... isto é, o governador, teme que outros possam ser influenciados a fazer o mesmo. Ele considera a conversão de Marcus um ato de traição, não de fé.

— Entendo — disse Dimas, franzindo as sobrancelhas. — Sinto muito. Sinto muito, mesmo. Se houver alguma coisa que eu possa fazer...

— *Há* alguma coisa que o senhor pode fazer — Marcella disse. — Vá ver Marcus. Convença-o a renunciar a esse Jesus sobre o qual o senhor prega. Se ele declarar que não é cristão, o governador deu sua palavra de que irá perdoá-lo.

Dimas balançou a cabeça. — Isso eu não posso fazer.

— Claro que pode. O senhor deve, pois é a única maneira de Marcus ser poupado.

— Não, eu não posso. Se Marcus renunciar a Jesus, ele estará colocando sua alma em perigo. Eu nunca poderia conviver com isso, sendo o responsável por tal coisa.

— Mas o senhor será o responsável por ele perder a vida. Como poderia conviver com isso?

— Nossa existência mortal é apenas temporária. Se ele morrer agora, ou daqui a cinqüenta anos, o resultado é o mesmo. Como todos nós, ele morrerá um dia. Mas a alma é eterna. Ele não deve fazer nada que ponha em risco sua alma.

— Não é preciso que seja uma declaração verdadeira — Marcella contrapôs. — Ele precisa apenas falar as palavras; no que ele realmente acredita pode ficar entre ele e seu Deus.

— Mas o Senhor ouve não apenas o que vem da boca, mas também o que vem do coração — Dimas respondeu. — E se Marcus prestar falso testemunho com o objetivo de salvar seu corpo carnal, ele estará na verdade renunciando a seu corpo espiritual e a seu Deus. — Ele balançou a cabeça com vigor. — Não, eu não posso fazer o que a senhora pede.

— Então o senhor vai deixá-lo morrer? — Tamara disse, as lágrimas se transformando em raiva quando ela se levantou e encarou o homem.

— Eu não disse isso. — Um esboço de sorriso formou-se nos cantos de sua boca enquanto ele fitava Gaius. — Eu não aconselharei Marcus a sacrificar sua alma em troca de sua vida terrena, mas talvez eu possa oferecer ao governador alguma coisa mais interessante do que a vida de um centurião.

— O que o senhor está sugerindo? — Marcella perguntou.

— Uma troca.

— Troca? Que tipo de troca? — ela pressionou. — Do que o senhor está falando?

— Eu irei ao tribunal do governador — Dimas declarou. E me oferecerei em troca de Marcus.

— O senhor não pode! Seria suicídio! — Gaius exclamou, mas Dimas fez um gesto para ele calar-se.

Marcella olhou confusa para Dimas por um longo momento e depois balançou a cabeça. — Não, ele está certo. Ninguém pode esperar que o senhor faça uma coisa dessas.

— Mas ele precisa! — Tamara interpôs-se. — Minha senhora, deixe que ele faça o que está dizendo. É a única chance para Marcus.

— Não seria direito — Marcella murmurou, mais para si mesma do que para os outros.

Dimas aproximou-se e pegou suas mãos. — Marcella, eu quero fazer assim. Eu preciso fazer.

Ela percebeu que ele não usou um título cerimonioso ao dirigir-se a ela, apenas falou seu nome. E estranhamente isso a agradou.

— Suponho que o senhor esteja muito determinado... — ela refletiu alto, incerta sobre o que estava pensando ou sentindo.

— Estou. Pelo bem de Marcus e por Nosso Senhor.

— Por Nosso Senhor... — ela repetiu, as palavras parecendo mel em sua boca.

CAPÍTULO 16

Centenas de efésios se reuniram no Pretório para assistir ao julgamento de um romano. O prisioneiro não apenas era um cidadão romano; era também um oficial, um centurião da guarda pessoal do governador. Rufinus Tacitus aguardava sentado na Sella Curulis — a cadeira do julgamento. Marcella estava sentada por perto, mas fora das imediações do governador.

— Tragam o prisioneiro — Rufinus ordenou.

Um tambor soou no momento em que Marcus Antonius foi introduzido no recinto do tribunal. Suas mãos estavam atadas nas costas, e uma coleira de metal circundava seu pescoço. Uma corda ia da coleira até as mãos de um dos guardas, que o conduzia como se ele fosse um animal.

Marcus estava vestido com seu melhor uniforme, um manto vermelho brilhante que pendia de seus ombros e um peitoral de metal dourado que cintilava ao sol da manhã. Isso era intencional, pois Rufinus queria que seus súditos compreendessem que a lei se aplicava igualmente aos romanos e aos efésios. O objetivo da lição foi atingido, pois muitos na multidão prendiam a respiração ao ver um romano de alta posição ser submetido a tal tratamento.

Tuco tomou seu lugar no chão de pedra diante da Sella Curulis, desenrolou um documento e começou a ler: — Excelência! Vem à sua presença, neste dia, Marcus Antonius, centurião da Legião Anatólia de Roma, em busca de justo e imparcial julgamento do tribunal de Rufinus Tacitus, quem, por ordem de Claudius, imperador de Roma, é o justo e poderoso governador de Éfeso.

— E por qual razão ele pede justiça? — Rufinus perguntou.

— Ele é acusado de traição, Excelência.

— O que você tem a declarar, centurião Antonius?

— Vossa Excelência, não cometi nenhuma traição contra vós, nenhuma traição contra meu imperador ou contra Roma.

— Contudo, você proclama ser um cristão. Não é verdade?

— Sim, é verdade, Excelência. Mas o Senhor diz: "Dai a César o que é de César, dai a Deus o que é de Deus". Não cometi nenhuma traição contra Roma, em pensamento ou ato.

— Se é assim, então você renunciará a esse falso profeta Jesus, aqui, publicamente — Rufinus ordenou.

— Sinto muito, Excelência, mas não posso fazer isso — Marcus disse.

— Se você não renunciar a ele agora, será crucificado como seu deus, como seu Jesus.

— Excelência — Legatus Casco interveio rapidamente. — O centurião Antonius é um cidadão de Roma, e como tal não pode ser crucificado.

— Então ele será decapitado — Rufinus falou calmamente.

— Posso me dirigir ao tribunal? — disse uma voz na multidão.

Houve um murmúrio de surpresa e curiosidade, e quase todos olhavam a seu redor para ver quem tinha falado.

— Quem se dirigiu a mim? — Rufinus perguntou, autoritário.

— Fui eu, Excelência. — Um homem barbado, vestido como um mendigo, avançou por entre os presentes e abaixou ligeiramente a cabeça. — Sou Dimas bar-Dimas.

— Dimas?

Tuco inclinou-se para cochichar no ouvido de Rufinus.

— Você é o judeu que está pregando a respeito de Jesus? Aquele que converteu o centurião Antonius? — Rufinus perguntou.

— Sou eu.

— E por qual razão quer dirigir-se a mim?

— Vim pedir que poupeis a vida desse bom homem — Dimas falou, apontando para Marcus.

— Se você quer falar, pode falar. — Rufinus mandou para longe os dois guardas que iam em direção ao homem que interrompera os procedimentos.

Dimas posicionou-se, de modo a ver não apenas Rufinus mas também a multidão e Marcella, sentada próximo ao marido.

— Alguns de vocês se lembram de Paulo, que por muitos anos esteve aqui entre nós pregando a palavra de Deus — Dimas começou. — Gostaria de contar-lhes uma história a respeito dele. Antes de Sua Excelência Rufinus Tacitus vir para Éfeso, Paulo e seu companheiro Silas foram aprisionados. Eles estavam pregando e cantando canções a Deus quando, de repente, um forte terremoto abalou os alicerces da prisão. Então todas as celas se abriram e os prisioneiros se libertaram de suas correntes. O carcereiro, temendo que os prisioneiros tivessem escapado, tirou a espada e estava prestes a se matar quando Paulo o chamou na escuridão. — Não se mate. Estamos todos aqui.

— O carcereiro se ajoelhou diante de Paulo e perguntou: "O que devo fazer para ser salvo?". Sua resposta foi a mesma que eu prego a todos os que queiram ouvir: "Acreditem em Nosso Senhor Jesus Cristo, e serão salvos". O carcereiro então levou Paulo e Silas para sua casa, lavou-lhes os ferimentos e lhes deu alimento. No dia seguinte, as autoridades romanas os libertaram.

Quando o sermão terminou, a multidão se agitou excitada, alguns tocados pelo poder das palavras de Dimas, mas todos esperando uma violenta resposta de Rufinus. Para surpresa de todos, ele riu.

— Diga-me, Dimas bar-Dimas, você espera que seu deus mande um terremoto que vai libertar Marcus Antonius e os meus outros prisioneiros?

— Não, Vossa Excelência — Dimas respondeu. — Mas se Deus assim o quisesse, poderia fazê-lo, e não haveria nada que o senhor pudesse fazer para evitar.

— Entendo — Rufinus falou, concordando em pensamento.

— Governador, eu gostaria de fazer uma troca com Vossa Excelência — disse Dimas, dando um passo à frente.

Rufinus olhou para ele com suspeita. — E como é exatamente essa troca?

— Ofereço-me no lugar de Marcus — Dimas anunciou.

— Com qual finalidade?

— Vou tomar o lugar dele debaixo da espada. Libertai-o, e matai-me no lugar dele.

Houve uma agitação coletiva por parte da multidão, especialmente da parte de Gaius e de outros seguidores de Dimas, que não conseguiam evitar seus gritos de protesto.

Rufinus coçou o queixo. — Uma oferta interessante. Você entende que, como judeu, não pode ser morto pela espada? Você será crucificado.

— Irei para a cruz com alegria no meu coração — Dimas proclamou.

— Alegria no seu coração, é? — Rufinus zombou. — Veremos quanta alegria você vai sentir quando o ar for espremido de seu corpo e você ficar dependurado e sofrendo na cruz.

— Então aceitais minha oferta, Excelência?

— Aceito sua oferta de morrer na cruz — Rufinus declarou, os lábios se revirando num sorriso afetado. — Guardas, prendam esse fanático. Coloquem-no na mesma cela com Marcus Antonius. Teremos uma execução dupla.

Alguns na multidão gritaram em protesto, outros com excitação e alegria. Gaius teve de ser contido por seus companheiros quando tentou correr, gritando que as ruas ficariam inundadas com sangue romano se o governador não revogasse seu edito. Perto da Sella Curulis, Marcella saltou da cadeira para implorar ao marido que reconsiderasse a decisão. Mas Rufinus Tacitus já tinha saído, partindo do Pretório no meio de uma profusão de capas e do estalido das espadas de sua guarda pessoal.

CAPÍTULO 17

Sarah Arad entrou na avenida vindo da ruazinha lateral perto de seu apartamento, a mão esquerda no volante de seu Mini Cooper verde perolado, enquanto a outra segurava o celular junto ao ouvido. Quando o carro se endireitou e começou a ganhar velocidade, ela viu, pelo retrovisor, um Mercedes empoeirado entrar na avenida atrás dela. Provavelmente uma coincidência, disse a si mesma. Contudo, continuou olhando o retrovisor e acelerou seu Mini, afastando-se do carro amassado que vinha atrás.

Ela abaixou a mão com o celular rapidamente para trocar a marcha, e quando a levou de novo ao ouvido, ele continuava chamando. Ela estava quase desligando quando ouviu o clique de um telefone ser atendido e um ofegante "Alô".

— Eu estava quase desistindo de você — disse. Depois acrescentou, em um tom ligeiramente sugestivo: — Peguei você em um momento inoportuno?

— Fazendo a barba — Preston Lewkis respondeu. — É um barbeador elétrico barulhento. Não ouvi o telefone.

Pelo som da respiração, ela supôs que ele tinha corrido do banheiro até a mesinha-de-cabeceira do pequeno apartamento de três peças alugado pelo período em que ele ficaria em Jerusalém. Ela o imaginou de pé, com a toalha enrolada no corpo, a pele ainda úmida do banho.

Afastando a imagem e fazendo força para se concentrar na estrada, ela perguntou: — Você gostaria de uma carona até o laboratório? Isto é, se você não recebeu uma oferta melhor.

— Por "oferta melhor" você quer dizer o ônibus? Se não, sim, ficaria encantado.

— Estou no carro agora. Estarei em frente a seu apartamento em 15 minutos. É muito cedo?

— Estarei esperando lá fora — ele prometeu.

Sarah fechou o celular, enfiou-o no porta-copos do carro e olhou pelo retrovisor. O velho Mercedes ainda estava atrás dela. Ao avistar um posto de gasolina logo adiante, ela diminuiu a marcha e entrou, observando o veículo preto passar sem parar. O motorista mantinha os olhos à frente, mas seu companheiro no banco do passageiro parecia estar prestando muita atenção a ela.

Ou será que estou ficando paranóica? — ela se perguntou.

Havia essa possibilidade. Mas Sarah aprendera que era preciso manter-se vigilante do modo mais difícil, com a morte de seus pais e marido nas mãos de terroristas.

Mas a maior parte dos terroristas não ataca aleatoriamente? Suas vítimas não estão no lugar errado na hora errada? Por que esses homens estariam especificamente atrás dela?

Ela voltou à rua. Menos de dois quarteirões à frente, viu o carro novamente, dessa vez estacionado junto ao meio-fio.

Quando o Mercedes voltou à avenida, logo atrás de seu carro, ela não esperou para dar a eles uma segunda chance. Puxando bruscamente o freio de mão e girando o volante, ela fez o Mini Cooper serpentear num cavalo-de-pau de 180 graus. O carro que a seguia deixou de lado toda pretensão a um subterfúgio. O motorista fez uma curva em U na frente do tráfego e, ignorando as buzinadas raivosas dos outros motoristas, acelerou atrás dela.

Sarah acelerou até atingir 100 quilômetros por hora, uma velocidade fenomenal numa avenida congestionada de Jerusalém. Ela avançou um sinal vermelho, costurou entre um ônibus, um táxi e vários carros, e olhou novamente pelo retrovisor para ver os perseguidores se aproximando numa reta. O Mercedes tinha mais potência, ela sabia, mas não era páreo para seu ágil Mini nas curvas. Então ela observou o cruzamento que vinha chegando, certificou-se de que não havia pedestres ou veículos no caminho, e girou rapidamente o volante para a direita. O pequeno carro reagiu instantaneamente, fazendo uma curva de 90 graus a toda velocidade, com um ligeiro cantar de pneus e uma pequena derrapagem.

Enquanto percorria a rua secundária em direção a uma vizinhança de velhos armazéns, ela ouviu o guincho de pneus e olhou para trás a tempo de ver o Mercedes fazer uma curva aberta em meio a uma nuvem de fumaça de borracha. Mas o carrão conseguiu fazer a curva, dando uma rabeada e vindo novamente atrás dela.

Sarah freou ligeiramente, virou de modo brusco para a esquerda e acelerou por uma rua lateral mais estreita. Ao seguir em frente, ela viu a rua bloqueada por um grande caminhão de entregas, dando marcha à ré para uma plataforma de carregamento à esquerda. Dois carros estavam parados na pista da direita, esperando que o caminhão liberasse a pista.

Buzinando, Sarah jogou o carro na pista livre da esquerda para ultrapassar os carros parados. Um trabalhador do lado da plataforma de carregamento abanou a mão e gritou: "Não, pare!".

Quando o Mini, ultrapassando os carros parados, seguiu em direção à estreita passagem entre a plataforma de carregamento e a traseira do caminhão, o trabalhador atirou-se numa lata de lixo para evitar ser atingido. O motorista do caminhão, que tinha ouvido o tumulto, pisou no freio, abriu a porta da cabine e pulou para fora, para escapar da esperada colisão. Mas Sarah tinha calculado o vão perfeitamente, e o Mini enfiou-se por ele, deixando cerca de 3 centímetros de cada lado. Ela havia quase passado, quando o retrovisor direito bateu numa ponta da traseira do caminhão e rompeu-se com um estalo agudo.

Quase imediatamente depois de chegar à rua livre, Sarah ouviu uma batida violenta. O Mercedes, que a seguiu enfiando-se pelo vão, foi parado por um impacto de estremecer. Sarah freou até parar, e fez uma volta para ver o que tinha sobrado do veículo, prensado dos dois lados, irremediavelmente preso, entalado entre o caminhão e a plataforma. Os dois homens dentro do carro lutavam para sair das ferragens, mas não conseguiam abrir as janelas ou as portas, até que uma fumaça começou a espalhar-se ao redor do veículo.

Sarah desceu do Mini Cooper e correu até eles. Tentou ver seus rostos — pele escura, cabelo preto, feições semíticas que poderiam ser palestinas ou israelenses —, mas o que mais chamou sua atenção foi o extremo pavor em seus olhos enquanto a fumaça se transformava em chamas que penetravam no interior do carro.

Quando o homem mais baixo no banco do passageiro bateu no que tinha sobrado do pára-brisa e puxou o cinto de segurança, incapaz de se soltar, o motorista ergueu uma pequena pistola e olhou fixo para Sarah, com um misto de resignação. Ela ficou imaginando se teria de mergulhar para não ser atingida, mas em vez disso ficou petrificada, vendo quando ele apontou a arma não para ela, mas para a própria boca aberta. Ele fechou os olhos e, com as chamas atingindo tudo a sua volta, apertou o gatilho, e sua cabeça foi atirada para trás com o impacto. Seu companheiro gritava, mas foi engolido pelo tremendo barulho da explosão do Mercedes.

Sarah foi jogada para longe. Ao voltar a seu carro, ela olhou para trás mais uma vez e tentou descobrir o que tinha sobrado da placa. Os três primeiros caracteres eram legíveis, mas o resto tinha sido destruído no impacto.

Entrando no Mini, Sarah abriu o celular e digitou o número de emergência da polícia. Sem dar seu nome, rapidamente relatou o local do acidente e o destino das vítimas. Depois ligou para seu escritório e falou com a especialista Roberta Greene, uma de suas colegas na Yechida Mishtartit Meyuchedet, mais conhecida como Yamam, a unidade contraterrorismo de elite de Israel. Ela pediu a Roberta para reunir informações sobre qualquer Mercedes cuja placa começasse com "AL9" — e para manter o nome de Sarah fora de qualquer investigação policial.

Quando virou a esquina, para voltar à avenida, Sarah deu uma rápida olhada no relógio do painel para ver o quanto estava atrasada. Incrivelmente, apenas 13 minutos tinham se passado desde a ligação para Preston Lewkis. Ela estava a menos de 2 quilômetros, e tinha ainda 2 minutos.

Pisando no acelerador, entrou na avenida larga e se acalmou no tráfego da manhã.

CAPÍTULO 18

Preston Lewkis caminhou até o Mini Cooper estacionado junto ao meio-fio em frente ao prédio do seu apartamento. Abriu a porta do passageiro, acomodou-se no banco e colocou sua maleta no chão, à sua frente. Ele sorriu para Sarah. — Quinze minutos, em cima. Gosto de pontualidade...

— Numa mulher — ela acrescentou, abrindo um sorriso. — Você ia dizer "numa mulher", não ia?

— Em qualquer um — ele se defendeu. — Mas, sim, especialmente numa mulher. Em minha experiência, que, acredite, é basicamente de trabalho, elas raramente são pontuais.

Sarah riu. — Detecto um laivo de chauvinismo.

— Acho que parece um pouco isso, não parece?

Enquanto Sarah saía do meio-fio e pegava a rua, Preston olhou pela janela e viu o metal retorcido no lugar do retrovisor direito. Ele estava tão concentrado em Sarah que não percebeu nada ao entrar no carro. O metal estava cheio de pontas afiadas, como se fruto de colisão recente.

— O que aconteceu aí? — fez um gesto em direção ao retrovisor.

— Vândalos — Sarah respondeu com um ligeiro encolher de ombros. — Estou pensando em mandar arrumar.

Ela mudou a conversa para a recente descoberta em Masada, e eles passaram o resto da corrida de 10 minutos até o *campus* da Hebrew University discutindo as condições do pergaminho descoberto no sítio arqueológico.

Quando pararam na entrada do estacionamento, Preston notou a presença de mais veículos de segurança do que o normal, com guardas armados patrulhando o perímetro do edifício não identificado que abriga o laboratório de objetos arqueológicos. O guarda no portão gastou um tempo extra examinando suas identidades com foto e checando sua prancheta antes de finalmente deixá-los passar.

— Eles reforçaram a segurança — Preston observou quando ele e Sarah atravessaram o estacionamento e encontraram uma vaga perto da entrada do laboratório. — Existe alguma razão para estarmos mais preocupados?

— Vigilância é um modo de vida aqui — disse Sarah ao saírem do carro e dirigirem-se para a entrada.

Seu tom era factual, mas Preston notou a preocupação em sua voz enquanto ela checava as medidas de segurança que tinham sido instituídas no dia anterior. No momento em que ela falava, outro carro passou por eles e juntou-se aos outros veículos da segurança.

— Sim, a vigilância está se tornando um meio de vida mundial — ele observou. — Suponho que vai continuar sendo assim até que a guerra contra o terrorismo termine.

— Acho que nossos descendentes, daqui a cinquenta gerações, ainda estarão lutando contra o terrorismo. Enquanto existir uma pessoa capaz de atirar uma bomba em nome de seu deus, a guerra vai continuar sem possibilidade de ser vencida.

Preston segurou a porta, e depois a seguiu para o *lobby*. Eles se dirigiram para o balcão da segurança.

— Você não está querendo dizer que devemos desistir, está? — ele perguntou, baixando a voz ao se aproximarem do guarda.

— Absolutamente não. É como uma batalha contra o mal. Vai sempre existir no mundo. O fato de não conseguirmos erradicar o mal não significa que não devemos lutar contra ele.

Sarah colocou sua bolsa no *scanner* e entregou ao guarda um pedaço de papel. — O *scanner* vai mostrar uma Glock 9 mm — ela falou. — Aqui está a minha autorização.

O guarda examinou a permissão, depois observou a tela enquanto a bolsa passava pelo *scanner*. — Muito bem — ele disse, orientando-a a atravessar o detector de metal.

Preston observou tudo com surpresa — e admiração. Depois colocou sua maleta no *scanner* e murmurou: — Tudo o que você vai encontrar aí é um sanduíche, e não é *kosher*.

Ele viu Sarah segurar um sorriso. O guarda, ao contrário, parecia não estar para brincadeiras ao examinar o conteúdo da maleta, primeiro pela tela e depois diretamente. Na verdade, havia apenas um saco de papel com o sanduíche e algumas pastas de papel manilha contendo papéis de suas pesquisas.

Passando pela inspeção, Preston alcançou Sarah e seguiu-a pelo corredor. — Não sabia que estava trabalhando com James Bond — ele sussurrou. — Ou seria Jane Bond?

— Não seja ridículo — Sarah deu um tapinha na bolsa. — Esta é uma Glock. Bond usa uma Walther PPK.

— Claro, eu deveria saber.

Sarah deu uma risada. — Sou uma oficial de segurança. E uma tenente da reserva, lembra-se?

— Oh, sim, eu me lembro muito bem. A bela jovem em UDGs.

— UDGs? Estou impressionada. Onde um civil como você aprendeu sobre uniformes de guerra?

— E como sabe que não servi... Oh, sim, seu pessoal sabe tudo a meu respeito.

— Bem, sabemos o suficiente — ela disse com um sorriso.

— Então você deve saber que sou um fanático pelo History Channel. Uma grande fonte para jargão militar.

Eles seguiram pelo corredor até o laboratório, onde Preston tinha visto pela primeira vez o pergaminho de Dimas. Ele estava guardado no grande cofre de segurança do laboratório, que exigia duas pessoas para ser aberto e só era usado quando absolutamente necessário. Os especialistas podiam continuar seu trabalho mesmo sem o documento à mão, graças às imagens armazenadas num diretório de computador, que somente podia ser acessado e decodificado por uma senha que mudava todos os dias.

Quando entraram no laboratório, encontraram os professores Daniel Mazar e Yuri Vilnai debruçados sobre um dos seis monitores alinhados numa mesa contra a parede, e engajados num vigoroso debate sobre uma das passagens do Evangelho de Dimas.

Mazar recebeu Sarah e Preston com um sorriso e fez um gesto para que eles se aproximassem. Então apontou para o monitor e disse para seu colega mais jovem: — Eis a passagem. — Leu uma linha do manuscrito em voz alta: — Ele apareceu, depois de sua ressurreição, primeiro para Simão, que estava na estrada para Cirene, e para quem deu o símbolo, e depois para Cefas, e depois para os doze, e depois destes, de uma só vez, para 500 irmãos.

— Isto é um pouco diferente de I Coríntios — Vilnai disse, tirando o olho do monitor. E citou de memória: "Ele apareceu depois de sua ressurreição para Cefas, depois para os doze, e depois destes, de uma só vez, para 500 irmãos".

— É muito diferente — Mazar insistiu.

— Acrescenta só um nome. O que é um nome a mais? Mesmo os quatro Evangelhos divergem sobre os pormenores de quem viu Cristo Ressuscitado e quando. — Ele balançou a mão com menosprezo. — É uma diferença sem conseqüências.

— Eu concordo com Daniel — Preston disse, tendo ouvido o suficiente para dar sua opinião.

— Claro, professor Lewkis, o senhor concorda com seu mentor — disse Vilnai desdenhoso. — Por favor, explique como o acréscimo de um nome pode tornar esta passagem tão significativamente diferente da mesma passagem de Coríntios.

— Há duas razões — Preston retrucou. — Uma é o nome da pessoa. O fato de que ele foi encontrado na estrada de Cirene torna quase certo que é o mesmo Simão que ajudou Jesus a carregar a cruz. A outra é que o símbolo foi dado a ele.

— Que símbolo? — Vilnai desafiou.

— O Via Dei — uma mulher disse, e Preston virou-se para ver que Azra Haddad tinha acabado de entrar no laboratório.

— Via Dei, sim, foi assim que ele o chamou. — Preston olhou interrogativamente para Azra. — O que você sabe sobre o símbolo? Você não estava aqui quando o padre Flannery o mencionou.

— É um símbolo antigo — Azra retrucou. — Tenho certeza de que outros ouviram falar dele.

— Como você entrou aqui? Como você passou pela segurança? — Sarah perguntou.

Azra mostrou alguns papéis. — O professor Mazar me pediu que preparasse um relatório sobre o que eu estava fazendo quando descobri a urna — ela disse, sem responder diretamente à pergunta de Sarah.

— Sim, eu pedi o relatório — Mazar confirmou —, embora não fosse necessário trazê-lo para mim aqui.

— Eu tenho a autorização necessária — Azra retrucou. Seu tom era factual, não defensivo, como se recordasse a Mazar que sem a sua descoberta em Masada não haveria documento nenhum.

— Claro que você tem — ele falou. — Não quis contestar.

— Isto é tudo? — Azra perguntou, e Mazar fez que sim com a cabeça. Ela saiu do laboratório, fechando a porta em seguida.

— Voltando ao símbolo — Vilnai disse, mostrando a imagem na tela —, embora eu conheça o Via Dei, minha visão é de que a passagem em questão não especifica a que símbolo ela se refere. Não é isso, professor Lewkis?

Antes que Preston pudesse responder, Mazar disse: — Talvez não, Yuri, mas penso ser razoável supor...

— Supor? — Vilnai interrompeu. — Somos cientistas. Nós não supomos.

Eles continuaram a discutir, e quando ficou claro que a conversa não estava indo a nenhum lugar produtivo, Preston decidiu levar as coisas para outra direção. Ele aguardou um raro momento de silêncio, então comentou: — Tenho pensado na presença de passagens em hebraico misturadas ao grego. Tenho tentado pesquisar outros documentos que tenham tanto hebraico quanto grego, e não consigo encontrar muitos.

— Sim, são muito raros — Mazar concordou. — Também pensei nisso.

— Vocês estão levantando a bola para mim — seu colega mais jovem declarou. — Temos um manuscrito que mistura hebraico e grego e contém um símbolo não encontrado até a Idade Média. — Vilnai apontou um dedo para o peito de Preston. — Foi o que saiu da boca daquele especialista do Vaticano seu amigo. — Ele balançou a cabeça enfaticamente. — Embora eu não esteja afirmando que se trata de uma falsificação moderna, não posso ver como pode ser autenticamente do século 1. Talvez Idade Média, talvez um pouco depois, reunido por uma organização que tinha seus próprios interesses, mas que não estava inteirada da riqueza de informação de que nos beneficiamos hoje sobre a literatura do século 1.

— Penso que você está se precipitando.

— Pensa... ou supõe? — Vilnai contrapôs.

— Admito que o símbolo cria dificuldades. Mas o padre Flannery pode vir a descobrir evidências que recuem sua datação até os primeiros dias da cristandade. E ele foi desenhado no que parece ser uma tinta diferente, daí há a possibilidade de o manuscrito ser autêntico, e o símbolo ter sido acrescentado mais tarde.

— E o hebraico e o grego? — Vilnai continuou pressionando. — Não vimos isso em manuscritos autênticos do século 1.

— Não acho isso tão estranho — Mazar respondeu. — Não esqueça, Dimas era judeu, e muitos especialistas acreditam que seu pai era um zelote. Ele talvez estivesse tentando atingir tanto os gentios quanto os judeus. E então por que não incluir o hebraico para alguns comentários particulares?

— Daniel, você não pode autenticar um documento usando como medida alguma coisa que ainda não foi provada. — Vilnai pontificou. — Você diz que Dimas era judeu, como se nós já tivéssemos concordado que ele existiu. Não há nenhuma evidência histórica real sobre o Dimas mais velho da Galiléia. Nós o conhecemos apenas como um dos ladrões crucificados. Seu nome chegou até nós como lenda, apenas. E Dimas bar-Dimas? Temos somente a palavra do manuscrito, e ele não pode ser utilizado para se validar sem algum tipo de corroboração.

— Yuri, o manuscrito existe, e o autor se diz chamar Dimas bar-Dimas — afirmou Mazar. — Agora, embora possamos discutir a autenticidade das coisas que ele afirma, não acho que possamos discutir o fato de que ele existe, e que o autor foi um Dimas bar-Dimas.

— Acho que você fez esse tipo de raciocínio no ossuário de Tiago, não foi? — Vilnai perguntou incisivamente.

Preston viu os lábios de Mazar tremerem, mas o especialista mais velho não respondeu. Em vez disso, voltou a trabalhar em seu computador.

— Perdão, amigo — Vilnai disse, adiantando-se até chegar ao lado de Mazar. — Não tive a intenção de desrespeitá-lo com essa observação mal colocada. Quis apenas enfatizar que devemos ter cautela ao examinar esse documento reconhecidamente fascinante.

— Não há nada a desculpar, Yuri — Mazar retrucou. — O progresso só pode ser conseguido com ousadia. A comprovação, apenas com o desafio. Trazemos à discussão o que é preciso trazer.

Vilnai deu uma risada e bateu nos ombros de Mazar. — Muito bem falado, Daniel. Muito bem falado.

Preston notou o sorriso constrangido trocado pelos dois homens. Era claro que, apesar de os dois especialistas compartilharem um respeito mútuo, compartilhavam muito pouco além disso.

CAPÍTULO 19

Durante a hora seguinte, Sarah Arad trabalhou no computador à esquerda de Preston, e os dois especialistas da universidade sentaram-se cada um diante de um terminal na extremidade oposta da mesa. Ela passou a maior parte do tempo analisando diferentes imagens do manuscrito, comparando segmentos lado a lado, à procura de algum sinal indicativo de que a caligrafia pudesse ser de mais de uma pessoa. Mais desafiador ainda era determinar se a mesma mão tinha escrito os caracteres gregos e hebraicos. Enquanto trabalhava, ela foi ficando cada vez mais convencida de que uma única pessoa tinha redigido o manuscrito. Além disso, acreditava que a pessoa que tinha escrito as palavras era a mesma que relatava a história. Embora isso fosse difícil de provar, havia indicações de que aquela era a primeira ou a segunda cópia, e não a transcrição de um trabalho previamente escrito.

Suas reflexões silenciosas foram quebradas por um suspiro bem audível de Preston. Ele parecia imerso em pensamentos e ela não quis perturbá-lo, mas, quando ele suspirou pela segunda vez, ela perguntou: — Alguma coisa errada?

— Eu não sei. — Ele mostrou a imagem do pergaminho na tela do computador. — Há alguma coisa estranha aqui.

Sarah deu um sorriso largo. — Nós desenterramos no sítio judeu de Masada um evangelho com 2 mil anos, supostamente escrito pelo filho do Bom Ladrão, que morreu na cruz ao lado de Jesus, e você diz que há *alguma coisa* estranha? Se você quer saber, tudo isto vai muito além do bizarro.

— Bem, sim, isto também — ele falou com meio sorriso. — Mas estou falando especificamente sobre como tantas palavras e frases em hebraico foram distribuídas no texto.

— Não acho isso tão estranho — ela disse. — Hoje não é diferente. Quase todo mundo em Israel fala inglês e hebraico. Muitos também falam iídiche, e numa única frase muitas vezes é possível encontrar as três línguas em rota de colisão.

— Sim, posso entender isso. Algo de uma segunda língua exprime melhor um pensamento do que a língua que você usa, como a palavra *chutzpah*. Você ficaria surpresa de ver quantas vezes ela aparece numa conversa entre americanos. Mas isto aqui é diferente.

— Diferente como?

— Bem, para começar, o autor usa a palavra em grego para uma coisa, e três frases depois usa a palavra em hebraico para a mesma coisa. O que parece estranho é o modo aleatório com que ele emprega as palavras.

— Você acha que isso põe em xeque a validade do documento? — ela perguntou.

— Não, não chegaria a esse ponto. Mas acho isso muito interessante.

A conversa foi interrompida pela campainha do telefone e a voz seca do cientista mais jovem anunciando: — Yuri Vilnai falando. — Ele ouviu por um momento e disse: — Vou mandá-la já. — Desligou o telefone e virou-se para Sarah. — Alguém na recepção quer falar com você.

— Ele falou quem?

— É a polícia.

Ela desconsiderou o olhar interrogativo de Preston com um encolher de ombros, pediu desculpas e dirigiu-se ao *lobby*, onde encontrou dois homens esperando por ela junto do balcão da segurança. Estavam em roupas civis, mas sua atitude os identificava tão claramente como se vestissem uniformes.

— Sarah Arad? — o mais baixo perguntou quando ela se aproximou. Ele era mais velho que o parceiro, e seu terno amarrotado e a expressão abatida pareciam indicar que já tinha estado na região outras vezes.

— Sim. Posso ajudá-los?

— Sou o agente especial Alan Steinberg; este é o agente especial Bruce Gelb.

Ele segurava o retrovisor quebrado do carro de Sarah. Estava bastante danificado, o apoio de plástico deformado por causa do extremo calor. Sem dúvida tinha sido encontrado entre os destroços do Mercedes.

— Isto é seu? — Steinberg perguntou.

— Claro — ela respondeu. — Claro que vocês o compararam com meu Mini Cooper aí fora.

— Então você admite que esteve envolvida num acidente esta manhã?

Sarah suspirou. — Tenho certeza de que vocês não são agentes especiais do Departamento de Trânsito.

— Não somos do Departamento de Trânsito — Steinberg disse bruscamente. — Testemunhas contaram que os dois homens do carro que bateu no caminhão pareciam estar perseguindo um M<small>INI</small> Cooper verde-claro.

— Verde perolado — Sarah retrucou. — E a cor foi descontinuada depois do primeiro ano de produção, de modo que deve haver muito poucos em Jerusalém.

— E menos ainda que tenham perdido recentemente seu espelho retrovisor direito — o agente chamado Gelb acrescentou, num tom bem mais suave que o do parceiro.

— Sim, eu estava na cena do acidente.

— E eles a estavam perseguindo? — Gelb perguntou.

— Pareciam estar.

— Você sabe por quê?

Sarah balançou os ombros. — Não tenho a menor idéia.

— Ora, senhorita Arad...

— Senhora Arad — ela corrigiu.

— Certamente, senhora Arad, a senhora deve ter alguma idéia. Senão, como perceberia que estava sendo seguida?

— Eu os vi pelo retrovisor. Não sei; havia alguma coisa suspeita neles. Fiz algumas conversões e eles me acompanharam. Parei, eles pararam, dei um cavalo-de-pau e acelerei, e eles sempre atrás de mim.

— Por que a senhora não chamou a polícia? — Steinberg interpôs-se. — Uma simples ligação poderia ter evitado um acidente fatal — sem falar no risco de todos que estavam em volta.

— É muito difícil usar um celular quando se está sendo perseguida através de vielas. Quanto a ligar para a polícia, eu liguei tão logo pude.

— Depois da batida. — Steinberg olhou para suas anotações. — Então foi a *senhora* que fez a primeira ligação relatando o acidente. — Ele olhou de volta para ela, seus olhos se estreitando. — Mas a senhora não deu seu nome.

Ela apontou sua grossa prancheta. — É claro que você a esta altura sabe mais a meu respeito do que a cor de meu carro. Ou eu preciso mostrar minha identificação funcional?

Steinberg bateu na prancheta com a caneta. Quando falou, o tom de voz revelava seu desdém por outras áreas das forças de segurança, especialmente quando elas punham em risco sua jurisdição. — Sim, sabemos onde a senhora trabalha.

Sarah dirigiu seus comentários ao parceiro de Steinberg, que parecia mais simpático. — Então é claro que vocês entendem por que não gostaria de ter meu nome num relatório policial — ou, pior ainda, nos jornais ou na tevê. Até que saibamos mais sobre esses homens, é melhor que isso continue sendo um acidente de trânsito, o resultado de alguma travessura em alta velocidade.

— Talvez, se a senhora tivesse trabalhado conosco desde o começo — Gelb disse num tom conciliador —, estivéssemos mais perto de algumas destas respostas.

— Se vocês verificarem em meu escritório saberão que pedi a YAMAM que dê toda a assistência de que necessitem. Mas tenho boas razões — e algumas são realmente pessoais — para ficar a distância.

— Pessoais... — Gelb insistiu cautelosamente.

— Vocês já ouviram falar de Saul e Nadia Ishar?

— Claro — ele respondeu. — Eles foram mortos por terroristas há alguns anos em Masada.

— Eles eram meus pais — ela disse secamente.

— Eu não sabia. Sinto muito. — Gelb hesitou um momento e depois acrescentou: — Arad, Sarah Arad? Sim, agora me lembro. Seu marido era o major Ariel Arad. Ele foi morto num posto policial, não foi? — ele perguntou e ela confirmou com a cabeça. — Agora entendo que a senhora esteja mais do que sensível com o... acidente de hoje.

— Obrigada. — A expressão de Sarah acalmou-se. — E para complicar ainda mais, fui recentemente designada para a mesma escavação de Masada onde meus pais morreram. Embora possivelmente não haja nenhuma relação entre aquele ataque terrorista e o Mercedes, precisamos confirmar isso por meio de nossa própria investigação. — Ela virou-se para Steinberg e disse, incisivamente: — E essas investigações ultrapassam em muito o escopo da polícia local.

Steinberg estava para responder quando Gelb o interrompeu. — Parece que temos interesses comuns aqui. Não há nenhuma razão para que seu nome não fique fora de nosso relatório por ora. Está bem assim? — Ele olhou para o parceiro mais velho, que concordou de má vontade. — Em troca, gostaríamos de toda informação que a senhora consiga sobre esses homens que a perseguiram.

— Vocês ainda não os identificaram?

— Quaisquer documentos de identidade que eles portavam foram destruídos na explosão — Gelb explicou. — E eles estavam tão queimados que é muito pouco provável que possamos fazer comparações com fotos de *personalidades* conhecidas. Há o DNA e a arcada dentária, mas se ninguém registrar uma queixa de desaparecimento, não haverá nada com o que comparar.

— A não ser que já tenhamos uma ficha — Sarah sugeriu.

— Prisão? — Gelb perguntou, e ela concordou. — Claro, vamos checar o banco de DNA. Você deu uma boa olhada neles?

Ela já estava se afastando quando balançou a cabeça e respondeu: — Não, não dei. — Embora tecnicamente não fosse uma mentira, pois não tinha mesmo dado uma boa olhada, ela se sentia confiante de poder identificar pelo menos o motorista. Mas queria continuar a investigação por intermédio de seu departamento, e não da polícia.

— Será que a senhora poderia ver algumas fotos na delegacia? — Gelb perguntou. — Alguém talvez pareça familiar. Qualquer coisa ajudaria.

— Claro. Mas isso pode esperar até que?...

— Mais tarde hoje seria ótimo — ele interrompeu, sem dar a ela a chance de sugerir uma hora muito distante no futuro. Ele estendeu seu cartão de visitas. — Ligue para meu celular, e nos encontraremos na delegacia.

— Sim, naturalmente — ela disse, olhando o cartão.

— Se a senhora vir alguma coisa suspeita, ou se acontecer alguma coisa, por favor, chame-nos imediatamente.

— Chamarei. E obrigado pela preocupação. — Sarah sorriu para Gelb, depois fez um rápido meneio de cabeça para Steinberg e se dirigiu de volta para o corredor.

O agente especial Bruce Gelb esperou até que Sarah Arad desaparecesse no final do corredor; depois bateu no ombro do parceiro e disse: — Vamos dar o fora, Al.

— Parece que você ficou muito encantado com ela — Steinberg falou com um riso abafado enquanto deixavam o edifício.

— Uma dona muito afetada — Gelb murmurou.

— Você falou muito diferente lá atrás. Pensei que teria de apartar vocês.

— Apenas comendo pelas bordas — o parceiro mais jovem respondeu.

— Sim, e provavelmente ela também estava comendo pelas bordas.

— Nãããoo... Ela é da Yamam. Eles não comem pelas bordas, eles arrasam tudo.

— Você acha que ela está escondendo alguma coisa?

— Ela os viu — Gelb disse categoricamente. — Impossível não ter visto. Mas ela nunca vai contar para a gente.

— Foi por isso que você não insistiu para ela ver os *livros dos notáveis* imediatamente?

— De que adiantaria?

— Por que você não falou com ela sobre o anel do motorista? — Steinberg perguntou.

— Se ela tivesse sido mais acessível... — Gelb balançou a cabeça, enfático: — Não, vamos manter esse dado só para nós. Deixemos que ela perca tempo examinando os livros e procurando terroristas palestinos. Nós vamos seguir o anel. — Ele apalpou o saquinho com o anel no bolso do paletó.

— *"In Nomine Patris"*, o mais velho entoou com ar de mistério.

— *"Amen"*, o parceiro declarou, dando uma risada. — Agora vamos dar o fora deste lugar.

Logo depois do meio-dia, Preston Lewkis acompanhou Sarah até o carro dela, para irem almoçar num restaurante perto dali. Quando se aproximaram do veículo, ela de repente colocou a mão em seu braço e parou.

— O que foi? — ele perguntou.

Ela fez um aceno silencioso para o outro lado do estacionamento, e ele se virou para ver Yuri Vilnai de pé do lado de fora de seu Audi esporte entabulando uma intensa conversa com a mulher palestina chamada Azra.

— Achei que ela tivesse saído há muito tempo — Preston falou.

— Eu também.

Foi quando Azra deu uma olhadela e percebeu que estavam sendo observados. Ela fez um comentário final com Vilnai, virou-se e saiu rapidamente.

— Vamos ver do que se trata — Sarah disse.

— Você acha que isso é uma boa... — Preston começou a falar, mas Sarah já estava atravessando o estacionamento.

Vilnai ia entrar no carro quando Sarah o chamou: — Professor, um momento.

Ele hesitou, afastou-se do veículo e virou-se para ela. Seu sorriso pareceu forçado, e era claro que não tinha gostado da interrupção. — O que é? — perguntou impaciente.

— Sobre o que o senhor e Azra estavam falando? — ela perguntou.

A contrariedade de Vilnai tornou-se mais óbvia. — Era uma conversa privada entre o diretor de pesquisa e uma pesquisadora.

Preston estava acostumado à atitude imperiosa de Vilnai. Mas o que o surpreendeu — e impressionou — foi a calma confiança da resposta de Sarah.

— O senhor pode ser o diretor, professor, mas sou a encarregada da segurança do projeto. Então vou perguntar de novo: sobre o que estavam conversando?

Vilnai também pareceu irrequieto com o tom dela, e suspirou em aquiescência. — Antes de Azra Haddad ser transferida para o sítio de Masada, ela trabalhava na escavação do velho mosteiro na estrada para Sdom. Ela quis voltar para cá, e eu concordei com a transferência. Isso representa algum problema de segurança para você?

— Não enquanto o senhor me mantiver informada — Sarah retrucou.

— Se é tudo, tenho coisas a fazer. — Sem esperar uma resposta, Vilnai entrou no carro e fechou a porta. Deu a partida, saiu bem rápido e cruzou o estacionamento em direção à rua.

— Ele é um homem muito desagradável — Sarah falou, segurando o braço de Preston e conduzindo-o de volta para o carro. — Por que o fizeram diretor administrativo no lugar do dr. Mazar eu nunca saberei.

— Acho que é daí que vem o ressentimento — Preston falou. — Yuri tem o título, mas Daniel ainda desfruta uma reputação internacional maior.

— Mais uma razão para ele ser o diretor — ela comentou quando entraram no Mini Cooper.

— Eu concordo, mas depois daquele fiasco do ossuário, o comitê efetivamente foi forçado a dar o o.k. a Yuri. Afinal de contas, ele estava certo e Daniel estava errado. E ele fica irritado de ainda recorrermos a Daniel em assuntos de pesquisa.

Sarah deu a partida. — Suponho que você tenha razão. Ele é um desses homenzinhos que tentam ter autoridade através da força, e não do respeito.

Ela abriu o celular e fez um gesto de que a ligação ia tomar só um momento. Preston notou que ela havia usado a discagem rápida, e um momento depois já tinha alguém do outro lado da linha.

— Alô, Roberta. Aqui é Sarah. Gostaria que você fizesse uma checagem de segurança completa sobre uma mulher chamada Azra Haddad. — Pausou por um momento e depois disse: — Sim, ela fez a descoberta em Masada... Eu sei, mas gostaria que você checasse de novo. — Fechando o celular, voltou-se para Preston. — Você gosta de comida chinesa? Conheço um lugarzinho excelente. Vamos, eu te levo lá.

— Droga — Preston falou, com uma risada, enquanto o carro chispava. — Você não é apenas pontual e muito bem armada, você também é decidida.

— Você acha isso desinteressante?

— Não. Ao contrário, até gosto. — Ele percebeu o modo como Sarah olhou para ele, e sorriu. — Não, não vou dizer: "Gosto disso numa mulher". Eu ia dizer: "Gosto disso *nessa* mulher".

CAPÍTULO 20

O PADRE MICHAEL FLANNERY foi acordado por uma batida na porta de seus aposentos no Vaticano. Ainda estava escuro, e a iluminação suave do despertador de sua mesa de cabeceira marcava 4:37.

Quem poderia estar batendo a esta hora da madrugada? — ele pensou, ainda sonolento.

Houve uma segunda batida, mais alta e mais insistente, e alguém chamou: "Padre Flannery?". Embora a chamada fosse quase um sussurro, ela passava uma idéia de urgência.

— Um minuto — Flannery respondeu, acendendo a lâmpada ao lado da cama.

Ele pegou um roupão e vestiu-o rapidamente enquanto andava sem fazer ruído pelo quarto em direção à porta. Abrindo-a, viu um rosto familiar olhando fixamente para ele. No início, ele não tinha certeza de onde tinha visto antes o jovem; depois o reconheceu como o enfermeiro de serviço quando Flannery visitou o padre Leonardo Contardi. O homem, nervoso, olhou para os dois lados do corredor, obviamente agitado.

— Entre — Flannery disse, percebendo que, por alguma razão, o enfermeiro não queria ser visto ali.

— *Grazie.*

Quando o enfermeiro entrou no quarto, Flannery colocou a cabeça para fora e olhou para os dois lados do corredor. Nenhuma das outras portas estava aberta, então ele tinha uma razoável certeza de que ninguém tinha visto nada. Ele fechou a porta e disse: — Você era o enfermeiro do padre Contardi.

— *Sì.* Eu sou Pietro.

— Se você não se importa de eu perguntar, o que está fazendo aqui a esta hora da manhã?

— Por favor me desculpar, padre, por eu perturbar o senhor esta hora, mas desejo não ser visto. — Ele estendeu ao padre uma pequena caixa. — Isto pertencer padre Leonardo, e ele pediu eu dar isto ao senhor, se acontecesse a ele alguma coisa. É uma carta.

Flannery abriu a caixa e retirou a carta, que estava sobre uma caderneta de couro. Abrindo a carta, ele leu:

Michael,
 Se você está lendo estas palavras significa que deixei esta vida mortal e minha alma eterna está esperando o julgamento final de Deus. Peço que reze para que Ele possa me julgar com misericórdia.
 O jovem ao seu lado é Pietro Santorini. Ele foi muito bondoso comigo durante minha estada neste lugar, e eu me vali de sua gentileza para, depois de minha morte, entregar este diário a você. Ele corre grande risco fazendo isso, portanto não faça nada que o coloque em risco maior.
 Michael, sei que você está envolvido numa pesquisa de algum modo relacionada ao Via Dei. Gostaria de pedir que pare essa busca, mas conhecendo-o, este pedido ainda vai deixar você mais curioso. Então, se você está determinado a continuar, suplico-lhe, meu amigo, seja muito cuidadoso, pois você arrisca não apenas a sua vida mas a sua alma eterna.
             IHS, Leonardo

Flannery olhou para Pietro. — Padre Contardi diz que você corre riscos fazendo isto. Muito obrigado.

— Posso ir agora? — Pietro falou nervosamente.

Flannery levantou a mão. — Espere, deixe-me olhar lá fora. — Abrindo a porta, ele olhou para os dois lados do corredor e, não vendo ninguém, fez um gesto para o jovem sair. — Vá depressa, e que Deus esteja com você.

Pietro hesitou, e Flannery pensou ter visto lágrimas brilharem em seus olhos. — Eu... gostar muito do velho padre Leonardo. Ele era para mim... como meu próprio pai. — Virando-se, ele correu para a porta e pelo corredor.

Novamente sozinho em seu quarto, Flannery fez café numa pequena cafeteira elétrica, que, junto do forno de microondas, estava entre os poucos luxos permitidos aos residentes no Vaticano. Depois sentou-se numa cadeira junto do criado-mudo e começou a ler o diário do padre Leonardo Contardi.

A primeira página informava que Contardi começara a registrar seus pensamentos logo depois de se tornar padre, como forma de praticar seu inglês, e de fato a maior parte do diário era nessa língua, com um trecho ou outro em italiano e latim. Naquela época, ele e Flannery tinham sido noviços juntos, e ele mencionava Flannery diversas vezes:

> *Ontem joguei handebol com o padre Michael Flannery, um irlandês que deixou sua verdejante ilha para trabalhar no Vaticano. Como regra, não gosto dos irlandeses. Acho-os fanfarrões e estridentes e, para ser franco, o padre Flannery tem estes traços desagradáveis. Mas há muito do que gostar no homem. Ele é piedoso, inteligente e faz amizade rapidamente. E, mais importante, eu o venço com facilidade no handebol.*

Flannery riu ao ler a avaliação de Contardi. Continuando a ler atentamente o diário, ele encontrou a passagem em que Contardi fora designado para sua primeira missão no exterior, um mosteiro no deserto em Israel.

> *Gostaria que Michael aceitasse o convite, para que ele pudesse servir comigo neste lugar, onde, por 2 mil anos, nós de* O Caminho *fomos iniciados no Seu serviço. Mas o Via Dei não é para qualquer um, pois, em verdade, para proteger a fé devemos algumas vezes nos mover fora da fé, fazer coisas que, se não fossem por propósitos mais elevados, poderiam destruir as nossas próprias almas.*

Flannery sentiu uma descarga de adrenalina. Lá estava a primeira menção ao Via Dei. Ele tentou relembrar aqueles primeiros anos, quando Contardi tinha querido que ele se juntasse à organização secreta chamada *O Caminho*. Flannery não levou adiante a possibilidade, e aparentemente o Via Dei também tinha desistido de insistir, pois nenhuma real oferta de associação jamais havia sido feita. Com o passar dos anos, ele esqueceu o caso, até que os eventos recentes colocaram de novo o amigo e o Via Dei em sua vida.

Lá fora surgiam os primeiros raios dourados de luz do sol, que eram filtrados pela janela de seus aposentos. Agora ele podia ouvir o ruído abafado de passos dos outros residentes do Vaticano que desciam o corredor para as preces matinais. Flannery, com uma oração silenciosa pedindo que fosse perdoado por sua ausência, continuou grudado no diário.

> *Na minha boa vontade de servi-Lo, e na minha avidez de ser aceito pelos outros em* O Caminho, *assumi todas as missões propostas a mim. Intelectualmente sou capaz de ver a necessidade dessas operações, não importa o quão terrível elas pareçam, pois na verdade é de vital importância que a Santa Igreja Católica seja fortalecida. Também é importante que subterfúgios sejam empregados a fim de que a Igreja seja blindada contra qualquer insinuação de escândalo ou culpa.*
>
> *Mas estou começando a pensar que talvez não tenha a força moral ou emocional para continuar. Pois ter nas mãos o sangue dos inocentes, independente de quão nobre possa ser o motivo de sua partida, deixa a minha alma doente.*
>
> *Se eu pudesse deixar o Via Dei... Mas assumi um compromisso de servir que me obriga até a eternidade.*
>
> *Onde passarei essa eternidade, deixo nas mãos de Deus.*

Flannery sentiu uma crescente apreensão, e até terror, ao continuar a leitura. Era como se ele ouvisse a confissão de seu amigo, e talvez tenha sido essa a intenção de Contardi ao fazer com que ele recebesse o diário. De maneira chocante, os assuntos ficaram ainda mais confessionais quando Contardi deixou Israel para servir numa pequena paróquia no Equador.

> *Seu nome é Pilar. Ela é enfermeira da missão médica. No início nosso trabalho juntos era preenchido com o amor de Deus e a alegria de ajudar os outros, e isso era o suficiente para nos satisfazer. Mas uma noite, quando ela tratava pacientes em minha igreja, as chuvas chegaram, e com elas o vento, e o raio e o trovão, e ela não pôde sair. Vimo-nos sozinhos no santuário, uma única luz iluminando a distância entre nós.*
>
> *Pilar veio até mim como uma jovem mulher inocente, e eu maculei aquela inocência, amando-a diante do altar. Sei que o que fiz foi errado, mas Deus é testemunha, havia mais amor do que luxúria no meu coração.*
>
> *Nosso caso continuou durante três meses, mas era mais difícil a cada dia. A pobre menina estava dividida entre seu*

> *amor por mim e sua culpa de ter relações com um padre. Ela me implorou que deixasse o sacerdócio a fim de que eu pudesse tirar a culpa de cima dela. Mas como eu poderia dizer a ela que estava preso a duas amarras, meus votos sacerdotais e as correntes mais terríveis e indissolúveis que me prendem ao Via Dei?*
>
> *Ela não podia viver com sua culpa e foi encontrada, uma manhã, morta por uma overdose de pílulas para dormir. A fim de que ela fosse enterrada em campo santo, o doutor disse que tinha sido uma overdose acidental, mas ele sabia, e sabia que eu sabia, que tinha sido suicídio. Apenas Pilar, Deus e eu sabemos por que ela cometeu esse que é o mais terrível e imperdoável dos pecados.*
>
> *Agora, essa pobre moça, a mulher que eu amei verdadeiramente, queima no Inferno, vítima de minhas indiscrições. Eu não posso rezar pelo perdão de minha própria alma, pois ela está ligada à eterna maldição da alma da minha amada Pilar.*

Depois da morte de Pilar, o diário de Contardi tornou-se mais e mais desconexo, algumas vezes ficando absolutamente ininteligível, como as referências à chuva e às lentilhas, frutos de seus delírios durante a visita de Flannery. Era agora óbvio para Flannery que a culpa pelo destino de Pilar tinha sido o fator mais importante do colapso nervoso de Contardi.

As últimas páginas também continham passagens ocasionais de completa lucidez, nas quais Contardi sugeria que tinha cometido atos imperdoáveis em nome do Via Dei. Em todos os casos ele usava a mesma justificativa.

> *Embora na superfície estes atos pareçam terríveis transgressões, o Via Dei lava o pecado por causa de seus grandes serviços à Igreja.*

Havia também algumas intrigantes referências a Masada, que ficava a alguns quilômetros do mosteiro, no deserto onde Contardi tinha servido. Infelizmente, as menções eram tão vagas que não projetavam nenhuma luz sobre a recente descoberta do pergaminho de Dimas ou o símbolo do Via Dei que ele continha.

O diário de Leonardo Contardi era tão deprimente quanto frustrante, e Flanney viu-se inundado de simpatia por seu amigo. O que era esse Via

Dei que tinha tão tragicamente destruído Contardi? O que ele queria dizer quando afirmou ter nas mãos sangue de inocentes? Estaria se referindo a Pilar? Se era isso, por que usou o plural?

Não, qualquer que fosse a culpa que ele sentiu em relação a Pilar, tudo era o somatório da culpa por atos que ele cometera em nome do Via Dei.

Poderia haver uma relação entre uma organização desse tipo e o Evangelho de Dimas? Sem dúvida o símbolo que Flannery viu no pergaminho nada tinha a ver com o Via Dei que tanto devastara a mente, a vida e, no final, a alma de seu amigo, o padre Leonardo Contardi.

Flannery já estava quase fechando o diário quando virou as páginas até chegar à última e ver o nome de Pilar na derradeira anotação do amigo. Ao ler, sentiu uma faca penetrar seu coração:

> *Anos, tantos anos relembrando minha amada Pilar, uma suicida perdida nas chamas do Inferno. Mas hoje está claro, e eu sei finalmente que ela não compartilha o destino que me aguarda.*
>
> *Eles me deixaram acreditar que ela tinha tirado a própria vida, como se ela fosse jogar fora alguma coisa tão preciosa por um ser lamentável como eu. Se eu tivesse sabido de nossa filha, saberia que ela tinha mais motivos para viver. Eu teria visto a verdade de sua morte e as mãos ocultas deles trabalhando. Mas não podiam me deixar saber, pois eu teria movido o próprio Céu para vê-los no Inferno.*
>
> *Agora só posso rezar para que Pilar descanse nos braços de Nosso Senhor, e que nossa filha, onde quer que ela esteja, pense de vez em quando em sua pobre mãe e no seu pai e sorria.*
>
> *Vejo as chamas à frente, e estou pronto. Que os assassinos de Pilar continuem mascarados em vida. O Caminho que percorrerão vai levá-los à mesma feroz retribuição. E então, mesmo nas profundezas do Inferno, minha alma finalmente ficará em paz.*
>
> *Chi l'anima mi lacera? Chi m'agita le viscere? Che strazio, ohimè, che smania! Che inferno, che terror!*

Fechando o diário e os olhos, Michael Flannery repetiu em inglês o grito final, quando Don Giovanni, de Mozart, é engolfado pelas chamas do Hades: "Quem dilacera minha alma? Quem atormenta meu corpo? Que tormenta, oh, quanta agonia! Que inferno! Que terror!".

Vencido por um espírito de compaixão e amor pelo homem que tinha sido outrora um amigo tão íntimo, Flannery caiu de joelhos e disse alto:

"Confesso a Deus Onipotente, à abençoada Maria sempre virgem, ao abençoado arcanjo Miguel, ao abençoado São João Batista, aos santos apóstolos Pedro e Paulo, e a vós, Pai, que pequei extremamente em pensamento, palavra e ato..." — Ele bateu em seu peito uma vez, duas, e uma terceira vez, entoando — "... minha culpa, minha culpa, minha máxima culpa. Portanto imploro à abençoada Maria sempre virgem, ao abençoado arcanjo Miguel, ao abençoado João Batista, aos santos apóstolos Pedro e Paulo, a todos os santos, e a vós, Pai, a rezarem ao Senhor Nosso Deus por mim".

Fazendo o sinal-da-cruz, Flannery repetiu o Confiteor em latim: *Confiteor Deo omnipotenti, beatae Mariae semper virgini, beato Michaeli archangelo, beato Joanni Baptistae, sanctis Apostolis Petro et Paulo...´*

Enquanto dizia a prece dos penitentes, ele sentiu uma sensação de vertigem, e ao abrir os olhos viu as quatro paredes do quarto piscarem diante dele como se ele estivesse num disco giratório, rodando e rodando.

— O que é isto? — ele falou alto, e caiu de costas, abrindo pernas e braços para recuperar alguma estabilidade. — Por favor, pare! Pare! — ele gritou.

Misericordiosamente, o quarto acabou parando, e ele ficou estendido no chão por um longo momento, respirando fundo, lutando contra a náusea que a sensação de rodopio tinha provocado. Devagar e cautelosamente, ele se sentou.

Ele ouvia um coro. Mas isso não era possível; estava muito longe de qualquer uma das capelas. Talvez um dos outros residentes tivesse um CD player.

Mas, mesmo enquanto considerava essa possibilidade, Flannery sabia que aquilo era algo muito diferente. Embora não fosse propriamente uma música, ele ouvia um acorde etéreo, várias oitavas melódicas numa grande variedade de vozes ricas, do mais profundo e ressonante baixo, passando pelo tenor mais doce, até o mais puro soprano. Era como se Bach, Beethoven, Vivaldi e todos os grandes compositores tivessem combinado seu gênio para criar essa singular e inimaginavelmente bela tapeçaria sonora.

Quando sucumbiu a ela, a música cessou sua náusea, acalmando seu espírito e permitindo-lhe aceitar a aparição que começou a se desenrolar dele. Pois, com a música, veio uma visão de esplendor que o transportou muito além do mar e dos séculos. Flannery viu-se em Masada, não distante de onde o pergaminho de Dimas tinha sido descoberto. Mas essa era uma

Masada diferente, antes que o vento e o tempo transformassem em ruínas suas outrora imponentes muralhas. E de pé diante dele na fortaleza, banhada numa tremeluzente aura de luz, estavam dois homens. Um era Leonardo Contardi, mas não o padre moribundo que ele havia encontrado no asilo. Esse era o jovem e atlético Contardi, a pele lisa e bronzeada, os olhos brilhando com humor e vida. Ao lado de Contardi, estava o homem que Flannery tinha visto na missa pontifical em São Pedro.

— Ah, Michael! — Contardi chamou, levantando os braços em saudação. — Venha. Há alguém que você precisa conhecer.

O homem negro olhou para Flannery, e nesse instante Flannery sentiu um choque perpassar seu corpo — não era dor, mas uma enorme sensação de amor e aceitação. Flannery começou a andar em direção a ele, mas o homem levantou a mão.

— A hora ainda não chegou — ele falou.

O coro de música, que continuava ao fundo, aumentou num crescendo, e a aura de luz circundando os dois homens tornou-se mais brilhante do que qualquer coisa que Flannery jamais vira — contudo era tão suave que ele não precisou cobrir os olhos.

Então, no que pareceu um instante eterno, a música e a luz desapareceram, e Flannery se viu novamente sozinho em seu quarto, não prostrado de costas no chão, mas ajoelhado em oração, como se tivesse recitado o Confiteor inteiro.

"... *mea culpa, mea culpa, mea maxima culpa.*"

Ele parou no meio da prece, as mãos postas tremiam.

O que acabara de acontecer a ele? Teria ele experimentado algum tipo de projeção astral, alguma manifestação fora do corpo? Teria sido tudo o fruto de uma imaginação hiperativa, ou teria sido ele agraciado com uma verdadeira visão? E se foi isto, uma visão de Deus ou de Lúcifer?

Flannery lutou para reter em sua mente as imagens de Leonardo Contardi e do agora familiar estranho. Mas elas desapareciam como uma fotografia exposta tempo demais ao sol. Em seu lugar, restaram a paisagem ao fundo, as muralhas de Masada novamente arruinadas.

— Masada — ele sussurrou, pondo-se de pé.

Michael Flannery não tinha a menor idéia de como interpretar a visão; contudo, ela provocou um desejo irresistível de retornar imediatamente à Terra Santa e continuar suas buscas.

CAPÍTULO 21

Rufinus Tacitus fez uma pose para o pintor. Com um pé ligeiramente à frente, encolheu o estômago, estufou o peito, levantou o queixo, semicerrou os olhos fitando ao longe, ao futuro. No painel de madeira, o pintor tinha acrescentado uma coroa de louros, que ele não usava, um manto púrpura e uma espada com um punho dourado.

— Oh, Vossa Excelência tem uma presença maravilhosa, simplesmente magnífica — o artista disse, bajulando-o. — Nem mesmo César tem uma atitude mais régia ou uma pose mais gloriosa.

Rufinus ajeitou-se mais — como se fosse possível — diante do cumprimento adulador do pintor. Seus olhos se abriram ligeiramente ao ver sua mulher entrar na sala. — Marcella — ele falou entre os dentes, para não atrapalhar a pose. — Pretendo mandar este retrato para seu pai. Você acha que ele ficará contente?

Ela posicionou-se atrás do pintor e olhou primeiro a pintura, e depois para seu marido. — Acho que sim.

— Contente o suficiente, talvez, para conseguir um posto digno de mim em Roma?

— Sim, tenho certeza que sim.

— Ótimo, ótimo. E conto também com uma carta sua, fazendo o pedido.

— Excelência, por favor — o artista falou. — Se o senhor insistir em falar, eu não conseguirei executar bem o retrato.

— Deixe-nos — Marcella ordenou ao artista.

— Como? — o homem retrucou surpreso.

— Eu disse para sair — ela repetiu. — Você pode terminar o retrato depois. Quero falar com o governador agora.

— Faça o que ela diz — Rufinus ordenou, saindo da pose e dispensando o pintor com um aceno de mão. — Meus ossos estão cansados da pose. Recomeçaremos depois da refeição.

— Muito bem, Excelência — o artista respondeu, fazendo uma reverência ao sair da sala.

Rufinus foi ver o retrato, que estava cerca de um terço terminado. Ele o estudou por um momento, a cabeça inclinada, denotando incerteza.

— Acho que ele captou sua força e inteligência muito bem — Marcella disse, enquanto tocava cautelosamente o antebraço do marido.

— Acho que sim. Mas os olhos... — Ele balançou a cabeça na dúvida, examinando as órbitas escuras, sem vida.

— Ainda não está terminado — ela assegurou. — Os olhos são sempre os últimos. São as janelas da alma de um homem.

Ele suspirou, numa mistura de aceitação e resignação, e depois virou-se para a mulher. — Sobre o que você quer falar?

— Rufinus, quero sua permissão para visitar o centurião Marcus Antonius e o homem santo que divide a cela com ele.

— Por que você faria isso? — ele perguntou surpreso. — Permiti uma vez, e o que aconteceu de bom?

— Conheço Marcus desde que éramos crianças — ela disse. — Ele é como um irmão para mim.

— Eu sei que você tem estima por ele. Mas você precisa entender que minhas mãos estão atadas. Como posso mostrar aos meus súditos que sou um líder justo se der o perdão a um condenado simplesmente porque ele é um cidadão romano? Ou, pior, porque ele é amigo da mulher do governador?

— Talvez eu possa convencê-lo a retratar-se.

— Você já tentou isso, acredito, sem sucesso.

— Sim, mas agora você condenou Dimas a morrer com ele. Marcus precisa entender que Dimas está sacrificando a vida por ele. Que desperdício será se os dois tiverem de morrer. Se eu conseguir que Marcus se retrate agora, isso desmascararia Dimas como o charlatão que ele é. E mostraria aos seus súditos o poder que você tem sobre esse falso deus.

— Se eu concordar com seu desejo, você escreverá a seu pai pedindo-lhe que me recomende para um posto em Roma? — Rufinus perguntou.

— Porém não uma carta perfunctória e insignificante de uma esposa devotada, mas uma carta que apenas uma filha sabe escrever quando deseja tocar o coração de seu pai?

Marcella concordou com a cabeça. — Sim, prometo que escreverei.

Rufinus sorriu e depois se virou para a porta. — Tuco!

— Pois não, Excelência — disse o criado-chefe entrando rápido na sala.

— Faça Legatus Casco saber que minha mulher deve ter direito irrestrito de visitar o prisioneiro Marcus Antonius.

— Perfeitamente — Tuco falou com uma mesura e deixou a sala.

— Obrigada, Rufinus — Marcella sussurrou recatadamente.

— Isso não vai dar em nada, você sabe — Rufinus disse. — Marcus é muito teimoso. Ele não vai mudar de idéia. Vai morrer por esse falso messias.

Como da outra vez, Marcella foi obrigada a colocar um lenço perfumado sobre o nariz para diminuir o forte odor de fezes e urina, feridas supuradas, comida estragada e corpos sem banho que permeava o calabouço úmido, frio e parcamente iluminado.

Um par de guardas a escoltou através da superlotada galeria de pedra que ela visitara antes, mas dessa vez levou-a a um corredor afastado com uma única cela na extremidade direita. Uma tocha solitária e esfumaçada bruxuleava fora da cela gradeada por barras de ferro, banhando-a com uma luminosidade acinzentada.

Na entrada do corredor, ela deu a entender que desejava visitar os prisioneiros sozinha. Ordenados a obedecer aos desejos da mulher do governador, os guardas fizeram uma mesura e se retiraram.

Marcella parou a alguns passos do portão da cela, fora da visão dos dois ocupantes, mas perto o suficiente para ouvir sua conversa. Ela reconheceu de imediato a voz incisiva de Dimas bar-Dimas entoando o que parecia ser uma prece. Quando Marcus Antonius respondeu "Amém", ela teve a intenção de gritar o nome dele, mas algo a fez parar, protegida pelas sombras, ouvindo o que Dimas dizia.

— Houve dois outros que foram crucificados junto de Jesus, zelotes a quem os romanos chamavam ladrões, porque queriam retomar sua Terra Santa de Roma. Um dos ladrões era Gestas; o outro era Dimas.

— Dimas... — Marcus repetiu, o tom indicando que ele já tinha ouvido falar da história do Bom Ladrão. — Seu pai.

— Sim. Quando chegaram a um lugar denominado Gólgota, os soldados crucificaram Jesus e os dois ladrões, um à sua direita e outro à sua esquerda. Jesus gritou: "Pai, perdoai-os, pois não sabem o que fazem".

— É verdade? — Marcus perguntou. — Jesus pediu que fossem perdoados os soldados que o crucificaram?

— Sim. Com meus próprios ouvidos ouvi Jesus implorar a seu Pai que perdoasse os que o tinham pregado na cruz.

— Quando a nossa vez chegar, devemos fazer a mesma coisa?

— Sim. E não apenas com os soldados, mas também com quem deu a ordem que eles executam.

— Eu posso perdoar os soldados, pois já fui um uma vez, e tenho muitos amigos entre eles. Mas não acho que possa perdoar Rufinus Tacitus.

— Mas você deve — Dimas insistiu —, pois é apenas com o perdão em seu coração que você pode entrar no Paraíso. Fazendo assim, embora nosso corpo morra, não morremos em espírito.

— Não! — Marcella gritou, saindo das sombras para a claridade. Pelas barras de ferro, ela viu os dois homens sentados num canto no fundo da cela.

— Minha senhora! — Marcus exclamou, nervoso, levantando-se rapidamente e indo até ela. — Não tinha idéia de que a senhora estava aqui.

— Não ouça o que ele diz, Marcus — ela implorou.

— Por que não? Ele é meu amigo. Ele não se ofereceu para morrer em meu lugar?

— Mas ele não vai morrer *por* você; ele vai morrer *com* você — Marcella falou, a voz emocionada. — E ele recebe a morte de braços abertos. Por suas próprias palavras, ele recebe.

— Eu não recebo a morte de braços abertos — Dimas falou de onde estava, no fundo da cela. — Mas também não a temo, pois por intermédio de Jesus, meu Senhor, eu venci a morte.

— Você fala as palavras de um homem enlouquecido — disse Marcella. — Marcus, por favor, negue esse deus cristão. Faça isso e você será salvo.

Marcus balançou a cabeça vagarosamente. — Sinto muito, minha senhora. Não posso fazer isso.

— Oh, o que existe entre você e seu Jesus? Que tipo de deus gostaria que você morresse por ele?

— Aquele que morreu por nós — Dimas respondeu. — Ele morreu por nós todos.

— Não! — Marcella gritou. — Ele não morreu por mim. Não quero que ninguém morra por mim.

E virando-se, ela correu de volta pelo corredor.

MARCELLA NÃO CONSEGUIA ficar longe dali por muito tempo. Já no dia seguinte a mulher do governador de Éfeso retornou à prisão, dessa vez levando uma cesta de frutas.

— Minha senhora, a senhora voltou — Marcus disse, encantado de vê-la. — Temi nunca mais vê-la de novo.

— Sim, eu voltei. — Marcella ergueu a cesta de frutas até as barras de ferro. — Trouxe umas frutas.

— Figos! — Marcus exclamou, quando ela levantou o guardanapo que cobria a cesta. — Uns doze ou mais! Que belo presente, minha senhora.

— É um presente que temos de dividir com os outros — Dimas falou, indo para o portão da cela.

— Sim — Marcus concordou, embora sua expressão revelasse certo desapontamento. — Sim, claro, você está certo. — Ele pegou um único figo da cesta. — Vamos dividir este. Por favor, distribua os outros para o resto dos prisioneiros.

— Mas eu trouxe para você — Marcella falou. — Você precisa manter sua força. Dividam entre vocês, não há o suficiente para os homens do outro corredor, muito menos da prisão inteira.

Ela estava pronta para continuar protestando, mas ficou em silêncio quando a mão de Dimas atravessou as barras e se deteve sobre a cesta. Fechando os olhos, ele fez uma oração silenciosa. Depois olhou diretamente para Marcella. Sob o poder de seus penetrantes olhos verdes, ela sentiu o fôlego esvair-se. Suas pernas fraquejaram, e ela procurou agarrar as barras de ferro da cela para evitar cair.

— Dê um figo a cada um dos prisioneiros — Dimas disse a ela. — Há fruta suficiente para todos.

— O senhor está enganado — ela disse, a voz titubeante, incerta. — Eu... eu é que enchi a cesta. Sei quantos há aí.

— Dê um a cada prisioneiro — Dimas disse com firmeza.

Marcella tentou argumentar, mas as palavras não saíam de sua garganta, e ela acabou concordando. Embora tivesse certeza de que era um exercício fútil, ela voltou pela galeria até o outro corredor.

À frente de cada cela ela estendia a cesta. Os prisioneiros, uns cinco ou seis amontoados em cada uma, corriam até as barras de ferro, estendendo braços emaciados e dedos em forma de garra. Quase todos tinham cicatrizes de tortura, e muitos estavam nus, mas nenhum tinha vergonha, pois já não tinham consciência da própria humanidade ou da dos outros. E enquanto a maioria parecia desligada da realidade, ela viu nos olhos de todos a mesma gratidão e admiração quando dava a cada pobre alma um figo.

Ela percorreu a prisão quase sem pensar, estendendo os figos a um homem depois do outro, até que o último dos quase cinqüenta prisioneiros tinha sido servido. Finalmente, ela chegou até os guardas e, olhando a cesta, descobriu que havia ainda alguns figos. Só depois que ela serviu o último soldado a cesta finalmente ficou vazia.

Marcella retornou à cela de Marcus com os olhos maravilhados. — Como isso foi possível? — ela perguntou.

— Por meio de Deus todas as coisas são possíveis — Dimas falou. — Obrigado por sua bondade.

— Minha senhora vai voltar novamente? — Marcus perguntou.

— Sim, eu... — Marcella começou a dizer, mas depois balançou a cabeça. — Não, não posso. A sentença vai ser executada em uma semana. Não quero ver você morrer.

— Volte amanhã — Dimas falou para ela. — E traga material para que eu possa escrever.

— O senhor não me ouviu? — Marcella disse. — Vocês serão executados esta semana.

— Isso é impossível — Dimas retrucou, sem se deixar perturbar pela declaração dela. — Preciso de tempo para cumprir a tarefa que Paulo me deu quando deixou Éfeso, e isso requer mais de uma semana. A senhora encontrará um meio de adiar a execução.

— Adiar? Eu quero evitar. E *posso* evitar, se vocês simplesmente renunciarem a Jesus.

— Você viu com seus próprios olhos — Dimas falou, baixando o olhar para a cesta, agora vazia de frutas. — A senhora pode negar a verdade do que acabou de testemunhar?

— Não, eu... eu não posso — ela disse. — Mas não é a mesma coisa que...

— Então a senhora pode entender por que não podemos renunciar ao nosso Senhor — Dimas falou, a voz cada vez mais suave enquanto ele continuava: — A senhora vai encontrar um modo de adiar a execução. Ele me disse que a senhora encontrará.

— Você vai executar a sentença no meio da semana? — Marcella perguntou ao marido no café da manhã do dia seguinte.

— Você sabe que eu vou — Rufinus Tacitus respondeu enquanto espetava um pedaço de queijo com a faca.

— Se você fizer isso, acho que estará cometendo um erro.

Rufinus deu um suspiro. — Já falamos sobre isso, Marcella. Eu não posso poupar o seu amigo de infância.

— Não é isso o que eu quero dizer — ela falou, com tom calmo, quase corriqueiro. — Confesso, desisti de Marcus. Se seu novo deus é tão importante a ponto de ele voltar as costas para mim e para Roma, então lavo as mãos.

— É? — Rufinus disse, levantando uma sobrancelha. Ele espalhou um pouco de compota de tâmara no pão. — Devo dizer que isso me surpreende. Pensei que você queria que ele fosse poupado.

— Bem, eu queria. Mas não quero mais.

— Então por que não executar a sentença no meio da semana?

— Você sabia que os cristãos de Éfeso organizaram uma celebração para o dia da Páscoa?

— Páscoa? Mas cristãos e judeus estão em conflito.

— Sim, mas os cristãos acreditam que Jesus ressuscitou durante a semana de Páscoa, então organizaram uma celebração própria para marcar a ocasião.

— Interessante — Rufinus disse. Contudo, ele parecia muito mais interessado no cacho de uvas que fazia menção de pegar.

— Haverá grandes aglomerações e celebrações religiosas no dia da Páscoa — Marcella falou. — É por isso que você deveria adiar a execução. — Vendo que seu marido parecia confuso, ela continuou. — Pense nisso, Rufinus. Que maior demonstração de seu poder sobre esse falso deus do que escolher o próprio dia de sua suposta ressurreição para crucificar esse homem santo, Dimas, e seu convertido, Marcus?

Rufinus balançou a cabeça. — Marcus Antonius é um cidadão romano. Pela lei eu não posso crucificar um romano.

— Marcus não renunciou à sua cidadania? Você está livre para cuidar dele como quiser.

— Eu não entendo. Uma hora você quer que eu poupe Marcus. Agora você quer que eu o crucifique.

— Foi a escolha dele — Marcella disse com desdém. — Ofereci a ele o caminho da liberdade, e ele escolheu a morte. Da mesma forma, humilhou a mulher de um governador de Roma. — Ela fez uma pausa, e depois continuou. — Não, ele teve a sua chance. Agora você deve usá-lo para impor seu poder sobre esses... esses fanáticos. Que ato melhor para convencer meu pai a interceder em seu favor para uma designação para Roma?

Rufinus coçou o queixo. — Talvez seja mesmo uma boa idéia. — E levantou-se da mesa, ainda segurando um cacho de uvas. — Tudo bem — ele declarou. — Vou mandar Legatus Casco adiar as execuções. — E riu.

— Não vai ser glorioso olhar no rosto desses cristãos enquanto seu homem santo é crucificado no dia de sua celebração?

Quando Rufinus saiu do quarto para chamar Legatus Casco, Marcella sentiu um desespero terrível. Ela tinha feito a parte dela para dar a Dimas e a Marcus mais algum tempo, mas com qual finalidade? Execução em algumas semanas ou em alguns dias? Embora estivesse convencida de que nenhum dos dois homens jamais renunciaria àquele a que chamavam Jesus Cristo, no fundo do coração ainda sentia um fiapo de esperança. Certamente eles não mereciam esse tipo de morte horrível. Certamente perceberiam que poderiam renunciar a esse Jesus e proclamar o que Rufinus exigisse, a tempo para escapar àquele destino.

Mas agora ela temia que suas ações tivessem servido apenas para endurecer o coração de seu marido, e nada que Marcus ou Dimas dissessem ou fizessem evitaria que ele consumasse a crucificação. Será que ela tinha adiado o destino ou apenas tornado as coisas piores, transformando a execução deles num espetáculo público?

Ela balançou a cabeça, afastando as terríveis imagens que a inundavam. Ela encontraria um modo, prometeu a si mesma. Ela ia dar a eles não apenas tempo, mas suas vidas.

CAPÍTULO 22

MARCELLA NÃO SABIA se tinha sido uma visão ou um sonho o que a fez sair do quarto de dormir. Ela estava sentada sozinha, olhos fechados em meditação, quando sentiu a cadeira mover-se, transportando-a pelos campos nos arredores de Éfeso até as margens de um riacho que corria para o mar, ali perto. Um pequeno grupo estava na água, seus olhos e braços dando-lhe as boas-vindas enquanto ela flutuava em direção a eles.

Ela não estava mais na cadeira, mas recebendo um reconfortante abraço, as águas se elevando em volta dela enquanto eles sussurravam um nome secreto, que ela não podia ouvir ou pronunciar, mas sentia ressoar profundamente dentro de si. Quando mergulhou no riacho, ela inspirou a água geradora de vida e rezou para aquele sem nome, aquele que eles chamavam...

Marcella esfregou e depois abriu os olhos, suas mãos agarraram os braços da cadeira. Ela tentou respirar fundo enquanto olhava o quarto de dormir, certificando-se de que tinha realmente voltado ao palácio. Unindo as mãos, ela fez uma prece silenciosa de agradecimento.

Ao ouvir o barulho de passos, Marcella afastou as mãos e olhou para a porta, sentindo um rubor de desconforto de que alguém percebesse que ela havia rezado. Era uma reação boba, ela sabia. Ela só estava pensando naquele sonho estranho, disse a si mesma. E mesmo se suspeitassem que ela rezava, pensariam que era para os deuses romanos, não para o Deus que não saía de seu pensamento desde a última visita à prisão.

Quando viu a criada, Tamara, ela relaxou os ombros e sorriu. — O que é? — perguntou, fazendo um gesto para a moça aproximar-se.

— É verdade o que estão dizendo, minha senhora, que Marcus e Dimas serão executados no dia em que Nosso Senhor ressuscitou dos mortos?

— *Nosso* Senhor? — Marcella retrucou. — Tamara, você se tornou uma crente? Uma cristã?

A criada baixou o olhar e disse, baixinho: — Sim.

— Você me surpreende. Como você pode aceitar a religião que é a causa da crucificação de Marcus?

— Eu... eu acabei acreditando — Tamara disse, acrescentando com ousadia: — E por que a senhora não acredita? A senhora não me falou, com seus próprios lábios, sobre o milagre da cesta de figos?

Marcella balançou a cabeça. — Eu estava perturbada, confusa. Tenho certeza de que contei errado. Não houve nenhum milagre.

— Senhora, eu a ajudei a encher a cesta de figos. Não havia o suficiente para todos os prisioneiros.

— Sinto muito, mas é que não posso aceitar tão facilmente quanto você. Mas respondendo a sua pergunta, sim, a execução está agora marcada para o dia em que Jesus supostamente ressuscitou dos mortos.

— Não "supostamente". Ele *ressuscitou*.

— Como você sabe?

— Contaram-me, e eu acredito — Tamara disse, como se aquilo fosse explicação suficiente. — É uma coisa particularmente cruel de agüentar, ser crucificado nesse dia.

— Eu sei — Marcella suspirou. — Foi por isso que escolhi esse dia.

— A *senhora* escolheu? — Os olhos de Tamara encheram-se de lágrimas.

— Tamara, eles iam morrer amanhã — Marcella disse, vendo a decepção nos olhos de sua criada. — Tive de conseguir o adiamento. Na verdade, Dimas me pediu que conseguisse um pouco de tempo, e essa foi a única maneira que encontrei para convencer meu marido a retardar os planos dele. Sabia que tinha de ser alguma coisa a que ele não resistiria.

— Sim, claro, senhora. Sinto muito se duvidei da senhora.

— Tamara, soube que os crentes não estão mais se reunindo no Gymnasium Tyrannus.

— Quando Dimas foi preso, eles mudaram de local.

— Você sabe onde estão se reunindo agora?

— Sim, senhora Marcella, eu sei.

— Você me levaria lá?

Tamara hesitou.

— Esta noite? — Marcella acrescentou. — Tamara, se eu vou ajudar você e Marcus, você precisa acreditar em mim.

— Vou levar a senhora — Tamara concordou.

O LUGAR DE REUNIÃO FICAVA nos arredores de Éfeso, numa casa sem janelas para a rua. A entrada era nos fundos, por uma porta com meias colunas e um frontão triangular no alto. Um corredor estreito levava ao átrio coberto por um teto que se inclinava em direção ao interior nos quatro lados. Uma abertura no centro, chamada de *compluvium*, permitia que a água da chuva corresse para uma piscina azulejada, ou *impluvium*, da qual o excesso de água era drenado para uma cisterna abaixo. Em volta do átrio ficavam os quartos, e no fundo, uma ampla sala de estar.

Era nessa sala que os serviços da igreja eram realizados. Cerca de duas dúzias de homens e mulheres estavam presentes, falando baixo, reunidos em torno de uma banheira de mármore no chão de pedra.

Quando Marcella e Tamara entraram, uma das mulheres as viu e quase engasgou quando a reconheceu. — Você é a mulher do governador Tacitus.

— A mulher do governador? — um homem perguntou, alarmado.

— Ela veio para nos fazer mal? — um outro homem disse, dirigindo-se às duas mulheres.

— Esperem, por favor! — Marcella falou. — Não desejo nenhum mal.

— Ela é minha patroa — Tamara disse rapidamente. — Eu respondo por ela.

— Está tudo bem — uma voz falou, e Marcella voltou-se quando um jovem se aproximou. — Se nossa irmã Tamara responde pela senhora, então a senhora é bem-vinda entre nós.

Era o mesmo homem que as saudara quando foram ver Dimas no Gymnasium Tyrannus. Tinha talvez 30 anos, uma barba marrom muito fechada e olhos castanho-claros que não conseguiram abrandar o que parecia um sorriso forçado.

— Eu sou Gaius, e estarei dirigindo os trabalhos na ausência de Dimas.

Após todos se ajeitarem nas cadeiras em volta da banheira, Gaius começou relembrando o batismo de Jesus. — Conta-se que Jesus veio da Galiléia para o rio Jordão, e que pediu a João que o batizasse: "Senhor, por que vens a mim para ser batizado? Eu é que deveria ser batizado pelo senhor".

Enquanto falava, Gaius foi até a banheira, ajoelhou-se e colocou a mão na água.

— Mas Jesus respondeu: "Que seja assim por agora. Devemos fazer todas as coisas que são a vontade de Deus". E então João batizou Jesus, e quando Jesus se levantou de uma vez da água, o céu se abriu, e o espírito de Deus veio até ele como uma pomba. E uma voz do Céu disse: "Este é o meu Filho amado, com quem me comprazo".

Houve um ligeiro suspiro entre os reunidos, como se estivessem maravilhados com o fato de Deus ter falado e chamado Jesus de seu filho.

— E agora — Gaius disse levantando a mão e deixando a água escapar por entre os dedos — convido cada um dos aqui presentes que ainda não o fizeram a dar sua alma ao Senhor, serem batizados em nome de Jesus Cristo e aprovados por Ele para sempre.

Como se tomada por um poder externo, um poder acima da sua compreensão, Marcella sentiu que se aproximava da banheira. Era como se ela flutuasse e não se movesse por vontade própria. Quando Gaius e os outros se dirigiram para ela de braços abertos, ela viu-se entrando nas águas rasas de um riacho, não numa banheira ritual. Mãos gentis a guiaram pela água em movimento. Ela não sentiu a umidade, apenas um abraço afetuoso. Gaius colocou um braço em suas costas e o outro sobre sua cabeça. Sua voz abafada soou como música quando ele mergulhou a cabeça dela na água, e depois levantou-a novamente.

— Marcella, eu a batizo no reino do Senhor, em nome de Jesus Cristo.

Ela sentiu um estranho e profundo estremecimento no peito, e então começou a chorar, baixo a princípio, depois soluçando alto, quando Gaius e seus companheiros crentes a tomaram nos braços e a tiraram da água.

MARCELLA PASSOU A hora seguinte entre simpatizantes numa sala anexa. Ela usava um roupão branco que lhe fôra dado para usar enquanto suas roupas secavam. Ela tinha recuperado a calma e se sentia estranhamente em paz, embora ainda incerta sobre o que tinha vivenciado.

— É verdade que você viu Dimas na prisão? — uma das mulheres lhe perguntou.

— Sim — Marcella respondeu. Estranhamente, até aquele momento ela tinha esquecido por que tinha ido naquela noite. — Sim, falei com ele muitas vezes, e com Marcus Antonius.

— Como eles estão passando?

Ela balançou a cabeça. — É um lugar ruim... muito ruim para qualquer um estar. Mas eles fazem o melhor que podem. Pelo menos compartilham uma cela e podem conversar livremente.

— Fale-nos sobre a cesta de figos — Gaius pediu.

— Os figos? Vocês sabem?

Tamara, sentada perto dela, disse um pouco nervosamente: — Eu contei, senhora.

Marcella colocou sua mão sobre a de Tamara. — Nós duas somos batizadas agora, não somos? — ela perguntou. — Aqui não sou sua patroa; sou sua irmã.

— Sim... Marcella — Tamara retrucou com um sorriso.

Marcella olhou para os outros. — Estou feliz de minha irmã ter contado sobre os figos e a cesta. É verdade. Vi com estes olhos.

— Gostaríamos de ouvir a história dos seus lábios — Gaius insistiu.

Entre suspiros e exclamações de admiração, Marcella contou como uma cesta contendo apenas alguns figos forneceu frutas suficientes para todos os prisioneiros e todos os guardas. Concluindo a história, ela descreveu como Dimas tinha começado a trabalhar numa encomenda dada a ele pelo apóstolo Paulo.

— Eles deveriam ser executados amanhã — ela explicou. — Mas Dimas me pediu que lhe conseguisse mais tempo, a fim de completar seu trabalho.

— E você conseguiu? — Gaius perguntou.

— Sim. Mas é apenas um adiamento. Convenci meu marido a marcar a execução para o mesmo dia da celebração da ressurreição de Jesus. Eu o convenci de que uma execução nesse dia iria desanimar vocês.

Um homem suspirou. — Sim, uma execução nesse dia vai sem dúvida nos desanimar.

— Como você pôde fazer uma coisa dessas? — uma mulher perguntou, com o rosto corado de raiva. — Como sugerir que ele crucifique Dimas e Marcus no mesmo dia em que nos dedicamos à glória do triunfo de Nosso Senhor sobre a morte?

— Sinto muito — Marcella falou. — Foi a única maneira que encontrei para persuadir meu marido a conceder a Dimas o tempo extra de que ele precisa.

A mulher começou a objetar, mas Gaius levantou a mão. — Não devemos culpar nossa irmã por fazer o que ela achou que era certo. E talvez esse seja o plano de Deus. Que dia melhor para atingir a glória do que o mesmo dia em que o próprio Jesus derrotou a morte?

— E da mesma maneira — um outro acrescentou. — Sendo pregado a uma cruz. Que glória!

Marcella olhou para os outros em estado de choque. — Como vocês podem celebrar o fato de que Dimas e Marcus vão morrer?

— Não estamos celebrando a morte deles — Gaius disse —, pois na verdade um dia morreremos. Estamos celebrando sua vida eterna, e o fato de que logo estarão no Paraíso.

— Bem, eu não estou pronta para a morte deles — Marcella retrucou. — Foi por isso que arquitetei um plano.

— Um plano? Qual plano? — Gaius perguntou.

— Um muito simples. Vocês devem me ajudar a convencer Dimas e Marcus a negarem Jesus publicamente.

Houve um suspiro coletivo.

— Eles não precisam dizer a verdade — Marcella acrescentou rapidamente. — Uma vez libertados, eles podem dizer o que quiserem. Mas primeiro devemos convencê-los a viver, e para isso eles precisam apenas falar as palavras que Rufinus quer ouvir. As palavras não precisam ter nenhum cunho de verdade.

Gaius franziu a testa. — Eles não podem fazer isso.

— Claro que podem.

— Não, eles não podem, Marcella. Você acabou de ser batizada em nome de Jesus. Você poderia, honestamente, levantar-se e declarar para todos que Jesus é falso?

— Bem, não, não por minha vontade — Marcella admitiu. — Mas palavras faladas sob a ameaça de morte não têm o peso da verdade, e mais tarde podem ser negadas.

— Nós vivemos todos os dias sob a ameaça da morte — Gaius contrapôs. — E assim, a cada dia precisamos proclamar a verdade, mesmo que nos encontremos na ponta de uma espada e na beira de um abismo.

Eles foram interrompidos por uma voz alta anunciando: "Procuro Gaius de Éfeso. Disseram-me que poderia encontrá-lo aqui".

O grupo se afastou revelando um estranho alto e encapuzado de pé na entrada. Quando ele tirou o capuz, várias pessoas exclamaram em uníssono: "Dimas!".

— Como você fugiu? — Marcella gritou, levantando-se num salto e correndo para o homem, que balançava a cabeça, parecendo confuso com a reação.

Gaius se aproximou, mas parou no meio do caminho, e falou: — Você não é Dimas bar-Dimas.

Marcella examinou o homem mais de perto e também percebeu que ele não era Dimas, embora tivessem uma extraordinária semelhança.

— Eu sou Tibro, irmão de Dimas. — Ele olhou para cada um dos presentes, e seus olhos, tão verdes e perturbadores quanto os do irmão, pousaram finalmente em Marcella.

Quando devolveu aquele olhar penetrante, ela sentiu uma curiosa sensação, não diferente daquela do batismo. Tinha certeza de que ela e aquele homem já haviam se encontrado, talvez num passado distante. Contudo, ela sabia em seu íntimo que isso não tinha acontecido.

— Tibro, sim, claro. Seu irmão fala sempre carinhosamente de você — Gaius disse, e apertou o braço do visitante em saudação. — Sou eu quem você procura.

Tibro desviou o olhar de Marcella, e pareceu um pouco desconcertado quando disse para Gaius: — Meu irmão fala carinhosamente de mim? Isso é um pouco surpreendente, pois nós discordamos em quase tudo.

Gaius deu um largo sorriso. — Ele também nos contou isso.

— Dimas escreveu para mim, em Jerusalém, dizendo que pretendia trocar sua vida pela daquele soldado romano. Tal coisa pode ser verdade?

Gaius concordou solenemente. — Sim, ele de fato tentou fazer isso.

— Tentou? Eu não entendo. Quando cheguei vocês estavam planejando tirá-lo da prisão.

— Ele tentou trocar de lugar com Marcus Antonius, e o governador aceitou a oferta, mas não cumpriu o trato. Agora tanto Dimas quanto o romano estão presos e foram condenados à morte.

A expressão de Tibro endureceu. — Pelo menos o porco romano vai morrer.

— Oh, senhor, como pode ser tão cruel? — Tamara falou, passando pela aglomeração.

Virando-se para ela, Tibro disse: — Você não parece romana.

— Sou eférsia.

— Então por que está tão preocupada com um romano? E ainda por cima um soldado romano?

— Eu o amo — Tamara exclamou.

— Ama? — Tibro zombou. — Os soldados romanos não se casam com mulheres das terras ocupadas. Você não passa de um divertimento.

— Isso não é verdade com Marcus — ela insistiu.

— E por que não? Ele é um soldado romano, não é?

— Ele não é como os outros soldados — Gaius falou. — Ele é um de nós, agora. Ele aceitou Jesus como Senhor.

— Isso só torna tudo pior — Tibro disse. — Um romano que aceitou um falso deus.

— Não acreditamos que Jesus seja falso — Gaius retrucou. — Nem o seu irmão.

— Dimas é um tolo — Tibro murmurou e deu um suspiro. — Mas o tolo é meu irmão mais velho, então, se alguma coisa pode ser feita para salvá-lo, quero que seja feita.

— Falei com ele várias vezes — Marcella disse, aproximando-se de Tibro. — Tentei convencer Dimas e Marcus a renunciarem a Jesus, mesmo que não fosse de verdade. Se eles apenas falassem, acredito que meu marido os libertaria como testemunho de sua misericórdia.

Tibro pareceu confuso. — Seu marido?

Ela se sentiu fraquejar diante do olhar dele. — Eu... eu sou Marcella, mulher de Rufinus Tacitus, governador de Éfeso.

— Oh, pelas barbas do profeta, você não é apenas casada, é casada com o governador? — ele falou, e ela abaixou os olhos. Ele olhou com descrédito para a assembléia. — Vocês são cristãos, vocês são efésios e, contudo, aceitam em seu meio soldados romanos e — ele apontou Marcella com um aceno da mão — até a mulher do governador?

— Somos todos irmãos e irmãs em Cristo — Gaius proclamou.

Tibro voltou-se para Marcella. — Você, uma romana, aceitou Jesus?

— Sim — Marcella respondeu resoluta, devolvendo o olhar.

— Bom, acho que vou ter de me acostumar — ele retrucou, coçando o queixo. — Mas quando entrei ouvi o plano de vocês para salvar meu irmão e posso assegurar que não vai funcionar. Em nenhuma circunstância ele vai renunciar a Jesus. Eu sou judeu, e não aprovo essa religião de vocês, mas sei que Dimas é um homem de grande honra, que prefere morrer a trair sua crença.

— Deve haver uma maneira de convencê-lo — Marcella retrucou.

— Vocês dizem que aceitaram Jesus. Se vocês estivessem no lugar do meu irmão, vocês renunciariam ao seu Deus?

— Não, eu não renunciaria.

— Mesmo que isso significasse sua morte?

— Mesmo assim — Marcella declarou. E quando fitou os olhos de Tibro, ela pensou ter visto um brilho de aprovação. Ela achou aquilo estranho, pois ele não compartilhava sua crença.

— Então vocês não podem esperar que Dimas e esse centurião cristão façam diferente, podem?

— Não, eu não posso — Marcella falou com resignação. — E então está tudo perdido.

— Talvez não. — Tibro voltou-se para Gaius e os outros. — Talvez, com a autorização desta gentil senhora, vocês me permitam sugerir um plano de ação.

CAPÍTULO 23

Quando Marcella voltou para casa naquela noite, ela estava quase tonta de tantas emoções conflitantes. Tinha acabado de entregar sua alma a Jesus. Mas o que isso significava exatamente? Ela nunca tinha pensado muito acerca de religião, porque nenhum dos muitos deuses e religiões romanos a havia tocado. Depois de sua chegada a Éfeso, ela tinha flertado com a adoração a Diana, mas no fim isso não a satisfez. Por que, então, tinha sido tocada por esses cristãos, a ponto de permitir ser batizada em sua nova fé?

Ela sabia a razão. A permanente força de Dimas e Marcus, a calorosa aceitação de Gaius e dos outros do grupo a convenceram de que essa não era uma pregação falsa, mas o verdadeiro caminho para o único verdadeiro Deus.

Embora estivesse tomada pelas emoções, ela não tinha dúvidas sobre o que havia feito. Ao contrário, ela agora achava que sua conversão ao cristianismo tinha sido a coisa mais significativa e emocionante de sua vida.

E havia também Tibro, e ela não podia nem entender nem explicar o tumulto de sensações que experimentava ao pensar nele. Ela se via repassando mentalmente cada palavra que ele tinha dito na reunião. O que ele queria dizer quando falou que ela não era apenas casada, mas casada com o governador?

Não *apenas* casada.

Era como se ele estivesse desapontado por ela pertencer a outro homem. Por que esse tipo de coisa deveria ter impacto sobre ela?

Mesmo quando fez a pergunta, ela já sabia a resposta: ele tinha reagido a ela do mesmo jeito que ela em relação a ele.

Ela precisava confessar que havia alguma coisa no bar-Dimas mais jovem que a perturbava. Ela sabia que tinha sentido um tipo de atração por seu irmão mais velho, mas era uma atração por suas palavras e por seu espírito. Quase desde o primeiro dia em que encontrou Dimas, ela o considerava um professor, um guia — devoto e inacessível.

Tibro era diferente. Ele transpirava o mesmo espírito determinado, mas de uma forma mais terrena. E quando olhava em seus profundos olhos verdes, não era um preceptor que ela via, mas um homem — um homem que prendia seu olhar com enervante poder e paixão.

Enquanto pensava em Tibro, seu corpo se aqueceu e ela sentiu um formigamento na pele. Ela era uma mulher casada, mas nunca antes experimentara algo parecido.

Quando Marcella entrou na ante-sala do marido, todas aquelas sensações desapareceram instantaneamente. Ela sentiu um calafrio, quase uma repulsa, quando viu Rufinus Tacitus em sua cadeira, estudando o retrato encomendado por ele, que estava quase pronto.

— O que você acha? — ele disse logo que a viu. E apontou ansioso para o quadro. — Esta imagem não é magnífica? Não capta minha verdadeira essência?

Marcella forçou um sorriso enquanto caminhava até o quadro. O artista tinha sido particularmente bondoso. Além de acrescentar a coroa de louros, o manto púrpura e a espada de punho dourado, ele pintou Rufinus muito mais bonito, sem alterar sua aparência atual para preservar a realidade. O retrato de Rufinus tinha sido agraciado com um abdome reto, ombros largos e membros bem proporcionados. Uma saliência fora removida de seu nariz, a desagradável pinta em seu queixo tinha desaparecido e seus olhos, que tinham a tendência de perambular em diferentes direções, estavam fixos e duros.

— Que hábil artista! — Marcella exclamou. E dizia a verdade.

Rufinus continuou a admirar o quadro. — É maravilhoso como um artista tão distante de Roma seja capaz de me retratar com tanta precisão,

— A descrição de suas características é verdadeiramente... — Ela procurou a palavra adequada. — É verdadeiramente inacreditável.

O governador riu como uma criança. — É sim, estou muito satisfeito.

Escolhendo as palavras cuidadosamente, Marcella falou com voz suave: — Marido, a execução ainda está planejada para o dia santo cristão?

A expressão de Rufinus endureceu. — Você não perdeu a esperança, perdeu? Tudo está planejado, tudo como você propôs. Na mesma manhã em que eles celebram a ressurreição desse Jesus, Marcus Antonius e aquele santo cristão serão colocados na cruz. Você não mudou de idéia, mudou?

— Não, estou de pleno acordo — ela mentiu, lutando contra a repulsa que sentia. — Mas Rufinus, eu... eu não quero estar aqui.

— O quê?

— Quando você crucificar Marcus, eu não quero estar aqui.

— Mas claro que você vai estar aqui. Foi sua idéia, afinal de contas. Ou você estava mentindo quando disse que não se importava mais com o que acontecesse com aquele vira-latas traidor?

Marcella chegou mais perto de sua cadeira. — O que eu disse sobre Marcus não muda o fato de que fomos amigos uma vez. Acho que não suportaria testemunhar...

— Bah. Você está sendo sentimental — Rufinus a repreendeu. Ele apontou um dedo para ela. — Acredite-me, sentimentalismo não tem lugar em pessoas como nós. Você precisa entender, Marcella, que você e eu nascemos na classe governante.

Ajoelhando-se diante do marido, Marcella colocou a mão no joelho dele. — Também estou assustada.

— Assustada, minha querida? — ele falou com muito mais compaixão do que mostrava havia muito tempo. — Com o quê?

— Suponha que a multidão se torne incontrolável. Suponha que aconteça uma rebelião. Se eles se virarem contra nós, podemos ser mortos.

— Não há razão para ter medo — ele disse, tocando a mão dela. — Estaremos protegidos por nossos soldados.

— Eu sei, e tenho certeza de que saberão nos proteger. Contudo, seria uma experiência assustadora. E... há uma outra coisa.

— O quê?

— Meus pais. Eles estão velhos e doentes, e faz muito tempo que não os vejo. Eu me sentiria muito mal se acontecesse alguma coisa antes que eu pudesse vê-los.

— Há sempre essa possibilidade quando se está servindo numa terra estrangeira — Rufinus disse.

— Sim, eu sei disso, meu marido. — Marcella olhou para o retrato, e sorriu. — Tenho uma idéia. — Levantando-se, aproximou-se do retrato. — Você mandou fazer isto como um presente para meu pai. Que tal eu mesma levar para ele e, ao lhe entregar, dizer como seria muito melhor se voltássemos para Roma? O pedido de uma carta ele pode recusar. Mas um pedido de sua própria filha?

Rufinus concordou, gentilmente no início, depois com crescente convicção. — Sim, isto pode ser o que vai convencê-lo. Certo, Marcella, você terá seu desejo satisfeito. Mandarei preparar um barco e você partirá na manhã do festival. Enquanto a crucificação estiver ocorrendo aqui, você estará no mar, retornando para Roma, para entregar meu presente a seu pai, e dar notícias sobre como eu lidei com esses fanáticos religiosos.

— Senhora — Tamara disse, gentilmente tocando Marcella, que dormia estendida na cama.

Ao abrir os olhos, Marcella teve dificuldade para pôr em foco a sombra projetada pela lua na parede, os galhos de uma cerejeira que ficava diante da janela de seu quarto. — Que... que horas são? — perguntou meio sonolenta.

— Já vai amanhecer, senhora. O dia da ressurreição de Nosso Senhor está chegando.

Empurrando as cobertas e colocando os pés no chão, Marcella se levantou e olhou em volta no quarto escuro. — O resto da casa ainda está dormindo?

— Está.

Concordando com a cabeça, Marcella ficou de pé. — Ajude-me a me vestir.

As duas mulheres desceram rapidamente a Via Cuertes, o barulho de suas sandálias abafado pelo pavimento frio. Aqui e ali, via-se o brilho de uma vela através da janela de um madrugador, mas na maior parte dos lugares, a única iluminação era a luz do luar.

Foi uma caminhada de apenas cinco minutos até o edifício de pedra sem nenhum atrativo que abrigava a prisão romana. Marcella puxou a corrente do sino e momentos depois a pesada porta se abriu. O comandante da guarda olhou para elas.

— Senhora — o soldado falou surpreso. — O que a traz aqui a esta hora da madrugada?

— Os prisioneiros vão ser executados hoje, não vão? — Marcella perguntou.

— É verdade.

Marcella apontou para Tamara. — Minha criada foi prometida em casamento ao centurião Marcus Antonius, e eu a trouxe para o último adeus.

— Não sei — o comandante disse, coçando a barba curta e alternando o olhar entre as duas mulheres. — Não parece uma hora muito apropriada para uma coisa dessas.

— Depois vai ser muito tarde, não é?

— Mas a esta hora? Não seria melhor retornar antes de as sentenças serem executadas?

— Isto não é possível, pois minha criada e eu zarparemos para Roma com a maré da manhã. E também não é necessário, pois tenho autorização de acesso irrestrito aos prisioneiros — Marcella relembrou-lhe. — Mas se o senhor quiser que eu vá chamar meu marido e venha com ele... bem, devo advertir que o governador Tacitus fica muito irritado quando é acordado no meio da noite.

— Não, não, claro que não — o comandante falou, afastando-se da entrada para deixá-las passar. — A senhora tem razão. Minhas ordens são para dar-lhe pleno acesso, e não há nada limitando a hora do dia. — Ele pareceu muito contrito ao acrescentar: — Por favor, desculpe meu procedimento imperdoável. Apenas fiquei surpreso com...

— Não há necessidade de desculpar-se — Marcella assegurou-lhe, enquanto entrava no ambiente fracamente iluminado. — O senhor estava apenas cumprindo o seu dever.

O soldado afastou-se com largas passadas. — Vou buscar uma tocha e as levarei até a cela.

— Falarei a meu marido sobre sua gentileza — Marcella disse às costas dele. Quando o comandante retornou, ela pegou a tocha e falou: — O senhor tem sido muito cortês, mas eu conheço bem o caminho. Gostaria que Tamara tivesse uns instantes privados com o noivo.

Momentos depois, Marcella conduzia Tamara através das galerias da prisão. Quando se aproximaram da cela onde estavam Marcus e Dimas, Marcella ergueu a tocha à frente, revelando dois corpos encurvados sobre um colchão de grama que servia como cama no fundo da cela. Ela chamou, baixinho: — Marcus, você está aí?

Um dos prisioneiros agitou-se e depois sentou, tentando exergar a luz fraca junto às barras de ferro do portão.

— Estou aqui, minha senhora — Marcus disse, enquanto se levantava e ia para mais perto da iluminação. Então, reconhecendo a companheira de Marcella, seu rosto iluminou-se de alegria e ele exclamou: — Tamara! — Ele correu para o portão e agarrou as mãos da moça por entre as barras de ferro.

Marcella lhes deu um momento, enquanto olhava nervosamente outra vez o corredor escuro. Então sussurrou: — Vá acordar Dimas. Não há um momento a perder.

CAPÍTULO 24

Rufinus Tacitus estava diante de uma janela aberta, olhando para a multidão crescente reunida no pátio do palácio. — Legatus Casco, como estão os ânimos?

— A maioria veio para se divertir com o espetáculo, governador, mas há alguns que rezam pela libertação de seu homem santo e do centurião cristão.

Rufinus tomou um gole do vinho e continuou a estudar a multidão quando perguntou: — E como nossos soldados se sentem acerca da crucificação de um deles?

— Alguns não gostam, Excelência, porque pensam que é uma violação à lei romana crucificar um cidadão de Roma.

Rufinus voltou-se e olhou com raiva para o grisalho comandante de legião. — Por suas palavras e atos Marcus Antonius renunciou a seus direitos como cidadão romano.

— Mesmo assim, os soldados acham que ele deveria receber uma punição mais rápida.

— Todos os soldados?

— Não, não todos.

— Se a multidão ficar incontrolável, podemos contar com eles para nos proteger? — o governador perguntou, demonstrando alguma preocupação.

— Todos os meus homens são leais. Farão o que o governador mandar.

— Sim, bem, isto era o que pensávamos do centurião Antonius, não era?

— Não há razão para temer, Excelência — Casco assegurou.

Os olhos do governador se estreitaram. — Não sou um homem facilmente amedrontável.

— Não tive a intenção de desrespeitá-lo, Excelência. A coragem de Rufinus Tacitus é muito conhecida de todos.

Satisfeito com a resposta, Rufinus voltou sua atenção para a multidão lá embaixo. Algumas pessoas tinham começado a gritar abertamente pela crucificação, enquanto outras estavam de joelhos, mãos postas, como se rezassem por um milagre. Uns poucos efésios mais empreendedores se moviam pela multidão, vendendo doces, frutas e bebida.

— O pátio é muito pequeno — Rufinus pensou alto, e depois virou-se para Casco. — Faça nossos soldados levarem os espectadores para o anfiteatro. Faremos a crucificação lá. — E sorriu. — Será o melhor dia no teatro que esses ignorantes jamais viram.

— Uma brilhante mudança, Excelência — Casco declarou. — E vai ser mais fácil controlar a multidão lá.

— Ah, e minha mulher! Ela partiu em segurança esta manhã? — ele perguntou, quase como uma lembrança de última hora.

— Sim, Excelência. Acompanharam-na a criada Tamara e dois criados efésios.

Rufinus balançou a cabeça. — Ótimo. Agora mande vir minha cadeira com dossel. Vou entrar no teatro como governador.

Casco fez uma saudação e saiu rapidamente da sala.

RUFINUS FOI CARREGADO pelas ruas de Éfeso, protegido do sol do final da manhã por um leque de penas que um escravo africano segurava sob sua cabeça. A procissão de guardas levou o governador até o anfiteatro a céu aberto. Eles passaram pela prefeitura e os banhos, depois entraram na rua do Mármore junto da Ágora helenística, onde artesãos fabricavam oferendas de ouro e prata para a deusa Ártemis. Finalmente atingiram o grande anfiteatro.

Construído ao lado do monte Pion, o anfiteatro media mais de 150 metros de diâmetro e podia acomodar cerca de 24 mil pessoas. A *cavea*, ou auditório, era dividida em três partes, cada uma contendo 22 fileiras de cadeiras. Doze escadas dividiam a *cavea* em enormes seções em forma de cunha. A área semicircular entre o palco elevado e as cadeiras media 24 metros por 11 metros. O palco tinha 24 metros de largura e 6 metros de profundidade, e estava apoiado em 26 pilares redondos e 10 quadrados.

O teatro estava quase cheio, e a maior parte da multidão desejava avidamente o início do espetáculo. Um número muito menor de pessoas, espalhadas em pequenos grupos, rezava a seu Messias pela salvação dos dois cristãos condenados.

Muitos gritaram para Rufinus quando sua cadeira de dossel adentrou o anfiteatro e foi colocada na parte dianteira do palco. A crucificação ocorreria na área aberta entre o palco e as cadeiras. Como o piso era composto por grandes pedras, as cruzes não poderiam ser fincadas no chão. Em vez disso, seriam colocadas em suportes de madeira. Essas estruturas já tinham sido construídas, e havia duas cruzes no chão junto a elas. Um pequeno contingente de soldados estava ao lado das cruzes, dois deles segurando martelos para pregar os prisioneiros nos braços da cruz, e os outros com cordas e molinetes para erguer as cruzes na posição.

Além dos soldados que tomariam parte na crucificação, havia muitos outros, com peitorais e capacetes reluzentes, formando um semicírculo entre a multidão e o local da execução. Estavam quase ombro a ombro, com o braço esquerdo dobrado nas costas, e a mão direita estendida e segurando uma lança, a ponta erguida na direção da multidão. O efeito era impressionante, embora Rufinus percebesse que havia apenas uns 100 guardas para conter 24 mil pessoas caso a multidão ficasse fora de controle.

Assim que a cadeira de dossel foi colocada no lugar, o governador caminhou até a frente do palco. Ele levantou a mão e a conversa cessou. Quando tudo estava silencioso ele exclamou: — Tragam os condenados! Que o espetáculo comece!

Ouviu-se um murmúrio de excitação enquanto os prisioneiros eram conduzidos pela porta que dava para a frente do palco, logo abaixo de onde estava o governador. Quando Rufinus fitou a multidão, ele ouviu tanto insultos e zombarias quanto expressões de piedade.

— Você, Homem Santo! — alguém gritou. — Você está prestes a ser crucificado. Logo, você também poderá ser um deus! — Sua exclamação foi saudada com gargalhadas.

— Você vai ressuscitar em três dias? — um outro gritou para mais gargalhadas. — Se vai, diga-me, para que eu vá assistir ao show!

— Oh, olhem para eles — uma voz cheia de piedade gritou. — Foram tão espancados que mal podem andar.

E de fato o espectador estava certo. Quando Rufinus olhou para baixo, viu que os dois condenados estavam aparentemente inconscientes enquanto eram arrastados, de rosto no chão, por dois guardas cada um. Marcus Antonius vestia o manto vermelho e o peitoral de seu ofício, e houve um burburinho especial enquanto ele era rebocado pela área aberta até uma das cruzes. Rufinus tinha certeza de que sua decisão de crucificar o centurião fortaleceria seu poder sobre os efésios.

O outro prisioneiro usava uma coroa de espinhos, o sangue da cabeça respingando nas pedras enquanto ele era trazido à luz do sol. Sua aparência provocou um ofegante murmúrio coletivo, seguido de vivas de aprovação ao espetáculo oferecido pelo governador. Rufinus empolgou-se com a adulação, pois a coroa tinha sido idéia sua, com o objetivo de zombar tanto do homem santo condenado quanto do assim chamado Cristo.

Os prisioneiros foram jogados, rostos contra o chão, ao lado das cruzes que logo deveriam ocupar. Os guardas se afastaram quando os que seguravam martelos se adiantaram para cumprir sua tarefa. Ajoelhados ao lado dos prisioneiros, os guardas rolaram o corpo deles sobre as cruzes e posicionaram suas mãos sobre as travessas. Os rostos estavam ensangüentados e irreconhecíveis por causa do espancamento.

— Esperem! — Rufinus gritou, erguendo os braços segundos antes de os guardas pregarem os punhos dos condenados. Ele gesticulou para Legatus Casco, que estava no fosso, junto com seus homens. — Reavivem os prisioneiros! — ordenou ao chefe dos guardas. — Quero que eles também se divirtam com os procedimentos.

Casco sinalizou para alguns dos guardas, que carregavam baldes de água. Adiantando-se, eles despejaram a água sem nenhuma cerimônia no rosto dos prisioneiros. Os dois homens sacudiram a cabeça e falaram convulsivamente quando recobraram a consciência.

Casco começou a fazer sinal para que a crucificação prosseguisse, mas então levantou o braço e aproximou-se das cruzes, observando com atenção primeiro o centurião condenado e em seguida o homem santo com a coroa de espinhos. Olhou um, depois o outro, então virou-se para um dos guardas e gritou: — O que é isto? O que aconteceu aqui?

Intrigado com a crescente confusão, Rufinus desceu as escadas que davam no fosso e foi até Casco. — O que foi? — perguntou, autoritário.

Casco apontou para os dois homens que lutavam para sair das cruzes, mas eram contidos pelos soldados. A água dos baldes tinha lavado a maioria do sangue do rosto deles, e embora estivessem bem feridos, suas feições eram reconhecíveis.

— Estes são dois de meus guardas — Casco falou, mantendo a voz baixa. A multidão podia ver que alguma coisa estava errada, mas não tinha idéia do que era. — Eles estavam de serviço na prisão.

— O quê? — Rufinus falou bruscamente com raiva e frustração. Ele olhou para os prisioneiros e viu que, de fato, não eram nem Marcus Antonius nem Dimas. Rufinus olhou em volta e viu que a multidão se agitava. Contendo sua raiva, sussurrou asperamente: — Como isso aconteceu?

Casco voltou-se para um dos centuriões. — Onde estão os quatro guardas que trouxeram estes prisioneiros?

Houve um frêmito quando o centurião indagou dos outros soldados. Ao retornar, ele anunciou: — Eles sumiram, Legatus.

— Encontre-os! — Casco gritou. — Encontre-os e traga-os até mim!

Por essa hora o anfiteatro zunia de rumores excitados. Alguns poucos pareciam perceber o que tinha acontecido, enquanto outros pensavam que tudo era parte do espetáculo e gritavam: "Crucifique-os! Crucifiquem os prisioneiros!". Enquanto isso, os homens de Casco corriam por entre as cadeiras na tentativa de encontrar os guardas desaparecidos. Os soldados começaram a encontrar partes dos uniformes dos guardas, um capacete ou um peitoral aqui, uma espada ou um cabo ali.

Depois de alguns minutos, o centurião retornou com alguns dos itens, que deixou cair no chão aos pés do governador. — Eles sumiram, Excelência — relatou, e depois dirigiu-se a Legatus Casco. — De algum modo, eles arrombaram a prisão esta manhã; dois outros guardas foram encontrados trancados na cela dos prisioneiros, e estes dois substituíram os condenados. Os agressores trocaram de roupa com os guardas para completar o ardil, depois se misturaram à multidão e retiraram os uniformes.

— Alguém deu uma boa olhada neles? Alguém os reconheceu? — Casco perguntou.

O centurião balançou a cabeça em negativa.

— Encontre-os — o governador ordenou. — Vasculhe cada casa na cidade se for preciso, mas eu quero que sejam descobertos e trazidos a mim hoje mesmo.

— E estes dois? — Casco apontou os guardas que ainda estavam nas cruzes.

Rufinus fechou a cara para Casco, depois para os guardas muito feridos. Ele olhou para a multidão, que estava ficando cada vez mais inquieta e continuava a gritar: "Crucifique-os! Crucifique-os!".

— Dê-lhes essa maldita crucificação! — ele praguejou com raiva e intensidade, espalhando cuspe.

Legatus Casco olhou para seu governador com momentânea perplexidade, depois bateu no peito com o punho e virou-se para seus soldados, dando-lhes a ordem de prosseguir.

Quando o governador subiu as escadas e retornou à sua cadeira de dossel, ouviu o bater dos martelos e os alegres vivas da multidão, que afinal via a prometida crucificação. Ou eles não sabiam ou não se importavam que não era o centurião nem o homem santo, mas um par de infelizes guardas romanos, que eles condenavam à morte.

Rufinus só podia desejar que, com o tempo, se espalhasse a história de que Marcus Antonius e Dimas bar-Dimas tivessem realmente sido crucificados, e sua reputação cresceria junto com a lenda. Ou simplesmente poderia se transformar em alvo de chacota por ter sido ludibriado por um rufião e um bando de cristãos dessa atrasada província. Se esse fosse seu destino, será que algum dia ele ainda retornaria a Roma?, ele se perguntava.

Ele deu as costas para o espetáculo quando as cruzes foram erguidas do chão e colocadas em posição. Acenando para um dos seus ajudantes, ordenou: — Levem-me de volta para o palácio.

Recostado na cadeira de dossel, Rufinus Tacitus fechou os olhos e imaginou-se em algum lugar, em qualquer lugar, mas não em Éfeso.

CAPÍTULO 25

Tibro bar-Dimas, agora totalmente livre do uniforme de soldado, estava fora do anfiteatro, observando a multidão se dispersar. Havia um ar de grande perplexidade, com todos falando sobre o que tinham testemunhado. Alguns gritavam vivas a Deus pelo fato de Dimas e Marcus terem sido poupados; outros insistiam, também aos gritos, que os dois cristãos condenados tinham encontrado seu destino na cruz.

— Vamos, Tibro — Gaius chamou, agarrando seu braço. — Precisamos sair antes que os soldados apareçam.

— Eu não sou conhecido em Éfeso — Tibro retrucou. — Ninguém pode dizer que eu era um dos guardas.

— Mas você se parece tanto com seu irmão que alguém pode tomar você por ele.

— É, talvez você tenha razão.

— Vamos. Vou mostrar a você a estrada para Jerusalém. — Gaius afastou Tibro da multidão em direção a uma viela estreita.

— Vai ser uma viagem longa, e solitária, sem meu irmão.

— Dimas tem outros trabalhos a fazer pelo Senhor — Gaius disse.

— Para Jesus? Como ele pode, como todos vocês podem ser tão cegos? — Tibro falou, com frustração. — Foi toda aquela falsa pregação sobre esse Jesus que quase o levou à morte.

— E ser um zelote em Jerusalém é mais seguro? — Gaius falou com um meio sorriso. — Talvez devamos nos concentrar não em teologia, mas em tirar você daqui em segurança.

Gaius era nativo de Éfeso e conhecia muito bem a cidade de quase 300 mil habitantes. Ele tomou pequenas ruas e vielas afastadas, pelas quais os soldados raramente passavam, e os dois deixaram o centro da cidade.

Seguindo-o, Tibro relembrou os momentos finais com seu irmão, antes de Dimas e Marcus serem retirados da prisão por seus companheiros cristãos, e de Tibro, Gaius e dois outros assumirem o lugar dos guardas.

— Arrisquei minha vida por você, não por seu falso profeta Jesus — Tibro disse a seu irmão quando tiveram um breve momento juntos na cela. — Agora quero que você volte a Jerusalém comigo. Nossos pais estão mortos; sobramos somente nós dois.

Eles se abraçaram, mas Dimas se afastou de Tibro e disse: — Sinto muito, mas já dei minha vida ao Senhor e devo ir aonde Ele me conduzir.

— Se eu soubesse que você ia ser tão tolo diante dessa segunda chance, nem teria vindo a Éfeso.

— Sinto muito, mas devo fazer o que devo fazer.

Tibro respondeu com uma imprecação, e estremeceu ao se lembrar de sua raiva. Ele teria ido independentemente das conseqüências ou do que Dimas fizesse depois. Ele tinha sido impulsionado pelo amor a seu irmão, e também por uma sensação de culpa por não ter podido salvar seu pai. Ele estava determinado a evitar que o mesmo destino se abatesse sobre o irmão.

Os romanos são os inimigos, Tibro se lembrou, *não esses cristãos, não importa o quão equivocados eles estejam.*

Embora Tibro alegasse que estava com raiva do irmão, na realidade ele respeitava Dimas por manter seus princípios. Dimas considerava-se preso a deveres mais elevados, e nem laços familiares fariam com que ele abandonasse o homem que chamava seu Senhor. Não teria sido diferente para Tibro ou seu pai, pois os dois tinham jurado lealdade à causa dos zelotes de libertar a Terra Santa do flagelo de Roma.

Mas e aquela mulher, Marcella?, Tibro perguntou-se. Ela não só era romana mas também mulher do governador. Será que suas convicções religiosas eram tão poderosas quanto as de seu irmão? Era isso o que lhe dava tanta força para desafiar sua própria gente e unir-se a um bando tão esfarrapado?

Se Tibro não tivesse conhecido Marcella, nunca acreditaria que uma mulher romana pudesse ter uma crença tão forte. E ainda mais: correndo um grande risco, ela concordara em ajudar Tibro. Na verdade, não haveria nenhuma esperança de sucesso sem o envolvimento dela na missão de resgate, pois ela tinha facilitado a entrada deles na prisão.

E por que ele tinha confiado tão depressa nela?, Tibro se perguntava. Se ela tivesse hesitado, perdido o controle e contado a seu marido sobre o que estavam planejando, muitas vidas teriam sido perdidas. Mas ele soubera, desde o primeiro momento em que a vira, que ela era digna de confiança. Ele tinha visto a verdade nos olhos dela... e alguma coisa mais poderosa e misteriosa. Tinha havido uma inegável atração — não, uma conexão — entre eles. Se ela não fosse a mulher do governador, e ainda mais uma cristã, e se não estivesse navegando naquele momento em direção à desprezível Roma, ele se permitiria imaginar o que nunca poderia acontecer entre eles.

— Lá está Epafras — Gaius falou, interrompendo os devaneios de Tibro. Gaius apontou para um homem mais velho sentado num marco de pedra numa encruzilhada um pouco à frente.

Ao ver Gaius e Tibro, Epafras acenou e foi em direção a eles. Ele carregava um grande embrulho debaixo de cada braço.

— Este é Epafras, meu irmão em Cristo — Gaius falou como forma de apresentação. — E este é Tibro bar-Dimas.

Epafras fez uma mesura para o homem mais jovem. — Por sua ajuda a Dimas e à nossa causa, eu agradeço.

Tibro balançou a mão com impaciência. — Eu não sirvo a nenhuma causa, a não ser nossa repulsa conjunta a Roma.

— Contudo, você nos ajudou a libertar nosso irmão Dimas — Gaius disse. — Por isso você tem nossas orações e nossos agradecimentos.

— Vocês podem chamar Dimas de irmão, mas ele é meu irmão de sangue, e foi por essa única razão que eu vim ajudar.

— Não é só o sangue que torna os homens irmãos — Gaius disse com um sorriso condescendente. — Todos os que foram batizados em nome de Jesus Cristo são uma família. Portanto, Dimas é um irmão para nós tanto quanto para você.

Tibro começou a objetar, mas depois pensou melhor. — Suponho que eu tenha menos motivos para me preocupar, pois Dimas está entre irmãos.

— Não tema — Gaius retrucou. — Vou tomar conta dele.

— De Éfeso, com Dimas em Roma? — Tibro disse duvidando.

— Não, ao lado dele, pois também vou para lá, para Roma. — Ele apontou a estrada que ia para oeste a partir da encruzilhada. — E ali é a estrada para Jerusalém. — Ele indicou a estrada que ia para leste.

— Quando você vir Dimas em Roma... — Tibro começou, e depois lutou para encontrar palavras que exprimissem o que ele sentia.

— Vou tomar conta dele sempre — Gaius prometeu. — E farei com que ele dê notícias a você em Jerusalém.

— Ficarei em dívida.

— Como estamos com você.

Epafras estendeu um dos embrulhos que carregava. — Como a viagem é longa, nossos irmãos e irmãs em Cristo prepararam queijo, azeitonas, figos e nozes. Leve esta bolsa com você: coma e aprecie. — Ele entregou um embrulho a Tibro e depois entregou o segundo a Gaius.

Enfiando o embrulho debaixo do braço esquerdo, Tibro apertou a mão de Epafras agradecendo. Gaius colocou a mão sobre as dele, e ficaram um momento unidos como irmãos.

— Espero que você permita que eu faça uma prece pela sua segurança — Gaius falou — e pela segurança de Dimas e dos que estão viajando com ele.

Tibro quis protestar, dizendo que não necessitava de uma prece em nome de alguém que ele considerava um falso profeta. Mas Tibro tinha visto a qualidade daqueles dois homens e os considerou dignos, embora equivocados. Não querendo ferir seus sentimentos, ele concordou e disse: — Sim, uma prece.

"Pai Nosso que estais no Céu, guiai este homem em sua longa viagem para casa. Dai-lhe olhos aos pés para que não tropecem numa pedra e se firam. Enchei sua boca de alimento e música, até que ele esteja seguro em seu destino. Olhai também por nossos irmãos Dimas e Marcus Antonius, e nossas irmãs Marcella e Tamara. Dai a seu barco bons ventos e mar calmo, para que a viagem até Roma transcorra sem perigos. Estas coisas nós vos pedimos em nome de Seu filho, Nosso Senhor, Jesus Cristo. Amém."

Mentalmente eliminando a referência a Jesus, Tibro acrescentou seu "amém" ao que também era uma prece adequada a um judeu. Então se despediu dos homens e tomou a estrada.

Enquanto seguia pela estrada da direita, ele olhou para trás algumas vezes até não conseguir mais distinguir Gaius e Epafras na encruzilhada. Então Tibro voltou seu olhar para as águas azuis lá na distância. Ele não podia ver o barco, mas sabia que ele estava lá em algum lugar, as velas enfunadas pela brisa da tarde, singrando as águas em direção a Roma. Imaginou seu irmão de pé na proa, e perto dele a mulher, Marcella. E pensou se ela também estava pensando nele naquele momento, e se ainda a veria.

A QUILÔMETROS DE DISTÂNCIA, um pequeno barco velejava rapidamente em direção à costa da Grécia, levando a mulher do governador Rufinus Tacitus para Roma. Os três outros passageiros eram meros criados, pelo menos até onde a tripulação do barco sabia.

Dimas bar-Dimas teve dificuldade para desempenhar o papel de criado. Embora se considerasse um servo de Jesus Cristo, ele não sabia como ter a mesma humildade com um simples mortal, mesmo alguém tão proeminente como Marcella. Então tentava passar despercebido, ficando sozinho junto da amurada, olhando para o horizonte.

Marcella foi até ele, interrompendo suas meditações. — Olhe para eles — ela sussurrou, indicando a popa, onde Marcus Antonius e Tamara estavam sentados bem juntos sobre uma pilha de velas de lona. — Fico feliz de ver que conseguimos a liberdade para Marcus. Significa tanto para os dois.

— É sim — Dimas concordou.

— Oh, como fui rude! — Marcella exclamou, colocando a mão sobre a boca. — Claro que sua liberdade significa muito para você também.

— Será? — Dimas respondeu, olhando de volta para o mar.

— Você não dá valor à sua liberdade e às coisas que poderá fazer agora?

— Claro que dou — Dimas falou, virando-se para ela. — Por favor, não pense que sou um ingrato. Estou muito agradecido e muito ciente do risco que a senhora correu ao nos resgatar.

— Então por que questiona a sua liberdade?

— Porque fico imaginando se Deus realmente queria que eu fosse para Roma — ele confessou. — Talvez ele quisesse que eu enfrentasse a morte na cruz, a fim de que por meu exemplo o Senhor pudesse inspirar os fiéis de Éfeso.

— Dimas, descanse sua mente. Você fez o que era correto — Marcella falou.

— Como posso ter certeza?

— Você não me falou sobre uma tarefa dada pelo apóstolo Paulo? A encomenda ainda não está terminada, está?

— Ainda não — Dimas admitiu.

— E há tanta coisa por fazer a serviço de Nosso Senhor. Quem, se posso perguntar, está mais bem preparado para O servir do que você, cujo próprio pai acompanhou Nosso Senhor para o Céu? Não, você não foi destinado para uma morte dessas. Não hoje.

— Espero que a senhora tenha razão.

— Eu sei que tenho — ela falou. — Afinal de contas, se não fosse por você, eu não seria agora mais uma das fiéis.

Dimas riu e colocou a mão em seu ombro. — Talvez tenha razão. Talvez Deus esteja falando para mim, neste momento, por seu intermédio.

Marcella devolveu o sorriso, depois se despediu e andou até uma cadeira especial colocada a bordo para ela, de acordo com sua condição.

Sozinho novamente na amurada, Dimas tentou se convencer de que Marcella estava certa. Talvez sua missão ainda não estivesse concluída. Ele pensou no amor que seu irmão tinha demonstrado arriscando sua vida para salvar não apenas Dimas mas também um centurião romano. E fez isso a despeito de não ser um crente.

Dimas rezou por Tibro, não apenas por sua segurança mas para que um dia ele pudesse conhecer o abraço fraterno de Jesus. Rezou também pelos bons cristãos de Éfeso que o ajudaram a escapar. Embora pudesse questionar sua decisão de usar a força contra soldados que apenas cumpriam o dever, ele não questionava os motivos subjacentes que os tinham levado a agir assim. Eles tinham se colocado em grande perigo ao resgatá-lo, e sem dúvida enfrentariam o mais absoluto ódio de Rufinus se ele descobrisse quem eram.

Depois das preces, Dimas preparou uma mesa improvisada e pegou o papiro no qual tinha começado a escrever seu relato da vida de Jesus:

> *Por minha pregação, recebi da mão de meus suplicadores quarenta menos uma chicotadas com a vara. Fui apedrejado até quase a morte e fui atirado na prisão sob condenação de ser crucificado. Viajei pelos mares; estive em perigo por causa de inundações, de ladrões, e até de meu próprio povo, que ainda não recebeu nosso Senhor.*
>
> *Ainda assim, passando por tudo isso, o Senhor meu Deus cuidou de mim, mandou um anjo proteger-me, e me mostrou o caminho.*

Quando Marcella se sentou ali perto, observando Dimas trabalhar, ela podia, em cada gesto, ver o jovem Tibro, e desejou estar na sua presença novamente.

Como era capaz de sentir tal coisa?, ela se repreendeu. Ela não apenas era uma mulher casada; ela era uma cristã. Sem dúvida, esses sentimentos por um homem que não seu marido eram pecado aos olhos de Deus. Mas não fora o mesmo Deus que os tinha feito encontrar-se?

Mesmo confusa e preocupada com a intensidade desses sentimentos, ela sabia que não podia tirar Tibro bar-Dimas da cabeça. E o que era pior, ela não tinha nenhum desejo de fazê-lo.

Ela olhou de novo para as águas na direção de Éfeso, pensando em Tibro, desejando e rezando para que ele estivesse em segurança e pensando nela.

CAPÍTULO 26

Quando o padre Michael Flannery retornou a Jerusalém, não notificou Preston Lewkis imediatamente, nem o resto da equipe de pesquisa. Em vez disso, foi para um pequeno hotel com um pátio com limoeiros e laranjeiras, que exalavam um suave perfume. Ele jantou no pátio e terminou a refeição com um café bem forte, incrementado com creme e açúcar.

Depois do jantar, Flannery se dirigiu à Cidade Velha, para um dos mais sagrados locais da cristandade, a Igreja do Santo Sepulcro, localizada bem dentro do bairro muçulmano. Enquanto andava, sentia sob os pés as pedras milenares, gastas pelos passos de milhões de peregrinos em dois milênios. Ele tinha certeza de que os próprios pés de Jesus haviam pisado aquele caminho, e que Jesus tinha sentido os mesmos odores de queijo, azeitonas, vinagre, madeiras aromáticas e uma pletora de temperos — e até mesmo o odor de urina.

À sua volta, mercadores atraíam os turistas e os peregrinos com velas espalhafatosamente coloridas, água santa do rio Jordão, rosários e frascos com solo da Terra Santa.

A grande igreja estava repleta de devotos, muitos carregando velas com chamas tremeluzentes que produziam fumaça e jogavam cera quente no chão. Flannery passou por entre a multidão que cantava, rezava e se balançava, e depois subiu um íngreme lance de dezenove degraus até uma capela elevada, com lâmpadas douradas e um grande crucifixo bizantino, o lugar da 12ª estação da *via sacra* — Gólgota, o lugar da crucificação. Quando se aproximou do altar de mármore, olhou os ícones em tamanho natural de Cristo na cruz, flanqueado à direita pela Virgem Maria, e à esquerda pelo apóstolo João.

Pondo-se de joelhos sob o altar, Flannery colocou a mão na abertura com borda dourada que marcava o local onde a cruz de Jesus tinha sido erguida. Ele sentiu uma pedra lisa, fria ao toque, o topo do Gólgota.

Quando as orações acabaram, ele desceu e visitou a 13ª estação, a placa de mármore onde o corpo de Jesus foi lavado antes do enterro. A chapa estava coberta com pétalas de rosa e molhada com poças de água. Muitos devotos molhavam seus rosários e cruzes na água e depois banhavam o rosto enquanto rezavam. Uma dupla de guardas de segurança israelenses fazia a ronda, com os rifles presos aos ombros.

Depois de chegar à estação final, uma grande estrutura de mármore contendo os restos do túmulo de Cristo talhado em rocha, Flannery voltou para a rua, com o espírito renovado ao seguir pela Via Dolorosa, a Via Sacra, de volta ao hotel.

NA MANHÃ SEGUINTE, Flannery alugou um carro e rumou para o sul, pela Rodovia 90, ao longo do Mar Morto, para Ein-Gedi. Cerca de 18 quilômetros ao sul de Ein-Gedi, ele virou para oeste e andou 2 quilômetros, chegando ao estacionamento no pé de uma montanha íngreme e estéril.

Descendo do Ford, olhou para o platô no cume onde estava a Fortaleza de Masada. Quando tinha visitado a fortaleza anteriormente, ele havia chegado lá de helicóptero. O caminho usual era tomar um teleférico do estacionamento até o pico. Visitantes mais aventureiros podiam subir por um caminho estreito que serpenteava no íngreme aclive da montanha, embora a trilha estivesse oficialmente fechada em virtude do perigo de deslizamento de rochas.

Flannery não tomou o teleférico nem o caminho, mas voltou ao carro e continuou na estrada para Sdom. Vários quilômetros depois de Masada, ele deixou a estrada principal e pegou uma pista estreita e rochosa que levava a um pequeno conjunto de edifícios nas margens do Mar Morto. O edifício principal, simples e absolutamente comum, abrigava o mosteiro do Caminho do Senhor, o mesmo mosteiro para onde o padre Leonardo Contardi outrora tinha sido designado. Abandonado havia muitos anos, ele mantivera a presença cristã quase permanentemente desde os primeiros dias da Igreja. Agora era o lugar de arqueólogos e especialistas que buscavam entender a interligada história de cristãos e judeus.

Quando ele subia em direção ao mosteiro, um guarda israelense armado o parou. Flannery não esperava a presença da segurança num lugar tão obscuro, e a considerou um testemunho da tensão dos tempos. Ele mostrou ao guarda o crachá de segurança que tinha recebido durante sua última visita a Israel, esperando que desse resultado. O guarda o examinou detidamente, então acenou com a cabeça e fez um gesto para Flannery entrar.

Após estacionar junto da entrada principal e sair do carro, Flannery viu vários trabalhadores examinando uma seção da fundação externa. Os três homens usavam solidéus, enquanto a mulher estava vestida com um tradicional uniforme palestino. A mulher o viu aproximar-se, e quando se despediu dos outros e foi até ele, Flannery a reconheceu imediatamente.

— Você é Azra, não é?

— Azra Haddad, sim — ela falou abaixando o olhar. — E o senhor é o padre Michael Flannery, do Vaticano.

— Sim — ele retrucou, surpreso por ela se lembrar de seu nome, pois o encontro que tinham tido fora muito breve. Ele apontou os outros trabalhadores. — Estou surpreso de ver israelenses interessados num velho mosteiro católico.

— Alguns acreditam que a atual estrutura tenha sido construída no local de uma pequena comunidade de essênios — Azra explicou.

— Ah, os essênios. Então posso entender o interesse — Flannery disse. Ele tinha conhecimento sobre a seita de judeus ascéticos que florescera antes da época de Jesus e durante. A mais famosa comunidade essênia, Qumran, fica ao norte, na região da Cisjordânia. Foi lá que a maioria dos manuscritos do Mar Morto foi descoberta em potes, como o documento de Dimas, embora não tão bem preservados.

— O que o traz aqui, padre? — Azra perguntou. — Pensei que o senhor estivesse em Jerusalém, trabalhando no manuscrito.

— Tive um amigo que viveu aqui, durante os dias finais de atividade do mosteiro.

Azra virou-se e olhou para o edifício, depois de volta ao padre. — Ele é mais velho que o senhor?

— Não, ele tem uns... isto é, tinha mais ou menos minha idade — Flannery disse. — Ele morreu na semana passada.

— O senhor está falando do padre Leonardo Contardi?

Flannery ficou visivelmente chocado. — Como você sabe?

— Temos um documento listando todos os que foram designados para cá no século passado. O padre Contardi esteve aqui no início dos anos 1980, e ele tem mais ou menos a sua idade. Acabamos de saber da morte dele, e eu simplesmente somei dois e dois.

Flannery deu risada. — Dois mais dois é simples matemática. O que você fez foi trigonometria. O que mais você sabe sobre este lugar?

— Muitos acreditam que o mosteiro tenha sido fundado por Tiago, o irmão de Jesus, e manteve-se ininterruptamente como igreja católica até o final do primeiro milênio, quando muçulmanos assassinaram os monges e o tomaram. Esses, por sua vez, foram expulsos pelos cruzados em 1099. Os cruzados estabeleceram uma nova ordem católica aqui, que sobreviveu durante as ocupações mongol, egípcia, turca, francesa e britânica, e depois a ocupação de Israel. Ele foi fechado em 1986, e o Vaticano negociou um acordo no qual o mosteiro e o terreno retornaram a Israel.

— Tenho de dizer, estou muito impressionado. Você aprendeu um bocado trabalhando neste sítio.

— A maior parte do que sei veio do meu marido.

— Ele é um arqueólogo?

Ela balançou a cabeça. — Como seu amigo padre Contardi, meu marido serviu aqui como monge.

— Monge? — ele disse, surpreso.

— Ele deixou a Igreja antes de nos casarmos — Azra explicou. — Mas ele sempre foi fascinado por este lugar... até sua morte — ela acrescentou, num tom calmo e uniforme, como se havia muito tivesse sepultado sua tristeza.

— Você é cristã, Azra?

— Eu sou uma palestina muçulmana e cidadã de Israel.

— Você disse que seu marido era fascinado por este lugar. Por causa de sua possível conexão com os essênios?

— Em parte — ela respondeu. — Mas principalmente por causa de uma lenda que ele aprendeu durante seus dias como monge.

— Lenda?

— Que em algum lugar perto daqui está enterrado um relato secreto sobre a vida e o ministério de Jesus — perdido desde os dias da queda de Jerusalém.

Flannery quis perguntar se ela se referia ao Evangelho de Dimas. Afinal, ela mesma encontrara a urna de Masada, a apenas poucos quilômetros dali. Mas ele calou a pergunta, incerto se ela sabia — ou se tinha autorização para falar — da natureza do pergaminho que tinha sido descoberto dentro da urna.

— Você fala de escritos secretos — ele disse, escolhendo cuidadosamente as palavras. — Quer dizer, como os manuscritos do Mar Morto?

— Certamente a descoberta em Qumran contribuiu muito para a lenda — Azra respondeu. — Tornou-se uma espécie de rito de iniciação para cada novo monge passar vários anos na busca dos ensinamentos perdidos do Messias. Alguns nunca desistiram da busca, outros se desiludiram e partiram, ou para outro mosteiro ou para buscar vida fora da Igreja, como meu marido.

— Todo mundo acreditava que esse documento existia?

— Havia aqueles que acreditavam, enquanto outros estavam convencidos de que ele nunca tinha existido no reino físico, mas era igual ao Cálice Sagrado buscado pelos cavaleiros do rei Artur.

— E você, Azra? Você acha que um evangelho foi escondido perto daqui? — Flannery perguntou.

— Eu sempre acreditei que a verdade está nos dois mundos, o tangível e o etéreo.

Ele viu a insinuação de um sorriso nos lábios de Azra, e embora havia muito tempo ela tivesse deixado de ser considerada uma mulher jovem, Flannery não pôde evitar mas se lembrou da mulher com o sorriso inefável mais famoso de todos, a Mona Lisa.

— Tudo bem, aceito isso — ele disse, suas palavras saindo vagarosamente, enquanto ele considerava precisamente o que queria perguntar. — Mas isso me leva a outra questão — uma que também pode ter uma relação com o mosteiro.

— E qual é?

— Você conhece uma organização chamada Via Dei?

Uma sombra substituiu o sorriso de Azra, e ela olhou em torno rapidamente, verificando se alguém estava escutando. — Onde o senhor ouviu falar dessas pessoas?

— Então você *sabe* sobre o Via Dei?

— Já ouvi falar.

— Conte-me tudo o que sabe.

— Padre Flannery, por que o senhor está procurando isso?

— O assunto... surgiu recentemente — ele respondeu, cuidando em não ser específico. — Acredito que o padre Contardi estava envolvido com o Via Dei de alguma forma.

— Esse envolvimento teve alguma coisa a ver com a morte dele?

— Eu... eu não sei — Flannery respondeu, surpreso com a pergunta. Na verdade, ele suspeitava de uma conexão entre a morte de seu amigo e a organização secreta de sua juventude. Talvez o próprio Flannery tivesse sido o agente da morte de Contardi ao perturbá-lo tão terrivelmente evocando memórias com as quais o padre Contardi não tinha condições de lidar.

— Você sabe alguma coisa sobre o Via Dei, não sabe? — Flannery insistiu.

— Não tenho certeza se posso diferenciar o que sei do que eu suspeito — Azra respondeu.

— Então do que suspeita?

— Que por muitos anos este mosteiro foi afiliado de alguma maneira ao Via Dei... talvez desde o tempo das Cruzadas.

— Mas não antes? — Flannery perguntou.

— Antes?

— Estou tentando descobrir por quanto tempo o Via Dei existe. Poderia ter começado antes das Cruzadas? Ou as Cruzadas o criaram, como uma ordem secreta, semelhante aos Cavaleiros Templários?

— Ele pode anteceder as Cruzadas — Azra disse secamente. — Pode ter se envolvido na criação dos Cavaleiros Templários.

— Azra, seu marido era membro do Via Dei?

Ela balançou a cabeça enfaticamente. — Não. Se fosse, nunca poderia ter deixado a irmandade, e nunca teríamos nos casado.

— Mas ele tinha conhecimento do Via Dei, não tinha? E ele contou a você.

— Sim, ele sabia o suficiente para ter medo e sair deste mosteiro, e da Igreja.

— Contudo, ele foi fascinado por este mosteiro a vida toda... não é o que você disse?

— Medo e fascínio — ela disse num tom abafado. — Muitas vezes eles estão interligados. — Ela fitou o padre, os olhos quase implorando. — Acho que já falamos o suficiente sobre o Via Dei, e posso mostrar-lhe o mosteiro. — Ela fez um gesto indicando a entrada, convidando-o a entrar.

Flannery estava convencido de que a mulher sabia mais, mas não queria pressioná-la muito, temendo já tê-la amedrontado. Talvez ela suspeitasse de que ele era um membro da ordem secreta que tentava determinar o quanto ela sabia e que ameaça poderia ser para a organização.

Como se tivesse lido sua mente, Azra falou: — Padre Flannery, vou acreditar que o senhor não pertence ao Via Dei.

— Eu não sou membro — ele assegurou.

— Mas o senhor foi sondado para se tornar um membro?

— Fui, há muito, muito tempo. Em minha juventude.

— Então o senhor já conhece alguma coisa do Via Dei. Não vou falar para o senhor interromper sua investigação; o senhor parece ser um homem de coragem, e umas poucas palavras de uma mulher velha não o farão parar. Vou pedir, contudo, que o senhor seja muito cauteloso na sua busca. Descubra em quem pode e em quem não pode confiar, e não será fácil discernir entre os dois.

— Por que você tem tanto medo? — Flannery perguntou.

Ela olhou para ele de forma curiosa. — Não tenho medo do Via Dei. Não sou nada além de uma pobre mulher que escava a terra na busca de quaisquer fragmentos que o solo possa revelar. Por que notariam alguém tão... invisível quanto eu? Mas um grande homem da Igreja como o senhor... Grande importância traz grande visibilidade, algo que uma organização secreta como o Via Dei deve sempre temer... e sempre procurará destruir.

De repente, a sombra deixou seus olhos, e ela deu um amplo sorriso.

— Está na hora daquela visita ao mosteiro que eu prometi.

Virando-se, ela apontou primeiro para a entrada principal diante deles, depois para uma porta menor, 6 metros à esquerda, e para outra, 6 metros à direita.

— Há três caminhos pelos quais se pode entrar no mosteiro do Caminho do Senhor. Escolha com sabedoria.

Ele examinou as três entradas. A princípio, pensou que as portas da esquerda e da direita fossem idênticas, mas então notou que era apenas uma ilusão e, na verdade, a da direita era um pouco mais baixa e estreita. Ele imediatamente fez sua escolha com um aceno de cabeça.

— Fiz a escolha certa? — ele perguntou quando Azra o levou para a menor das três portas.

— Todas as escolhas são corretas — ela proclamou —, seja a porta que o senhor escolheu uma entrada para o Céu, seja para o Inferno, seja para... o Via Dei.

CAPÍTULO 27

Daniel Mazar tomou um gole de seu café matinal enquanto estudava parte do pergaminho de Dimas em cópias impressas das imagens de computador. Ele preferia trabalhar em papel, não só porque aprendera seu ofício muito antes de os computadores tornarem-se onipresentes mas também porque isso lhe permitia rabiscar anotações na cópia e esboçar ligações entre partes do texto.

Quando os trechos em hebraico foram descobertos, Yuri Vilnai usou a presença deles para questionar a autenticidade do manuscrito. Embora as primeiras cópias do Velho Testamento estivessem em hebraico, quase todos os autores do Novo Testamento usaram o grego, e nenhum intercalou trechos em hebraico, como eles tinham descoberto no documento de Dimas.

Embora Mazar tivesse defendido o manuscrito aos gritos, ele também havia ficado intrigado pela justaposição de hebraico e grego. Não existia um padrão claro usado pelo autor. Às vezes, aparecia uma única palavra em hebraico; outras vezes, uma passagem completa.

Enquanto Mazar estudava uma das passagens mais longas, começou a divagar e, em vez de ler o texto, passou a vê-lo quase como uma imagem, um padrão complexo formado por diversos elementos. Quando o texto começou a ficar indistinto, vários caracteres foram realçados. Não estavam lado a lado, mas espaçados regularmente. Eles chamaram a atenção de Mazar porque, quando colocados juntos, formavam uma palavra familiar que ele, quando criança, escrevera muitas vezes como exercício. Quase sem perceber, ele sublinhou um a um. Da direita para a esquerda, a direção em que se lê o hebraico, estavam as letras mem, zayin, resh.

O hebraico antigo não usa vogais, e o professor não precisava delas para traduzir a palavra para o inglês, e ele murmurou alto: "Mazar". Coincidência, disse a si mesmo. Mas então ele retrocedeu no texto, contando um número igual de letras antes daquelas três, e sublinhou as letras daleth, nun, yod, lamed.

"Daniel Mazar" — ele disse entorpecido.

Vagarosa e meticulosamente, contou o espaço entre cada letra. Sem dúvida elas tinham sido distribuídas de forma regular, cada uma precisamente oito letras distante da seguinte.

— Oito... — Mazar sacudiu a cabeça sem querer acreditar.

Durante toda a vida ele fora fascinado pelo misticismo judaico, em particular pela numerologia. As letras do alfabeto hebraico não significavam apenas um som; tinham também um valor numérico. Ele já tinha determinado o valor correspondente a seu nome várias vezes, e agora o fez de novo, escrevendo acima de cada caractere, da direita para a esquerda, de daleth para resh, seu valor sagrado:

200	7	40	30	10	50	4
Resh	Zayin	Mem	Lamed	Yod	Nun	Daleth

Num pedaço de papel, ele somou os números: 341. Depois somou os dígitos — 3+4+1 —, o que reduziu o valor somado a um único dígito: 8, o espaço preciso entre as letras do pergaminho de Dimas.

— Isto não pode ser real — ele disse alto. Sua mente científica não podia aceitar que isso fosse mais que mera coincidência. Sua mente mística sabia que a coincidência era simplesmente uma manifestação da perfeição do plano de Deus.

Mazar continuou a estudar a passagem em hebraico que continha seu nome buscando outros padrões que pudessem ser revelados pela contagem das letras com diferentes espaçamentos. Mas nada emergiu.

Mazar sabia que o aparecimento do seu nome podia ser aleatório. Ou talvez "Daniel" tivesse sido codificado, e as letras subseqüentes M Z R fossem aleatórias. A idéia de que um antigo texto hebraico pudesse conter mensagens secretas codificadas por uma mão divina não era nova. Durante séculos, místicos judeus tinham buscado o chamado código Torá, informação escondida nos primeiros cinco livros do Velho Testamento, que, segundo a lenda, fora transmitido a Moisés pelo Senhor, letra por letra.

Uma das mais famosas pesquisas sobre códigos na Bíblia foi desenvolvida no início dos anos 1980 por Eliyahu Rips, colega de Mazar na Hebrew University. O trabalho de Rips foi popularizado pelo jornalista Michael Drosnin no *best-seller* de 1997 *O Código da Bíblia*. Embora muitos descrentes tivessem mostrado que profecias semelhantes podiam ser encontradas em tudo, desde *Guerra e Paz* até *Moby Dick*, Mazar ainda ficou intrigado com a idéia de que Dimas bar-Dimas tivesse usado o hebraico para codificar mensagens que fossem heréticas demais para afirmar claramente.

Percebendo que o computador era a ferramenta perfeita para testar essa hipótese, Mazar sentou-se à frente de um dos terminais e acessou uma cópia do manuscrito convertido de imagem para texto que continha o documento completo formatado em fontes do grego e do hebraico. Ele copiou o arquivo e deletou todo o texto em grego, ficando apenas com as passagens em hebraico. Depois usou um programa de análise de texto baseado na complexa fórmula desenvolvida por Eliyahu Rips.

Usando uma, e depois outra, seqüência eqüidistante de letras, ou SEL, Mazar vasculhou o texto em busca de padrões de palavras. O programa comparou as seqüências de letras com um dicionário hebraico, buscando palavras ou frases comuns. Várias palavras foram identificadas, mas nenhuma delas era significativa. Mazar tentou seqüências diferentes até que, uma hora depois, surgiu uma palavra conhecida: Masada, o sítio arqueológico onde o pergaminho tinha sido encontrado. Usando esse nome como ponto de partida para a SEL, Mazar repassou a seqüência, criando uma matriz de letras em torno do nome. O programa fez um bipe ao descobrir e realçar outra palavra entrecruzando Masada, depois bipou uma segunda e uma terceira vez à medida que mais palavras apareciam. Como uma cena emergindo de um nevoeiro, Mazar ficou paralisado de perplexidade, enquanto a série de frases apareceu em torno da palavra-chave "Masada". Agarrando rapidamente seu bloco de anotações, ele começou a traduzir as palavras para o inglês, até obter as três frases seguintes:

> *Montanha de patriotas judeus*
> *Manuscrito revelado por um curto período*
> *Devolvido às trevas*

O professor olhou estarrecido as palavras diante dele. Tentou atribuir tudo à coincidência, mas não conseguia entender como uma mensagem tão específica ao manuscrito pudesse ser o resultado de um padrão aleatório.

E o que aquilo significava?, ele se perguntou. Dimas teria previsto que o pergaminho seria visto brevemente durante a sua vida, e depois retornaria para as trevas ao ser enterrado em Masada? Embora isso fosse possível, Mazar tinha a estranha sensação de que "revelado por um curto período" se referia ao presente, e que o pergaminho desapareceria novamente, talvez para sempre.

Ele decidiu rodar novamente o programa, usando o aparecimento de seu nome para determinar um ponto de partida e um espaçamento eqüidistante de letras. Ele tinha visto seu nome hebraico escrito numa seqüência separada por oito letras. Para checar a seqüência com o código Torá desenvolvido por Eliyahu Rips, pediu ao programa que criasse uma matriz de letras utilizando uma SEL de oito em volta do seu nome. Quando a matriz tomou forma, novamente palavras começaram a ser realçadas. Seus olhos fixaram-se na primeira: *ratsach*. Assassino.

Mazar ficou imóvel, fitando a tela enquanto o sentido completo da mensagem ficava claro. Era uma advertência ou a previsão de algo que não poderia ser alterado?

Ele fez uma cópia criptografada do arquivo e a anexou a uma mensagem de e-mail, que enviou ao seu e-mail pessoal. Depois, para aumentar a garantia de que a informação não seria perdida se alguma coisa lhe acontecesse, plugou uma pequena câmera digital na porta USB do computador, enfiou o cabo atrás de alguns objetos sobre a mesa e escondeu a webcam entre alguns livros numa prateleira logo acima da estação de trabalho.

Ele abriu um programa de captura de vídeo no computador e em seguida pegou o telefone e discou. Quando ouviu o primeiro toque, pressionou a tecla do viva-voz e recolocou o telefone na base.

Depois de uns poucos toques, um homem respondeu, a voz um pouco fina mas clara no pequeno alto-falante: — Você está adiantada, Sarah. Pensei que só viesse depois das nove.

Mazar ficou momentaneamente confuso, mas depois percebeu que Preston Lewkis aguardava uma ligação de Sarah Arad.

— Preston, aqui é Daniel — ele falou um pouco desajeitado.

— Oh, puxa, Daniel, preciso ser mais cuidadoso ao atender o telefone — Preston respondeu com uma risada. — Posso dizer alguma coisa comprometedora.

— Em quanto tempo você pode vir ao laboratório? — Mazar perguntou, evitando amenidades.

Houve um momento de hesitação; então Preston retrucou. — Estou esperando Sarah daqui a uma hora... às nove. Vou ver se ela pode chegar mais cedo. Alguma coisa aconteceu?

— Não é o que aconteceu, mas o que vai acontecer — Mazar disse. — Isto é, se eu estiver correto.

— Correto a respeito do quê? Daniel, meu amigo, você está sendo muito, muito misterioso. Do que se trata?

— Se eu dissesse você iria pensar que fiquei louco. É melhor você mesmo ver.

— Dá para esperar até eu chegar aí?

— Já esperou 2 mil anos, suponho que possa esperar mais uma hora.

— Vou para aí o mais rápido possível.

Após desligar o telefone Mazar sentou-se novamente ao computador e continuou o trabalho, usando espaçamentos adicionais de letras na busca de outros padrões de palavras. Enquanto trabalhava, narrava o que estava fazendo. Senso comum, razão, educação e experiência lhe diziam que ele percorria um caminho falso, mas as outras frases que emergiam do manuscrito reforçavam o que ele já tinha descoberto.

"Cuidado, Daniel", ele disse num momento de dúvida. "Lembre-se do ossuário. Você acabou parecendo um idiota."

E ele pareceria mais idiota ainda se persistisse na análise do manuscrito usando o código Torá, que muitos pesquisadores acreditavam ser uma tapeação.

Contudo, Mazar sentiu-se compelido a gravar suas descobertas, mesmo que só servissem para fornecer munição a quem quisesse jogar dúvidas sobre a autenticidade do documento. Ele abriu o bloco de anotações e começou a escrever as mensagens que tinha descoberto até aquele momento. Havia acabado de anotar a primeira quando ouviu uma porta bater em algum lugar no *hall*.

— Preston? — ele murmurou, e depois deu uma olhadela no relógio da parede e balançou a cabeça. Não era possível que seu colega tivesse chegado lá tão depressa. Além disso, Preston não bateria uma porta daquele jeito.

Ninguém bateria uma porta desse jeito, Mazar pensou, quando ouviu um segundo barulho de batida.

Ele atravessou a sala correndo, escancarou a porta do laboratório e olhou o corredor. Vislumbrou um dos guardas de segurança correndo com a arma apontada para a entrada. De repente, o homem disparou a arma, e o clarão do disparo iluminou o interior meio escuro.

Mazar não tinha ouvido batidas de porta, mas tiros.

Mazar fechou a porta e a trancou com a chave. Enquanto examinava o laboratório, sua mente repassou uma centena de cenários. Seria um grupo de ataque palestino? Por que terroristas iriam ali? Geralmente eles não atacam onde podem matar mais pessoas? Mas Mazar e os guardas eram os únicos ali naquela hora...

— Meu Deus! — ele disse. — A profecia é verdadeira!

Mazar correu de volta para o computador. Todo o documento de Dimas estava carregado. Além disso, a matriz das letras em hebraico estava numa janela, com várias palavras realçadas, como resultado da busca de padrões.

Ele clicou no botão de fechar no alto da janela e uma mensagem apareceu, perguntando se ele queria salvar as alterações no documento. Ele clicou no botão "não", e a página do código Torá desapareceu. Então ele fechou o documento do manuscrito e, deixando o computador ligado, desligou apenas o monitor para dar a impressão de que tudo estava desligado. Rasgou a página de seu bloco e enfiou-a no bolso. Finalmente, correu até o cofre, onde estavam o manuscrito e a urna. As fechaduras duplas exigiam duas pessoas para a abertura do cofre. Yuri Vilnai e ele sabiam a combinação do ferrolho da direita, e o chefe da segurança sabia a outra. Mas Mazar havia muito tempo conhecia as duas combinações, embora tivesse o cuidado de não revelá-las usando-as. Mas era um caso de emergência, e então ele girou um primeiro botão para a esquerda e para a direita, várias vezes, e depois fez o mesmo com o segundo. Houve um clique alto, ele agarrou a maçaneta e abriu a porta.

O cofre parecia mais um pequeno armário com temperatura e umidade cuidadosamente controladas. Normalmente as prateleiras abrigavam vários manuscritos antigos, mas todos tinham sido removidos para outro local quando o pergaminho de Dimas foi trazido. A urna estava só numa das prateleiras de baixo, e o pergaminho embrulhado em tecido ficava na prateleira logo acima.

Deixando a urna no lugar, Mazar pegou o pergaminho com rapidez, mas com cuidado e, carregando-o nos braços como a uma criança, levou-o para o laboratório. Ouvindo mais disparos, ele procurou um esconderijo adequado. Correu até um fichário alto, colocou o manuscrito no chão e removeu a gaveta inferior. Havia um espaço razoável entre a gaveta e o fundo do fichário, e foi ali que ele depositou o pergaminho, recolocou a gaveta e fechou-a.

Depois de fechar o cofre, Mazar foi até onde a webcam estava escondida entre os livros. Ela ainda estava gravando no computador, mesmo com o monitor desligado. Olhando para a câmera, ele descreveu rapidamente o que estava acontecendo e o que ele tinha descoberto. Estava quase terminando quando alguém forçou a porta. Enquanto se afastava, uma rajada de tiros abriu um buraco no lugar da fechadura. Então a porta foi aberta e três homens irromperam na sala, todos usando as roupas negras e máscaras no rosto, que eram o uniforme comum dos terroristas.

— Quem são vocês? — Mazar perguntou. — O que querem?

— Abra o cofre! — um deles gritou em árabe e depois repetiu a ordem num inglês com forte sotaque.

Quando Mazar não se moveu, um deles disse: — Não precisamos dele. — E, virando-se para o especialista israelense, levantou a pistola e apertou o gatilho três vezes.

Mazar sentiu os projéteis penetrarem em seu peito, atirando-o contra a parede. Ao deslizar meio entorpecido para o chão, sua visão ficou borrada, as vozes abafadas foram ficando cada vez mais indistintas. Ele viu os homens mascarados junto ao cofre, a pesada porta sendo aberta. E então tudo ficou silencioso... tudo ficou escuro.

CAPÍTULO 28

Yuri Vilnai tinha acabado de estacionar seu carro quando viu três homens com máscaras pretas correndo pela porta da frente, dois deles brandindo armas, enquanto o terceiro carregava algo nos braços. Vilnai abaixou-se no banco para não ser visto. Esperou um minuto inteiro ou mais e, quando levantou a cabeça cautelosamente, eles já tinham desaparecido.

Correndo para o interior do edifício, ele viu o primeiro guarda caído numa poça de sangue em frente à recepção. Seu rosto quase tinha sido arrancado, e não havia necessidade de verificar o pulso para confirmar que ele estava morto. Dois outros guardas estavam no corredor que levava ao laboratório. Eles também estavam mortos.

Ao aproximar-se cautelosamente do laboratório, Vilnai viu a porta muito danificada pendendo de uma dobradiça presa ao batente, também danificado. Na entrada, deu uma rápida olhadela em torno e depois recuou, enquanto sua mente absorvia o que ele tinha acabado de ver. Imediatamente ele gritou — Daniel! — e correu para onde jazia o homem mais velho, encurvado contra a parede do outro lado. — Daniel! — ele repetiu e repetiu, enquanto verificava os sinais vitais de Mazar.

Ouviu-se um forte engasgo quando Mazar tentou inspirar, lutando para abrir os olhos.

— Fique calmo — Vilnai disse, remexendo nos bolsos em busca do seu celular. — Não se mexa. Vou chamar socorro.

Mazar esticou-se e agarrou a manga do homem mais jovem. Com uma voz entrecortada ele disse: — Vo... você os... viu, Yuri? Eram... eram... três.

— Sim — Vilnai respondeu. — Eu os vi.

— E os gg... guardas?

— Mortos — Vilnai respondeu indicando tristeza. — Estão todos mortos.

Mazar tossiu, e o sangue respingou de seus lábios.

— Eles pegaram?... — Yuri começou a perguntar, mas viu o cofre aberto e vazio. Percebeu imediatamente que o terceiro homem mascarado carregava a urna com o pergaminho dentro dela.

Mazar tentou falar, mas teve um acesso de tosse, e mais sangue espumou em seus lábios. Vilnai insistia para ele ficar quieto, mas Mazar balançou a cabeça, dizendo: — La... lamento. Não poderia impedir, mesmo sabendo que... que estavam vindo.

— Claro que você não poderia — Vilnai disse, mas interrompeu seu comentário no meio da frase. — Você sabia que estavam vindo?

— O c... o código — Mazar gaguejou. — O código disse que ia acontecer.

— Daniel, do que você está falando? Qual código? — Vilnai perguntou, mas Mazar tinha perdido a consciência. Gentilmente sacudindo-o, Vilnai sussurrou: — Daniel, Daniel, acorde.

Os olhos de Mazar se entreabriram, e ele tentou falar.

— Daniel, você disse alguma coisa sobre um código. De qual código você está falando?

— Meu... bb... bolso — Mazar conseguiu balbuciar. — P... papel em meu bolso.

Vilnai revirou as roupas de Mazar, sem se importar com as caretas de dor provocadas pela busca. Encontrando o pedaço de papel arrancado do bloco, ele viu duas frases escritas em hebraico e depois traduzidas para o inglês:

Assassinato de Daniel Mazar
Não foi quem parece

— Daniel, o que é isto? — Vilnai perguntou.

— O código... o código do dr. R...Rips.

— O código Torá? Isto é ridículo — Vilnai falou, mas Mazar agarrou sua lapela e quase se pôs de pé.

— O pergaminho de Dimas. D... diga a Preston para passar o código. Ele vai descobrir. — E perdeu a consciência.

Do exterior do edifício veio o som discordante e lamuriante de várias sirenes de veículos policiais se aproximando. De repente, Vilnai se lembrou do celular, que estava no chão, onde ele o tinha deixado cair, tendo esquecido da prometida ligação em busca de socorro.

Após enfiar o celular de volta no bolso do paletó, ele olhou para o colega. — A ajuda está chegando — ele disse.

Mazar, respirando com muita dificuldade, ainda estava inconsciente.

— Você me ouve, Daniel? A ambulância está chegando.

Mazar não respondeu.

Vilnai olhou novamente para o papel em sua mão. Pensativo, dobrou-o cuidadosamente e o colocou no bolso. Olhando em volta para se assegurar de que estavam sozinhos, afagou calmamente a face de Mazar, depois colocou a mão em volta do rosto do homem mais velho. Cobrindo a boca de Mazar com a palma, ele pressionou as narinas entre o polegar e o indicador.

Os olhos de Mazar se abriram de repente, e ele fitou Vilnai com surpresa e confusão. Contudo, não lutou ou mesmo tentou afastar a cabeça. Sua expressão pareceu de aceitação, e ele fechou os olhos e morreu.

Os sons das sirenes sumiram da consciência de Vilnai quando ele tomou Daniel Mazar nos braços, apertando aquele corpo contra o seu enquanto o balançava gentilmente de um lado para outro. Com lágrimas escorrendo pelas faces, ele murmurou um cântico triste:

Yeetgadal v'yeetkadash sh'mey rabbah
B'almah dee v'rah kheer'utey.

Vilnai ainda estava cantando o Kaddish quando o primeiro policial irrompeu pela porta, com a arma apontada. Logo atrás estavam Sarah Arad e Preston Lewkis, que tinham vindo em resposta ao telefonema de Mazar.

— Meu Deus! O que aconteceu? — Preston gritou e correu para onde Vilnai aconchegava o professor morto em seus braços.

Vilnai olhou para cima, seu rosto tomado por uma profunda devastação. — Terroristas! — ele falou aos trancos, tentando impedir as lágrimas. — Eles mataram Daniel... e roubaram o pergaminho.

O PADRE MICHAEL FLANNERY voltou à estrada principal que seguia para o norte, em direção a Jerusalém. Enquanto a poeira do deserto girava em torno de seu carro, ele relembrou a visita ao mosteiro do Caminho do Senhor com Azra Haddad. Ele tinha aprendido muito com a fascinante muçulmana, e suspeitava que ainda havia muito a ser revelado.

Ele acabara de passar por Masada quando o celular tocou. Tirando-o do porta-copos, atendeu a chamada com um simples "Alô".

— Michael, onde você está?

Flannery reconheceu a voz do outro lado e notou um tom de urgência na voz. — Preston? Alguma coisa errada?

— Onde você está? — seu amigo repetiu.

— Estou... — Flannery hesitou, sem querer revelar ainda que havia se encontrado com Azra no mosteiro. — Estou na rodovia 90, logo ao norte de Ein-Gedi.

— O que você está?... Esquece; venha o mais depressa possível para o laboratório.

— Alguma coisa aconteceu. O que é?

— Sim. — O suspiro de Preston foi ouvido acima do ruído da estrada. — É Daniel. Ele foi assassinado.

— O professor Mazar? Meu Deus! Como aconteceu?

— Um esquadrão terrorista, palestinos, suponho — Preston respondeu. — Ele estava no laboratório quando três homens armados invadiram o edifício, mataram vários guardas e Daniel.

Flannery ficou em silêncio um momento enquanto rezava pelo professor e pelas outras vítimas

— Michael, você está aí?

— Sim — o padre respondeu. — Eram palestinos?

— É o que a polícia acha. Yuri Vilnai também. Ele chegou no momento em que eles fugiam. Aparentemente estavam atrás do pergaminho.

— Mas ele está trancado no...

— Eles abriram o cofre — Preston interrompeu. — Parece que sabiam as combinações. A porta estava aberta, e a urna e o pergaminho desapareceram.

Flannery sentiu o coração acelerar. — Estarei aí o mais rápido possível.

Assim que desligou o celular e o devolveu ao porta-copos, ele notou algo escuro à frente. Aproximando-se, viu que dois veículos bloqueavam a estrada. Sobre um deles havia uma luz de emergência girando, e Flannery viu um policial uniformizado de pé ao lado do carro, acenando para ele parar.

Parado na barreira, Flannery tirou o contrato de aluguel do carro do porta-luvas. Quando ele se endireitou e virou-se para o policial que se aproximava, o segundo carro foi para o acostamento e posicionou-se atrás de seu veículo, cercando-o.

— O que é isto? — ele perguntou, abaixando o vidro da janela.

Vendo que o policial olhava para o segundo carro, Flannery girou no banco no momento em que dois homens mascarados surgiram do seu lado do carro.

O padre conseguiu fechar o vidro e travar as portas, mas o homem de uniforme apontava uma pistola para ele através do pára-brisa.

— Destrave as portas! — o homem gritou. — Destrave agora, ou eu te mato!

Relutante, Flannery destravou o carro. Os homens mascarados abriram as portas bruscamente e o arrastaram do banco.

— Quem são vocês? — Flannery perguntou num tom incisivo. — O que vocês querem?

— Sem conversa — o de uniforme disse, enquanto seus companheiros amarravam os braços de Flannery atrás das costas com uma espécie de presilha de plástico. Depois o arrastaram até o veículo da frente e o jogaram no banco traseiro. Um terceiro homem mascarado estava ao volante.

— Vocês cometeram algum engano — Flannery falou.

Ele foi interrompido pelo homem vestido como policial, que sentou-se ao seu lado e estapeou com força o rosto do padre. Seus ouvidos zuniram, e ele sentiu o gosto de sangue na boca.

— Eu disse sem conversa!

Flannery concordou, meio entorpecido. O motorista atirou um objeto no banco traseiro, e o homem de uniforme agarrou o que era um capuz preto. Enquanto o capuz era enfiado em sua cabeça, Flannery ainda conseguiu ver o carro alugado e o veículo que estava atrás dele partindo em direção ao norte pela rodovia. Um momento depois, Flannery sentiu o carro em que estava acelerar e voltar para a estrada, saindo em velocidade atrás dos outros veículos.

CAPÍTULO 29

Tibro bar-Dimas levantou a caneca, sinalizando para o dono da *khan* que queria mais vinho. O estalajadeiro chamou um dos seus empregados e pouco depois alguém levou um jarro para a mesa num canto escuro da sala. Quando o moço encheu a caneca, Tibro olhou em volta para assegurar-se de que ele e seus três companheiros não estavam chamando a atenção.

A estalagem, localizada perto da rua dos Tecelões, no distrito comercial de Jerusalém, era denominada Casa das Mil Bênçãos, um nome bastante extravagante para um estabelecimento que consistia em uma sala absolutamente comum mobiliada por uma confusão de mesas nuas de madeira e nenhuma decoração digna de nota. A fumaça de velas gotejantes riscara as paredes outrora brancas com manchas pálidas, revelando tentativas de limpeza ocasionais e abortadas. Sentados em volta das cerca de doze mesas estavam talvez umas duas dúzias de fregueses, uma mistura equilibrada de comerciantes, trabalhadores e outros profissionais. Todos pareciam falar simultaneamente, compartilhando as últimas notícias e os boatos das ruas.

Tibro aguardou o atendente afastar-se antes de retomar a conversa.

— Não tenho certeza se é a coisa certa — ele falou, mantendo a voz baixa.

— Foi decidido pelo Sinédrio — retrucou o mais velho do grupo, um homem de barba grisalha chamado Kedar. — Devemos localizar e remover os dois em questão.

— Conheço as ordens — Tibro falou, entendendo que, por "remover", o Sinédrio queria dizer "matar". — Ainda assim, não gosto dessa missão.

— Você não acha que esses dois homens, só com sua presença, estão blasfemando contra a nossa religião? — o homem chamado Menahem perguntou. — Eles nem são da nossa raça, contudo gostariam que abandonássemos nosso Deus.

— Sim — concordou Shimron, o quarto e mais jovem do grupo. Era também o mais espalhafatoso, vestido com um manto azul de debrum dourado que, Tibro temia, poderia chamar atenção indesejada. — Já foi muito ruim quando nossos irmãos aceitaram Jesus como o Messias — Shimron falou. — Podemos perdoá-los; eram nossas famílias, nossos amigos, nosso próprio povo. Mas esse movimento cristão se espalhou para além de nosso povo. Esses dois, Rufus e Alex...

Ele parou de falar abruptamente, notando os olhares reprovadores e lembrando-se de que ninguém deveria dizer alto o nome das vítimas escolhidas.

Baixando a voz até quase um sussurro, continuou: — Esses dois não são circuncidados, são impuros, e negros como a noite. Como podem ousar vir a Jerusalém e pregar o evangelho de um falso profeta?

— Mas matar alguém que não faz mal a você... é algo muito difícil de fazer — Tibro falou. — Não é uma ação para ser feita despreocupadamente.

— Se as mortes deles servem a Deus e ao nosso povo, então não é difícil — Kedar insistiu.

— Mas é o desejo de Deus? Ou apenas o desejo do Sinédrio? — Tibro contrapôs.

— O Sinédrio fala por Deus — Kedar disse.

— É, suponho que isso seja verdade — Tibro concordou.

— Você seria capaz de desafiá-lo?

Os olhos de Tibro faiscaram de raiva olhando o homem mais velho. — Quando eu desafiei uma ordem direta do Sinédrio? Vou executar sua ordem, embora possa questionar seu discernimento.

— Você está pensando em seu irmão? — Menahem comentou, num tom ameno, como se procurasse acalmar as coisas entre os dois homens de personalidade forte. — Suponho que Dimas seja um cristão.

— Eu não o vejo nem tenho notícias dele há anos.

Kedar franziu a testa. — Você salvou a vida dele em Éfeso, colocando a sua em risco, e como ele retribuiu? Indo para Roma, não para combater os romanos, mas para espalhar sua falsa doutrina.

— Qual foi a última vez que você o viu?

— Há dez anos, em Éfeso.

— É muito tempo. Talvez ele tenha percebido que agiu mal. Talvez tenha abandonado esse falso profeta e...

— Se você acredita nisso, não conhece o meu irmão — Tibro falou.

— Não concordo com Dimas, mas sei que ele é um homem de princípios e coragem. Se ele aceitou esse homem Jesus como seu Senhor, então continuará fiel a ele até o dia de sua morte.

— Não vejo nenhum problema em matar os que blasfemam — Shimron interpôs, afagando os esparsos fios da barba que tentava deixar crescer. — Mas eu não gosto da idéia de descarregar seus corpos no templo. Por que macular um local sagrado com corpos de impuros? Por que não deixá-los onde morreram?

— Não — Tibro falou. — Se temos de fazer isso, então que sirva a um propósito maior. Deixá-los onde caírem seria pouco mais do que assassinato. Mas ao levar os corpos para o templo — não para solo sagrado, mas dentro das muralhas externas — servirá de advertência a outros que pensam em abandonar a fé. E também vai justificar as mortes, pois todos sabem que a morte é a penalidade para qualquer não-judeu que macule o templo.

— Tibro — Kedar sussurrou acenando para a porta.

Tibro virou-se e viu um homem com uma cinta azul e um turbante de tecido marrom grosseiro — o sinal de reconhecimento previamente acertado. Enquanto o homem examinava o salão, Tibro trocou sua caneca com Kedar. Reconhecendo o outro sinal, o homem de turbante foi até a mesa.

— Que a graça de Deus esteja com vocês.

— E sua proteção com você — Tibro respondeu.

De pé ao lado de Tibro, o homem retirou um pequeno pergaminho de dentro de sua túnica. — Isto vai lhes dizer tudo o que precisam saber — disse ele, entregando o objeto.

— Você fez o trabalho de Deus — Tibro falou enquanto desatava o barbante em volta do pergaminho.

— Sim, penso que sim.

Havia algo no tom do homem, uma segurança e uma arrogância que fizeram Tibro olhar para ele, mas ele já tinha dado as costas e caminhava por entre as mesas em direção à porta.

— O que é? — Shimron perguntou.

Tibro estudou o documento e balançou a cabeça, sério e pensativo. — Aqui diz onde encontrar os homens que procuramos. A localização da casa e do quarto no qual estão alojados.

— E quando vamos? — Menahem perguntou.

— Agora — Tibro respondeu, empurrando a cadeira para trás e levantando-se. Ele deixou cair uma moeda sobre a mesa, e conduziu o grupo para a rua.

* — *

— Para trás — Tibro murmurou, levantando o braço.

Ele e seus três companheiros esgueiraram-se para uma viela escura. Dois soldados romanos em uniforme completo de batalha, com as espadas presas ao quadril, passavam pelos feixes de luz que vazavam das janelas das casas alinhadas na rua. Um ria alto de algum comentário feito pelo outro.

Tibro aguardou em silêncio até que desaparecessem; depois sinalizou a seus amigos que o seguissem pela viela. — Estamos bem perto, agora — ele falou, enquanto continuavam pela rua.

Uns cem metros depois, Tibro entrou em outra viela, iluminada apenas pela claridade da lua. Ao se aproximarem da construção no final da viela, um gato miou, pulou na frente deles e depois desapareceu na escuridão. Todos os quatro deram um salto de puro reflexo.

Kedar deu uma risada abafada. — Que bravos sicários nós somos, para sermos assustados por um gato.

— Silêncio — Tibro sussurrou, apontando para um escuro lance de escadas à frente do grupo. — O lugar é este.

— Como entramos?

— A mensagem disse que nunca está trancado — Tibro respondeu. Quando chegou ao pé da escada, olhou para os outros, empunhou sua faca, a lâmina brilhando ao luar. — Morte aos cristãos infiéis! — exclamou.

Repetindo a invocação, os outros sacaram suas adagas e todos tocaram as lâminas. As adagas inadvertidamente formaram uma cruz, o sinal que um dia simbolizaria a seita que eles queriam destruir.

Os quatro homens subiram os degraus até a porta dos fundos. Tibro a abriu, e se esgueiraram para dentro. Uma lanterna iluminava fracamente o estreito corredor.

— É o quarto lá no fundo — Tibro sussurrou, e se moveram em silêncio.

Eles estavam a meio caminho quando de repente uma porta se abriu e vários homens armados irromperam no corredor.

— É uma armadilha! — Shimron exclamou.

— Recuar! — Tibro gritou, mas era muito tarde, pois mais homens armados saíam de um quarto atrás deles, impedindo a retirada. Os quatro zelotes foram apanhados no estreito corredor, cercados por cristãos armados.

Entre gritos de raiva e de temor, os cristãos partiram para cima dos zelotes. Tibro esfaqueou um dos atacantes, depois apontou a faca para cima para que, quando o homem caísse, a lâmina aumentasse o ferimento. Sentindo o sangue morno do homem descendo pelo cabo e sobre sua mão, Tibro virou-se para enfrentar outro dos atacantes. A seu lado, Shimron caiu de joelhos, com um ferimento na barriga; depois Kedar e Menahem também caíram sob as espadas dos cristãos. Enquanto Tibro olhava para Menahem, sentiu uma dor queimando, provocada por uma facada em sua coxa. Alguém o derrubou, depois pulou sobre ele, a adaga erguida para o golpe fatal.

— Não! Não o mate!

A voz profunda reverberou pelo estreito corredor e teve um efeito imediato no homem montado sobre Tibro, que abaixou a adaga. Tibro tentou soltar-se, virando-se para um lado na tentativa de ver quem tinha gritado e poupado sua vida. Mas foi atingido por um chute de um dos outros homens. Um segundo chute jogou sua cabeça para trás, e tudo ficou escuro.

CAPÍTULO 30

Tibro bar-Dimas lutou para abrir os olhos, para libertar-se da escuridão que o envolvia. Aos poucos começou a ouvir sons, ver sombras e formas movendo-se ao seu redor. Uma voz, profunda e repousante, chamou-o.

— Dimas?... Você está bem? Dimas?

Tibro sentiu alguém dando tapinhas em seu rosto, e esforçou-se para abrir os olhos, piscando contra a luz da lanterna.

— Dimas? O que você está fazendo aqui?

As formas começaram a se definir, e Tibro viu que o homem que falava inclinado sobre ele era tão grande e tão imperioso quanto a sua voz, e a pele, tão negra quanto a noite.

— D... D... Dimas — Tibro gaguejou. — Ele é... meu irmão.

O homem grande inclinou-se um pouco mais, movendo o rosto de Tibro de um lado para outro. Vagarosamente, começou a assentir com a cabeça; depois se levantou e virou-se para os outros. — Levem-no para a sala de reuniões.

Tibro sentiu mãos fortes agarrarem seus braços e pernas, e ele foi levantado do chão e carregado pelo corredor e através de uma das portas. Lá foi escorado, sem muito cuidado, contra uma cadeira entre outras cadeiras e bancos que ficavam de frente para o que parecia ser um altar improvisado. Quando examinou a sala ampla e sem decoração, ele a reconheceu como uma versão menor da igreja domiciliar que tinha visitado em Éfeso.

O grande negro, que parecia um líder entre esses cristãos, virou uma cadeira de face para Tibro e sentou-se.

— Você está muito ferido? — perguntou, apontando o talho na coxa de Tibro. Quando Tibro não respondeu, ele se virou para um dos outros e disse: — Cuide do ferimento.

— Mas ele é um zelote. Veio aqui nos fazer mal.

— Foi ele quem matou Aaron — outro acrescentou.

— Conheço este homem. Ele não nos fará mais mal. Ele é o irmão de Dimas, que todos nós sabemos que é um fiel seguidor de Cristo. Cuide do ferimento. — Virando-se para Tibro, disse: — Você não se lembra de mim, lembra? — Seus lábios assumiram um arremedo de sorriso. — Nós já nos encontramos, Tibro.

Tibro arregalou os olhos quando ele ouviu o homem falar seu nome. — Como você me conhece?

— Pense, meu amigo, e você vai se lembrar de quando nos conhecemos.

Um dos cristãos trouxe uma bacia com água, um pouco de atadura, um ungüento calmante e começou a tratar do ferimento de faca. Tibro estremeceu quando o homem limpou o corte, mas não se moveu nem reclamou, mantendo sua atenção no estranho que alegava conhecê-lo.

— Agora me lembro — Tibro finalmente falou, balançando a cabeça enquanto examinava o homem. Três décadas tinham se passado, o que queria dizer que ele talvez tivesse uns 60 anos, embora não parecesse mais velho do que Tibro, com 49. — Você é Simeão, não é? Você estava com meu irmão quando crucificaram Jesus. Você carregou a cruz para ele.

— Sim, exceto que meu nome é Simão. — Ele chegou sua cadeira um pouco mais perto, olhou Tibro por um longo momento e depois perguntou: — Por que você veio aqui esta noite?

Tibro suspirou. — Acho que você sabe por que estou aqui — ele respondeu. — Vocês devem ter sido avisados que eu vinha, senão não estariam esperando.

— Sim, nós sabíamos que alguém estava vindo — Simão admitiu.

Tibro estava quase perguntando como eles tinham descoberto quando percebeu que um do grupo era o mesmo homem que transmitira as instruções na estalagem.

— Você — ele disse para o mensageiro. — Você nos trairia? Você se aliaria a infiéis que profanam o verdadeiro Deus?

— Seguindo o Filho de Deus nós servimos ao verdadeiro Deus — o homem falou resolutamente.

Tibro balançou a cabeça. Ele sabia das conversas com seu irmão que os verdadeiros crentes, como aqueles, não seriam facilmente dissuadidos de sua nova fé. Quando examinou o resto do grupo, notou dois negros mais jovens que tinham uma grande semelhança com Simão. Sem dúvida eles eram as pretendidas vítimas de Tibro, Rufus e Alexandre.

Os dois homens devolveram o olhar de Tibro, seus rostos contorcidos pela mesma raiva que parecia atingir a todos, menos Simão. Somente ele olhava para Tibro com o que parecia ser verdadeira compaixão, e até mesmo amor. Felizmente para Tibro, Simão era o líder, e por causa disto o zelote não temia por sua vida.

— Você queria matar meus filhos, não queria? — Simão perguntou, indicando os dois homens mais jovens.

Tibro percebeu que Simão era capaz de ver além da mentira, então declarou: — Sim, nós viemos matar Rufus e Alexandre.

— Por quê? Que mal eles fizeram a vocês?

— Eles blasfemam diante de Deus, e só isso é suficiente — Tibro retrucou. — Mas o que é pior, eles vêm como forasteiros a nossa cidade e afastariam nossos fiéis de Deus.

— Mas todos nós adoramos o mesmo Deus — Simão falou. — Você não vê isso?

— Vocês seguem um falso profeta e ousam declarar que ele é o Filho de Deus.

— Se os ensinamentos de Jesus nos instruem a amar a Deus, como pode ele ser um falso profeta?

— Já chega! — Tibro exclamou levantando a mão. — Eu só sei que Deus é Deus.

— Então não temos divergência — Simão respondeu.

Por essa hora o ferimento de Tibro tinha sido limpo, tratado com o ungüento e protegido com uma atadura.

— Fique de pé. Veja se você pode andar — Simão orientou.

Tibro levantou-se e cautelosamente deu alguns passos. Embora a perna estivesse doendo, ele podia andar.

Um outro homem entrou na sala e anunciou: — Simão, removemos os corpos, como você ordenou.

— O que vocês fizeram com meus amigos? — Tibro perguntou, com voz dura. — Eles devem ser entregues a suas famílias para um funeral apropriado.

— Você ia jogar meus filhos no pátio do templo, não ia? — Simão perguntou. — Eles teriam sido enterrados no cemitério dos indigentes, com todos os outros que vocês consideram impuros.

Tibro não podia negar a verdade das palavras de Simão.

— Não se preocupe, Tibro; não agimos assim. Seus amigos serão levados para onde o Sinédrio possa encontrá-los.

— E eu? Espero que, por terem poupado minha vida, não acreditem que eu me junte ao seu movimento. Eu nunca me tornarei um cristão.

— Ótimo.

Tibro ergueu as sobrancelhas. — Você me surpreende, Simão.

— É? E por quê?

— Não é sua missão converter todos ao cristianismo?

— É minha missão falar a verdade — Simão retrucou. — Se você aceita ou não a verdade, isso é entre você e Deus. E por ora, é melhor para mim que continue um zelote. — Ele sorriu. — De fato, vim a Jerusalém esperando encontrá-lo, embora, confesso, não numa situação tão dramática.

— Eu? Por que você me procuraria?

— Quero que você consiga uma reunião com os líderes zelotes.

— Por que você iria querer encontrar seus inimigos jurados?

— Oh, mas eles não são meus inimigos — Simão declarou. — Não tenho nada mais que amor por todos.

— Você ama os zelotes?

— Sim.

— Todos os judeus, mesmo os que crucificaram seu mestre? — Tibro perguntou com um crescente descrédito. — E os efésios, os romanos?

— Já disse, não tenho inimigos — Simão repetiu. — Você arranjará a reunião?

— Com qual objetivo?

— Dizer a eles o que acabei de dizer a você — Simão falou. — Que nós não somos inimigos, que adoramos o mesmo Deus.

Tibro balançou a cabeça. — Não vou arranjar a sua morte. Diferentemente de você, os zelotes têm inimigos. Eles o matariam.

— Vou correr o risco.

— Não — Tibro disse, enfaticamente. — Não serei o responsável pela sua morte.

Simão olhou Tibro durante um longo momento, e então de repente começou a gargalhar.

— De que você está rindo?

— Você não vê o humor disto, Tibro? — Simão perguntou. — Alguns momentos atrás você veio aqui determinado a matar meus filhos, e a mim também, se tivesse a oportunidade. Agora você não vai arranjar uma reunião porque teme por minha vida.

Percebendo a ironia, Tibro sorriu. — É, entendo seu ponto de vista. Mas mesmo que eu tentasse conseguir uma reunião, eles não iriam querer nada com você, a não ser matá-lo.

— Tibro tem razão — Alexandre falou, indo para perto do pai. — Eles vão matá-lo.

— Mas sem dúvida homens razoáveis podem discutir a adoração a Deus de maneira razoável.

— Não, pai, ouça o que Alexandre diz — Rufus acrescentou. — Estamos aqui há muitos meses; você, não. O que Tibro diz é certo. Imploro, não tente uma coisa dessas. Os zelotes não têm nenhuma intenção de fazer a paz conosco.

— É verdade, Tibro? — Simão perguntou. — Você não acha que a tenda de Deus é suficientemente grande para dar abrigo a todos os seus filhos?

— Você fala de abrigar todos debaixo da tenda de Deus — Tibro disse. — Contudo, três dos meus amigos estão mortos, assassinados pelo seu povo. Isso é um ato de quem deseja a paz?

— Vocês não vieram aqui para matar meus filhos?

— Sim, mas... — Tibro beliscou o nariz. — Não me confunda.

— É verdade que Jesus foi o portador de notícias de paz, aquele que disse para dar a outra face. Mas não estamos proibidos de nos defender.

Nesse momento, um homem apareceu na entrada. Reconhecendo-o, Simão deu um amplo sorriso e foi saudá-lo.

— Lemuel, meu amigo. Que prazer vê-lo depois de tanto tempo. Venha, descanse um pouco. Você quer comida ou bebida?

— Sim, um pouco de água... comida, se tiverem alguma coisa.

Alexandre trouxe uma caneca com água, e Lemuel bebeu, sedento, inclinando tanto a caneca que um pouco do líquido caiu em suas barbas.

Rufus se aproximou e disse: — Temos pão, queijo e um pouco de vinho.

— Traga depressa — Simão disse ao filho, e virou-se para Lemuel. — Vamos, descanse um pouco naquelas almofadas.

— Muito obrigado. — Lemuel enxugou a barba com a mão. Quando se sentou entre os outros homens, ele notou Tibro e fez um gesto de surpresa. — Dimas, você enganou os romanos? Mas como?

— Este é Tibro, irmão de Dimas — Simão contou. — O que você quer dizer com "enganou os romanos"? — ele acrescentou, os olhos escuros assumindo um ar de preocupação.

— Você não ficou sabendo? Anos atrás o senado romano declarou o cristianismo *strana et illicita* — estranho e ilegítimo. Na ocasião, não adotaram nenhuma ação, mas agora estão usando esse antigo edito para nos perseguir. Na verdade, estão buscando nossos líderes e pregadores, e Dimas é um dos que eles querem prender a todo custo.

— Meu irmão está bem? — Tibro perguntou. — Eles não o prenderam, prenderam?

Rufus trouxe um prato com pão e queijo, e Lemuel, com fome, pegou um pedaço de pão e o enfiou na boca, seguido de um pedaço de queijo. Por entre as mastigadas ele conseguiu dizer: — Eles ainda não o encontraram, pois ele está sendo ajudado por uma senhora de influência.

— O nome dela é Marcella?

A pergunta de Tibro fez Lemuel parar de mastigar e olhar para ele, com surpresa. Finalmente ele engoliu, tomou um gole de vinho e fez que sim com a cabeça.

— Sim, é Marcella, a filha do senador Porcius, mulher de Rufinus Tacitus. Você conhece essa mulher?

— Nós nos encontramos quando o marido dela era governador de Éfeso.

Muitas vezes nos últimos anos Tibro se via pensando naquela jovem e bela mulher, mesmo ela sendo casada, e o que era pior, com um governador romano.

— Ela tem sido de grande ajuda para ele em Roma — Lemuel disse. — Mas temo que mesmo ela não seja capaz de proteger Dimas se os romanos o encontrarem.

— Então eles não podem encontrá-lo — Simão declarou. — Irei a Roma para trazê-lo para um lugar seguro.

— Não, pai — Alexandre falou com preocupação. — Lá é muito perigoso para o senhor.

— Ele está certo — Rufus acrescentou. — O senhor não pode se esconder entre os romanos, e ainda mais se suspeitarem que o senhor é cristão.

Simão riu. — Ora, você acha que não posso passar por um romano?

— Estou falando sério, pai — Rufus disse. — Seria muito perigoso e temerário.

— Sei do perigo, filho. Mas Dimas não é apenas um líder importante para o nosso movimento; ele é meu amigo há mais de trinta anos. Preciso fazer o possível para resgatá-lo, mesmo que isso signifique me disfarçar de escravo romano.

Rufus começou a objetar, mas Alexandre ergueu a mão e disse: — O pai tem razão. É algo que ele precisa fazer.

Rufus deu um suspiro, mas depois assentiu. — Então vou acompanhá-lo, pai.

— E eu também — Alexandre acrescentou.

— Não, três homens negros iriam chamar muita atenção. Será mais fácil esgueirar-me na cidade sozinho. A menos... — Ele olhou para Tibro e então perguntou: — Você vai comigo? Um comerciante judeu viajando com seu escravo vai levantar poucas suspeitas.

— Eu? — Tibro falou, com incredulidade. — Por que eu iria a Roma? Exceto para matar romanos...

— Dimas é meu irmão em Cristo, mas é seu irmão de carne.

Tibro balançou a cabeça. — Já o salvei uma vez e tentei convencê-lo a voltar a Jerusalém. Em vez disso ele escolheu Roma, e o destino que o Deus dele determinar para ele lá.

— Foi um grande ato o seu naquele dia — Simão falou. — Um ato que nós crentes vamos sempre lembrar e honrar.

— E que resultado deu, se ele enfrentará em Roma o mesmo destino que enfrentou em Éfeso?

— Ele permitiu dez anos de coisas boas, e se Deus quiser, mais outros. Foram dez anos em que centenas, talvez milhares, ouviram seu irmão e receberam a salvação.

Tibro franziu a testa. — A salvação de sonhadores que lutariam contra Roma com um beijo e a derrotariam com um abraço.

Simão deu uma risada. — E vocês zelotes? Vocês enfrentariam as armas de Roma com armas de madeira e pedra, e ainda nos chamam de ingênuos? — ele balançou a cabeça. — Não, Tibro. Realmente não somos tão diferentes. Nossos caminhos para derrotar Roma podem diferir, mas todos estamos convencidos de que Roma e seus muitos deuses vão cair, e o reino de um único Deus reinará supremo.

— E meu irmão mais velho escolheu entre esses caminhos. Se ele está outra vez em perigo, não tenho nenhuma responsabilidade.

— Você está preparado para se apresentar diante de Deus, como Caim, e declarar que não é o guardião de seu irmão?

Os olhos de Tibro faiscaram. — Que direito tem você de citar a Palavra Sagrada para mim?

— Tenho o direito de um cristão, pois as palavras que você considera sagradas são também sagradas para mim. Pergunto de novo, Tibro. Você é o guardião de seu irmão?

Enquanto Tibro pensava nas palavras de Simão, imaginando como se sentiria se seu irmão morresse nas mãos dos romanos, ele percebeu que não era Dimas, mas o belo rosto de Marcella que ele via. Encontrá-la novamente depois de tantos anos, ouvir novamente a sua voz...

Seus pensamentos foram interrompidos por uma discussão que tinha surgido entre Simão e seus filhos. — O senhor não pode estar falando sério, pai — Alexandre dizia. — O senhor realmente permitiria que esse incrédulo o acompanhasse a Roma?

— Eu ficaria honrado — Simão retrucou. — Ele já demonstrou sua bravura e valor em Éfeso. E ninguém pode duvidar de seu amor pelo irmão.

— Dez anos atrás em Éfeso? — Rufus zombou. — E esta noite, em Jerusalém? Ele só está aqui agora porque estava tentando matar Alexandre e a mim.

— Eu sei — Simão falou. — Mas mesmo Paulo nos perseguiu antes de se tornar cristão.

— Sim, mas Paulo *foi* convertido. E este homem? — Rufus olhou furiosamente para Tibro. — Você nunca vai aceitar Jesus, vai? — ele disse, mais uma declaração do que uma pergunta.

— Não, eu não vou ser convertido — Tibro retrucou. E mesmo antes de perceber o que estava fazendo, agarrou o ombro de Simão e falou: — Mas ofereço meu testemunho de lealdade até encontrarmos meu irmão e trazê-lo de volta a Jerusalém.

CAPÍTULO 31

Tibro bar-Dimas estava diante da janela aberta do pequeno apartamento, olhando a floresta de mastros de barcos ancorados no porto. Ele estava na cidade costeira de Sidon, à qual havia acompanhado Simão, e onde eles tentavam arranjar um modo de atravessar o Mediterrâneo em sua viagem para Roma. Mas estava sendo muito mais difícil encontrar um barco do que eles esperavam. Era a época das tempestades, em que ventos repentinos podiam facilmente destruir um barco, e havia poucos marinheiros dispostos a enfrentar o mar em tais condições.

Três capitães de navios tinham se oferecido para levá-los dali a dois meses. Mas Simão temia que cada dia de espera aumentasse muito o perigo enfrentado por Dimas, portanto continuou a freqüentar as docas todos os dias, falando com todos sobre sua necessidade.

Tibro estava prestes a se afastar da janela quando avistou Simão, que dessa vez não vinha sozinho, mas era acompanhado de um homem baixo, calvo, com sobrancelhas grossas e nariz proeminente. Enquanto eles subiam as escadas, Tibro atravessou a sala e abriu a porta do apartamento.

— Tenho boas notícias! — Simão falou com uma forma de saudação. — Conseguimos a passagem.

— Excelente. — Tibro examinou o companheiro mais velho de Simão e disse, meio em dúvida: — Este é o capitão?

O homem calvo riu alto. — Capitão, sim, mas de minha alma, como todos somos. Nunca comandei um barco, nem, tenho certeza, vou comandar.

— Este é um amigo de seu irmão, Paulo de Tarso — Simão disse. — Paulo, este é Tibro bar-Dimas.

Paulo fitou Dimas por um longo momento. — Você está certo — ele falou a Simão. — Ele é a imagem de Dimas.

— Não vejo meu irmão há dez anos — Tibro respondeu. — Talvez não nos pareçamos mais tanto.

— Estive com ele recentemente — Paulo disse. — Vocês ainda são o espelho um do outro.

— O barco de Paulo chegou recentemente de Cesaréia — Simão explicou. — Ele falou com o capitão em nosso nome, e estaremos a bordo quando ele partir.

A cautela de Tibro diminuiu um pouco, e ele permitiu-se um arremedo de sorriso. — Muito obrigado, Paulo. Temos sorte por você ser amigo do capitão.

Novamente Paulo riu, uma risada que ressoava no fundo de sua barriga. — Não é ele que me dá atenção, mas Legatus Julius, um oficial do regimento do imperador. Ele comanda um destacamento do exército no barco.

— Um oficial romano? — Tibro perguntou cautelosamente. — Você é um judeu, não é? E ficou amigo de um oficial romano?

— Ele não é meu amigo, mas meu carcereiro.

— Carcereiro? Eu não entendo.

— O barco está levando prisioneiros para Roma. E acontece que sou um deles.

— O que você fez?

— Preguei a ressurreição de Nosso Senhor Jesus — Paulo respondeu. — Parece que contrariei tanto o Sinédrio que eles decretaram minha morte.

— Paulo é prisioneiro em Cesaréia há dois anos — Simão interveio. — A única coisa que o mantém vivo é o fato de ser cidadão romano e ter apelado da sentença ao imperador. Julius o está levando para Roma agora.

— Contudo, esse Julius permitiu que você, um prisioneiro, viesse a terra. Como isso é possível?

— Dei a Julius minha palavra de que não tentarei fugir, então ele me deu permissão para visitar alguns amigos e comprar provisões para a viagem. — Ele se virou para Simão e riu outra vez. — E vocês, dois ótimos cavalheiros, foram a provisão que eu arranjei hoje.

DEPOIS QUE SIMÃO PAGOU 5 denários por passagem, o capitão instruiu um dos seus homens a mostrar onde Paulo e alguns outros passageiros estavam sentados, perto da popa do navio; o resto dos prisioneiros era mantido acorrentado, nos porões. Em seguida o capitão foi inspecionar a tripulação que levantava a âncora e erguia a vela.

Enquanto Simão se juntou a Paulo em um dos bancos, Tibro foi para a amurada da popa e ficou sozinho, ouvindo o ranger e o gemer da madeira e das cordas quando o barco zarpou. Os edifícios de Sidon foram ficando pequenos e finalmente desapareceram de vista, substituídos pelas vastas áreas de árido deserto à direita do barco, que rumava para o norte ao longo da costa.

Tibro, que tinha estudado geografia, sabia que essa não era a rota para a Itália, e aproximou-se de Paulo e Simão.

— Por que estamos indo para o norte, se para chegar a Roma devemos ir para oeste, para Chipre?

Paulo, a quem muitos anos de evangelização por todo o Mediterrâneo tinham dado um grande conhecimento sobre o mar, levantou um dedo acima da cabeça e concordou. — Os ventos estão contra nós, exatamente como o capitão previu. Mas tenha fé, Tibro, pois eu lhe digo: chegaremos a Roma em segurança e, quando chegarmos, você encontrará seu irmão Dimas vivo e bem, e fazendo o trabalho de Deus.

Embora Tibro não estivesse satisfeito com a demora, ele aceitou a explicação e tentou não importunar os outros com suas preocupações. E passou a maior parte do tempo junto à amurada ou sentado com seus companheiros mais velhos, mantendo-se longe da tripulação e evitando os soldados romanos. Tibro estava mais intrigado com os movimentos aparentemente sem esforço dos marinheiros ao manejar as cordas para capturar qualquer vento que pudessem. O barco, bem construído e manobrado com perícia, movia-se calmamente sobre a água, deixando uma esteira que ondeava e brilhava na superfície do mar. Muitas vezes eles eram seguidos por peixes-voadores, alguns dos quais acabavam aterrissando no convés, onde eram apanhados rapidamente para aumentar as magras rações.

Duas semanas depois de deixar Sidon, eles ainda costeavam a Ásia Menor, mas finalmente tinham passado pela ponta oriental do Mediterrâneo, e agora se dirigiam para oeste. Essa rota os levou a um canal entre a Cilícia, na Ásia Menor, e o norte de Chipre, ao sul.

Eles pegaram provisões em Kyrenia, ao norte de Chipre, e depois seguiram viagem, passando por Cilícia e Pamphylia, até chegar a Myra, o destino final do barco. Lá Legatus Julius encontrou um outro barco para levar seus soldados e os prisioneiros a seu cargo para a Itália.

O novo navio era também um cargueiro, que transportava grãos e azeite. Embora munido de uma tripulação qualificada, ele velejava vagarosamente, fazendo pequenos progressos num mar de ondas altas e ventos contrários. Finalmente chegaram a Creta, ancorando em Lasea. Permaneceram vários dias lá, continuando no porto até depois do Yom Kippur. Então, no dia em que se preparavam para partir, Paulo subiu num cabrestante e chamou a atenção de todos.

Tibro ficou olhando fascinado. Embora Paulo fosse um passageiro, ele tinha o respeito e a atenção de soldados, marinheiros e prisioneiros.

— Ficamos muito tempo neste lugar — ele começou. — Percebo agora que nossa viagem será perigosa daqui para a frente; vai haver danos à carga e ao barco, e também perda de vidas.

— Isso é ridículo — o capitão falou. E bateu com os nós dos dedos na amurada. — Temos um barco sólido, manobrado por uma tripulação de marinheiros experientes. Não teremos nenhuma dificuldade.

— Faríamos melhor se ficássemos o inverno aqui em Lasea — Paulo continuou.

Julius olhou para o capitão, depois para o prisioneiro, em dúvida sobre em quem acreditar.

— Se é para passarmos o inverno aqui, deveria ser em Fênix, do lado sul de Creta — o capitão falou, dirigindo seus comentários para Julius. — Este porto não será hospitaleiro quando o tempo mudar. O porto em Fênix fica de frente para sul e oeste, e vai fornecer o abrigo necessário.

Julius pensou no assunto, e então disse: — Vamos velejar para Fênix. Se o tempo piorar, aceitaremos o conselho de Paulo e passaremos o inverno lá.

Os outros marinheiros e soldados deram sua aprovação e, apesar da advertência de Paulo, o pequeno barco zarpou.

No resto da tarde um vento morno e favorável soprou do sul, e Tibro se convenceu de que a advertência de Paulo tinha sido fruto de uma imaginação hiperativa. Mas então, logo depois do anoitecer, irrompeu um vento forte, agitando as águas e fazendo o barco balançar na crista das ondas turbulentas.

Uma onda particularmente alta ergueu-se sob o navio, o convés do cargueiro elevou-se e rolou para estibordo, depois mergulhou de repente na outra direção. O barco ficou mergulhado, e por vários segundos agonizantes Tibro teve a sensação aterradora de que ele não emergiria de novo, que continuaria mergulhando até emborcar. Então, vagarosamente, com grande esforço, o barco se endireitou antes de rolar de novo para a direita.

Todos, com exceção da tripulação, foram para baixo fugir da tempestade, enquanto o navio mergulhava e montava nas monstruosas ondas, jogado para a frente e para trás, enquanto tentava cortar o mar. Mas o nordeste não amainou, o vento tão feroz que a tripulação não conseguia manobrar o barco e era forçada a deixá-lo correr, enquanto eram levados para mais longe de Fênix e da costa de Creta, para as águas revoltas no mar Jônico, entre a Grécia e a Itália.

A tempestade continuou sem tréguas por uma quinzena, jogando o barco para lá e para cá como um brinquedo de criança. O máximo que a tripulação podia fazer era tentar manter as velas e as cordas inteiras, e o barco sem dividir-se ao meio, o que conseguia enrolando cabos em volta do casco e amarrando-os no convés.

Abaixo do deque havia uma confusão só. Uma mesa e alguns bancos tinham sido aparafusados em seus lugares, mas tudo o mais escorregava de um lado para outro. As portas dos armários se abriam e se fechavam, espalhando todo o conteúdo no chão, que, por sua vez, estava coberto de sacos rasgados de trigo e cevada, além de louça que era reduzida a cacos quando arremessada para um lado e para outro.

Como os dias passavam e a tempestade não amainava, Tibro e os outros começaram a desesperar-se com a possibilidade de nunca mais chegarem a terra em segurança. E sua preocupação se multiplicou quando o capitão desceu em busca de voluntários para ajudar a baldear água do compartimento de carga.

O capitão procurou assegurar a Legatus Julius e aos outros passageiros que o barco não corria risco de partir-se pela ação da arrebentação das ondas. Mas suas palavras fizeram pouco para diminuir os temores, e vários soldados romanos começaram a criticá-lo por levá-los a estreitos tão terríveis.

Tibro pensou em sair em defesa do capitão. Afinal, a maioria tinha apoiado a decisão de zarpar. Até Tibro, em sua ânsia de ver seu irmão em Roma, ficara do lado do capitão, deixando Paulo sozinho em suas advertências. Por isso Tibro ficou tão surpreso quando viu que Paulo agora falava em defesa do capitão.

— Não abandonem a esperança, nem reneguem nosso bom capitão! — Paulo exclamou, gritando para ser ouvido acima do barulho das ondas e do uivo do vento. — Homens, vocês deveriam ter me ouvido, não zarpado de Creta e não sofrido estes danos e perdas. Contudo, imploro que mantenham o ânimo, pois nenhuma vida será perdida, mas perderemos o navio.

— Como você sabe? — Julius gritou. — Certamente você não acredita que vamos sobreviver a esta terrível tempestade.

— Eu sei porque, na noite passada, o anjo do Deus a quem pertenço, e a quem sirvo, chegou-se a mim e disse: "Não tema, Paulo! Você precisa se apresentar a César. E Deus, como um sinal em seu favor, deu-lhe a vida dos que viajam com você". Tenham coragem, então, pois acredito em Deus, e tenho certeza de que tudo vai acontecer exatamente como me foi dito. Mas teremos de manobrar o navio para a praia de alguma ilha.

— Nossa vida e nosso barco serão salvos? — Tibro perguntou.

— Não prometi isso — Paulo retrucou, e Tibro pensou ter visto um brilho de humor em seus olhos. — Seremos lançados contra uma praia, o barco será jogado contra rochedos e se romperá. Mas nenhum fio de seus cabelos vai ser perdido.

— Vocês acreditam nele? — um dos soldados romanos perguntou, olhando para Julius e os outros. — Vocês acreditam que ninguém vai morrer?

— Acredito que Paulo é um homem de Deus — Simão retrucou. — Se ele diz que um anjo de Deus prometeu que todos sobreviveremos, então acredito que será assim.

Apesar de muitos continuarem descrentes, a tensão do momento tinha diminuído, e o capitão foi capaz de retomar suas funções, com Legatus Julius organizando seus soldados no auxílio da retirada da água do compartimento de carga.

Quando a manhã finalmente rompeu, a tempestade ainda era forte, embora tivesse diminuído um pouco a sua fúria. O barco continuava a fazer água, e Tibro e os outros passageiros e prisioneiros ajudavam os soldados a baldearem a água. Vários dos marinheiros, enquanto isso, tentavam consertar alguns dos buracos maiores no que ainda restava das velas.

Quando alguém gritou que tinha avistado terra, todos correram para o convés. Apoiado na amurada de estibordo, Tibro olhou por entre a névoa da chuva até que conseguiu perceber uma fina faixa costeira escura.

Ninguém da tripulação sabia onde estavam, mas o capitão vislumbrou o que parecia ser uma baía com uma praia, e decidiu que tentariam fundear lá. Jogando fora as âncoras, enfunaram o que restara das velas e apontaram a proa para a praia.

O barco singrou rápido, com a ajuda do vento, em direção da praia. Mas de repente atingiu um banco de areia e parou com um estrondo. Tibro foi atirado ao convés com tanta força que imediatamente se formou um inchaço em seu braço. Mas ele ainda conseguia movê-lo e ficou agradecido de nenhum osso ter se quebrado.

Quando ele observava o ferimento, a popa do barco começou a partir-se sob a violenta arrebentação das ondas.

— Abandonem o barco! — o capitão gritou. — Todo mundo! Nadem para a praia.

Em meio à comoção, vários marinheiros pularam do barco do lado que afundava e nadaram para a praia, deixando soldados, prisioneiros e passageiros para trás.

— Como está seu braço? — Simão perguntou, ajoelhando-se ao lado do amigo mais moço. — Dá para nadar?

— Está doendo, mas não quebrou — Tibro retrucou. E deu uma risada triste. — Mas não importa. Não sei nadar.

— Nem eu — Simão falou com uma gargalhada.

— Então tudo acaba aqui — Tibro declarou. Ele olhou para Simão. — Você não é da minha religião, do meu povo ou da minha raça. Contudo, quando fui matar seus filhos, você demonstrou misericórdia, até amor. Não achava que podia ser amigo de um infiel, mas você se tornou meu irmão. Que Deus tenha piedade de você.

Simão sorriu. — Não desista ainda. Não se lembra? Paulo disse que ninguém morreria, e eu acredito nele.

— Mas como vamos nos salvar se nenhum de nós sabe nadar?

— Se este é o desejo de Deus, meu amigo, então ele vai prover um meio.

Nesse momento, uma enorme onda atingiu a popa e inclinou o barco de lado. Simão agarrou Tibro, e Tibro agarrou a amurada. O barco virou de lado e começou a submergir. A primeira onda passou por cima deles; a próxima partiu o barco em dois, e os varreu do que restava do convés para o mar.

Tibro foi puxado para debaixo da água, e ao subir à tona, lutando por ar, conseguiu manter-se agarrado à pesada amurada de madeira, que tinha se soltado do convés. Ele sentiu algo junto do peito, e então ouviu alguém falando confusamente e engasgando, e percebeu que Simão estava agarrado a ele.

Passando uma perna por cima da amurada, Tibro gritou: — Segure firme! — E uma outra onda os atingiu, lançando-os como um dardo através das espumas do mar.

CAPÍTULO 32

Como Paulo tinha prometido, nenhum passageiro do desafortunado barco morreu. Tibro e Simão, os que não sabiam nadar, conseguiram chegar à praia agarrando-se a qualquer destroço em que puseram as mãos. Individualmente e em pequenos grupos, todos foram lançados à praia e engatinharam até a areia, com frio, encharcados, exaustos, mas vivos. E agradecidos por a tempestade finalmente ter passado e por ver o sol emergir por entre as nuvens pela primeira vez em duas semanas.

Eles foram logo saudados por um bando de nativos, que veio até a praia para entrar no mar com seus toscos barcos pesqueiros. Um dos marinheiros entendia a língua deles e explicou que aquela era a ilha de Melita, conhecida hoje por Malta. Os nativos se ofereceram para fazer uma fogueira para aquecer e secar os sobreviventes, e todos se reuniram para juntar gravetos e madeira trazida à praia.

Paulo causou uma grande impressão nos ilhéus quando, ao juntar pedaços de madeira, tocou numa víbora venenosa, que o mordeu e ficou grudada em sua mão. Os nativos tomaram isso como sinal de que ele seria um assassino que tinha escapado para o mar e agora enfrentava a justiça pelo bote de uma serpente. Eles observavam e cochichavam, esperando que ele inchasse e caísse morto, mas Paulo simplesmente afastou a víbora e continuou seu trabalho, sem nenhuma conseqüência. O marinheiro que servia de tradutor explicou que agora eles tinham se convencido de que Paulo não era assassino, mas um deus.

Depois que os homens se secaram e descansaram, os nativos os levaram à residência do governador, um romano chamado Publius. Ele mandou preparar um generoso banquete, para o qual todos, até os prisioneiros, foram convidados. Sua generosidade foi multiplicada muitas vezes quando Paulo e Simão visitaram o pai do governador, que estava prostrado com febre e disenteria. Os dois cristãos rezaram ao lado do homem. Paulo colocou a mão sobre ele e ordenou que a doença desaparecesse. O pai de Publius ficou curado, e logo os ilhéus estavam indo ver o estranho que curava os doentes e dominava as víboras.

Simão e Tibro estavam ansiosos para seguir viagem, e o grato governador arranjou passagem para eles num pequeno barco mercante de partida para a Itália. O barco não era suficientemente grande para receber o resto do grupo, cuja estada na ilha iria durar mais três meses. E foi com a bênção de Paulo e os votos de boa viagem de Julius, do capitão e sua tripulação, que Simão e Tibro partiram para a última etapa de sua viagem.

O barco mercante fez uma rápida travessia até Siracusa, na Sicília, onde os dois homens pegaram outro barco que subiria a costa para Rhegium e depois Puteoli, um porto no norte da baía de Nápoles. De lá andaram os últimos 250 quilômetros até Roma, disfarçados de comerciante judeu e seu escravo. Eles escolheram o azeite de oliva como seu comércio, aproveitando a experiência de anos de Simão nesse ramo.

Simão já tinha estado em Roma antes, mas essa era a primeira visita de Tibro. Quando ultrapassaram os portões, ele ficou impressionado com o tamanho e a vitalidade da cidade. Eles se juntaram à multidão que perambulava pelas ruas, misturando-se entre os comerciantes, trabalhadores, profissionais, proprietários, soldados, escravos e estrangeiros que tratavam de negócios, aparentemente alheios às muitas diferenças entre sua condição e posição.

Tibro e Simão contornaram o fórum, com seus edifícios governamentais e templos, e seguiram o rio Tibre passando pelo Circus Maximus. Aquele imenso e imponente edifício tinha quase 600 metros de comprimento, e quase metade disso de largura, com um exterior da altura de um prédio de três andares, completamente circundado por colunas. Projetando-se acima dele, no Monte Palatino, ficavam os palácios dos Césares, grandes estruturas de tijolo com tetos em arco, totalmente revestidos de mármore brilhante.

Igualmente impressionante era o templo de Apolo, construído com mármore branco e cercado por pórticos com colunas de mármore amarelo. O templo continha esculturas de Apolo, Latona e Diana.

— O que você acha? — Simão perguntou, fazendo um gesto para o templo.

— Acho que muito tempo, esforço e beleza foram desperdiçados com deuses pagãos — Tibro respondeu.

Simão deu risada. — Esta é uma questão religiosa sobre a qual nós dois podemos concordar.

— Você tem alguma idéia de onde podemos encontrar meu irmão? — Tibro perguntou, um pouco exasperado com o aparentemente infindável giro pela cidade.

— Sei onde procurar, e é para lá que estamos indo. — Ele levantou um braço e apontou para o rio Tibre, ali perto. — O bairro Trastevere. Vamos.

Tibro seguiu Simão até uma ponte para pedestres que os levou a cruzar o rio em direção à primeira área habitada na margem ocidental. Ali o cenário mudou. Não havia mais os templos pagãos nem as grandes mansões cheias de colunas da elite romana. Tibro se sentiu imediatamente à vontade e comentou que eles poderiam muito bem estar numa vizinhança de Jerusalém.

— É sim — Simão retrucou. — Durante anos muitos judeus se mudaram para Roma, e todos se instalaram nesta área.

Ao andarem pela Via Portuensis, Simão parecia procurar alguma coisa, parando de vez em quando para afastar a vegetação de uma parede ou de um portão e examinar o que havia embaixo.

— O que você está fazendo? — Tibro finalmente perguntou.

— Procurando um sinal.

— Que tipo de sinal?

— Ah, um como este — Simão exclamou quando afastou o galho de uma espirradeira em flor e revelou um peixe entalhado numa estaca.

— Um peixe? — Tibro disse. — Você está procurando um peixe?

— Nosso Cristo é um pescador de homens. — Simão acariciou o entalhe. — Com este signo nós podemos reconhecer um ao outro. Seremos bem-vindos aqui. Vamos.

Eles foram saudados à porta pelo proprietário da casa, um homem alto de uns 40 anos, barba raspada no estilo crescentemente popular entre os cristãos. Tibro não o reconheceu e ficou surpreso quando o homem se adiantou, dizendo: — Tibro! Você veio a Roma! — Tibro começou a responder, mas o homem já tinha se virado para Simão, abraçando-o, enquanto dizia: — Quanta honra, Simão, ter você em minha casa.

Quando Tibro o examinou mais de perto, ele o imaginou um pouco mais moço e com uma barba cerrada, e finalmente se lembrou. — Gaius — ele disse, justamente quando o homem se virava e olhava para ele.

— Ah, você se lembrou.

— Você está diferente da época em Éfeso.

Gaius afagou o queixo liso. — Cortei a barba no dia em que cheguei a Roma. Mas você, meu amigo, está a mesma coisa.

Tibro franziu a sobrancelha. — Uma década mais velho.

— Nem um dia — Gaius retrucou com um gesto de desdém. Ele virou-se para Simão: — Quando foi sua última visita? Três anos? Você pregou na casa de José.

— Cinco anos — Simão respondeu. E olhou para a imponente casa de dois andares. — Não me recordo de você vivendo em tanto esplendor. Você estava dividindo aposentos bem modestos, em cima de uns estábulos, eu me lembro.

Gaius deu um largo sorriso. — Sou mais zelador do que proprietário. Três anos atrás, um dos nossos romanos convertidos foi ao encontro do Senhor e deixou-nos esta casa para ser usada como igreja domiciliar. Entrem. Minha casa, nossa igreja, é sua casa.

Enquanto Gaius os conduzia através do pórtico, Tibro notou um mosaico com um peixe no chão, evidência da conversão do dono original à fé cristã.

Gaius mostrou-lhes a casa inteira e levou-os para o quarto onde ficariam como hóspedes. Depois de tomarem banho e vestirem roupas limpas de linho, foram comer um suntuoso jantar. Durante o jantar, Tibro perguntou por Dimas e ficou sabendo que ele ainda era um homem livre, graças aos esforços dos crentes, que arranjavam para Dimas e outros líderes cristãos diversos esconderijos em Roma e seus arredores. Na semana anterior, Dimas tinha estado numa missão em uma das comunidades afastadas na estrada para Ariminum.

Gaius então explicou que, enquanto seus hóspedes se banhavam, ele fizera contato com outros membros da comunidade cristã de Roma e marcara uma reunião de oração em sua igreja domiciliar, a fim de que os hóspedes, cansados de sua longa viagem, pudessem comparecer facilmente. Ele esperava que Tibro se juntasse a eles como convidado de honra, se não como um crente.

Quando os cristãos começaram a chegar, Tibro polidamente os cumprimentou e depois se sentou sozinho no final da ampla sala que servia de lugar de oração. Lá, ele lutou contra a ânsia de se levantar e criticar severamente a assembléia por ter se desviado de um Deus verdadeiro para adorar um falso messias. Em vez disso, lembrou-se das gentilezas que tinha recebido de Simão, Paulo e agora Gaius.

Uma coisa surpreendeu Tibro durante a chegada dos fiéis: eles poderiam tanto ser romanos quanto judeus convertidos. Ele podia compreender como um judeu era atingido por esse arrebatamento messiânico. Jesus, afinal, era um judeu. Mas para um cidadão de Roma rejeitar a cultura e a sociedade que lhe tinham outorgado tantas bênçãos e privilégios — e ao custo de um grande risco pessoal caso sua lealdade fosse revelada — exigia um tipo de coragem e fé que Tibro não esperava de um romano.

Todas essas dúvidas evaporaram quando uma das cristãs romanas entrou na sala de oração. Perto dos 40 anos, ela demonstrava grande segurança e tinha uma beleza serena que acrescentava um brilho etéreo às suas feições.

Tibro reconheceu Marcella Tacitus imediatamente e levantou-se para se aproximar, mas parou até que todos os outros a tivessem cumprimentado. Ela pareceu perceber que alguém a fitava e virou-se. Por um momento, houve alguma incerteza em seus olhos, depois veio o reconhecimento, e ela se aproximou com a mão estendida.

— Tibro — ela disse calorosamente. — Que ótimo ver você depois de todos estes anos.

— Os anos foram particularmente bons para você, Marcella — ele respondeu, esticando-se para apertar a mão dela. Quando eles se tocaram, ele sentiu uma pequena faísca.

— Levamos um choque — Marcella falou rindo.

Apertando ainda mais a mão dela, Tibro sentiu como se a pequena descarga de eletricidade estática tivesse sido multiplicada muitas vezes ao percorrer seu corpo. Ele ficou surpreso ao ver que, depois de tantos anos, ainda podia experimentar tal reação só de estar diante daquela mulher.

— E seu marido? — Tibro perguntou, tentando manter o tom calmo e sem excitação. — Ele ainda está em Éfeso?

— Não, aqui em Roma. Ele é membro da Comitia Curiata.

Tibro balançou a cabeça. — Não sei o que isso significa.

— A Assembléia dos Curiae é para onde antigos funcionários vão quando se aposentam — Marcella explicou. — Ele não tem nenhum poder real agora; sua posição é mais cerimonial.

— Entendo — Tibro disse, forçando um sorriso, mas profundamente desencorajado por saber que ela ainda estava casada.

— Estamos casados só de nome — Marcella falou, como se sentisse o desapontamento de Tibro. — Ele se diverte com as criadas. Pensei em conseguir um divórcio. Aqui em Roma isso não requer nenhuma formalidade legal, simplesmente o mútuo consentimento das partes. Mas nossa casa, nossos móveis, quase metade do que temos, foi o resultado de meu dote, e de acordo com a lei eu receberia tudo. Rufinus sabe disso e nunca vai consentir no divórcio.

— Eu entendo.

— Não — Marcella disse, apertando a mão dele. — Não acho que você entenda. Também não sei se eu entendo. Há momentos em que penso que desistiria alegremente de tudo só para ficar livre dele.

— E por que não desiste?

Ela deu um leve meneio de ombros enquanto olhava profundamente os olhos de Tibro. — Talvez eu não tenha tido nenhum incentivo real. — Insinuadas, porém não ditas, estavam as palavras *até agora*. — Naturalmente — ela continuou —, nas circunstâncias, ser casada com ele tem suas vantagens. Rufinus sempre foi um homem com bons contatos, e de uma natureza meio bisbilhoteira, de modo que tem sido uma grande fonte de informações para nós.

— Então talvez você possa me dar notícias de meu irmão — Tibro disse. — Soube que os romanos estão tentando prendê-lo.

— Sim, mas com a ajuda de seus amigos ele tem conseguido sobreviver.

— Ajudado, sem dúvida, por informação que você fornece — Tibro falou. — Você pode me levar até ele?

Naquele momento houve uma comoção na direção da entrada, e Marcella sorriu. — Não há necessidade de levar você a Dimas. Ele chegou.

CAPÍTULO 33

SAINDO DA ÁGUA FRIA, Marcella cobriu-se com um leve manto e atravessou o corredor que ligava as salas fria e quente da casa de banho. Lá, ela deixou cair o manto e ficou por um momento no alto dos degraus que levavam até a piscina quente. Duas outras mulheres, também aproveitando as águas dos banhos, já estavam numa grande banheira de concreto.

— Bom dia, Marcella — uma delas disse. — A água fria não estava estimulante esta manhã?

— Bom dia, Julia. — Quando Marcella entrou na piscina, a água quente cobriu seu corpo nu como um cobertor. — O banho frio estava estimulante, mas isto é muito melhor. — Ela foi para um canto.

— Domita estava contando sobre a festa dada por Poppaea Sabina — Julia falou. — Você foi?

— Não — Marcella respondeu. Ela sorriu polidamente para encobrir seu desprazer diante da possibilidade de ouvir os últimos mexericos sobre a escandalosa amante do imperador Nero.

— Oh, então, por favor, continue, Domita — Julia pediu à amiga mais moça.

— Foi a festa mais alegre a que já compareci — Domita declarou. — Havia muito vinho e comida, música lírica e dança, claro. Depois houve uma apresentação com dois jovens. Nus, vejam só.

— Nus? — Marcella disse, parecendo em dúvida.

— Totalmente nus. Seus rostos e corpos estavam pintados com sangue dos carneiros sacrificados aos deuses para a nossa refeição. E os jovens nus corriam pela sala, tocando as mulheres com tiras de pele de cabra.

— Todas as mulheres? — Marcella perguntou.

— Nem todas. Eles tocavam apenas aquelas em idade de procriar, pois a idéia era fazê-las férteis.

— E onde eles tocaram você? — Julia perguntou.

— Aqui. — Ela pôs as mãos em concha sobre os seios, que estavam metade fora da água. — E aqui também. — Ela colocou o braço dentro da água. Nenhuma das duas podia ver sua mão, mas sabiam onde fora.

— Oh. E ninguém ficou embaraçada?

Domita sorriu. — Acho que já tínhamos bebido muito vinho para ficarmos embaraçadas. E os jovens eram muito bonitos, e estavam nus. Acho que todo mundo gostou. Eu gostei.

— Domita, você é *terrível*! — Julia disse, e gargalhou.

— Em seguida comemos carneiro assado. Depois o próprio Nero fez uma apresentação cantando e tocando cítara. Foi muito divertido.

Depois de mais alguns mexericos, Julia e Domita se despediram. Marcella continuou no banho um pouco mais, aproveitando a solidão. Então saiu da água, enxugou-se e foi para o vestiário. Lá, ela cobriu o busto com uma faixa e vestiu calcinhas quase transparentes e bem pequenas. Depois colocou uma túnica sem mangas, porque era julho e fazia muito calor. Sobre a túnica ela vestiu uma *stola*, um vestido parecido com uma toga, feito de um retângulo de tecido enrolado no corpo que descia até o chão. Um debrum púrpura, ou *institia*, cobria toda a barra do vestido. Finalmente ela vestiu a *palla*, um xale quadrado que ela colocou sobre o ombro esquerdo e por baixo do ombro direito. Enfiando-se num par de sandálias, ela puxou um canto da *palla* sobre a cabeça, depois saiu e olhou para a fonte.

Será que ele estaria lá?

Sim! Ele estava sentado no banco de pedra, como em todas as manhãs nos últimos quatro meses.

Embora seus encontros matinais com Tibro tivessem se tornado comuns, seu coração ainda acelerava toda vez que o via, e ela correu pelo terraço. Ele estava de pé quando ela chegou, e sorriu ao tomar as mãos dela nas suas.

— Marcella — Tibro saudou. — Não há nenhuma necessidade de sol, pois você ilumina o dia.

— E você, minha vida. — Marcella respondeu, corando quando abaixou o olhar.

— Por favor, sente-se — Tibro falou com certa urgência. Há uma coisa que preciso lhe contar.

Ela levantou o olhar para ele, excitada e apreensiva. — Estou ouvindo — ela disse, permanecendo de pé ao lado dele.

— Tenho pensado muito nisso tudo. Quero que você se divorcie de Rufinus. Deixe Roma e venha para Jerusalém comigo. Quero você como esposa.

Marcella tinha esperado muito por esse pedido, contudo ficou atordoada quando ouviu Tibro falar. Ela inspirou rápida e profundamente antes de responder.

— Tibro, temo que este não seja o momento certo. Até agora Nero deixou os cristãos em paz. Seu irmão e os outros líderes não são atormentados há vários meses. Mas há muita intriga dentro do palácio. Rufinus está certo de que há conspirações em andamento, e algumas farão de nossa comunidade de cristãos o bode expiatório. Temo que, com a menor provocação, Nero possa ser persuadido a se voltar contra nós, e todos, Dimas inclusive, estariam colocando a vida em risco.

— Esta não é uma grande razão para ir comigo? Se Nero criar problemas, você estará segura fora de Roma.

— E os outros? Simão, Paulo e Pedro? E seu próprio irmão? Se eu ficar aqui com Rufinus posso obter informações a tempo de alertá-los. Não vê que todos os cristãos de Roma podem depender de mim?

— Eu também dependo de você — Tibro disse. Ele afagou gentilmente o rosto de Marcella, e ela estremeceu ao toque. — E não suporto mais o pensamento de você casada com aquele... aquele homem.

Ela se aproximou e tomou a mão dele. — Já disse antes, Rufinus e eu somos casados apenas nominalmente. Não somos mais marido e mulher, não verdadeiramente, estes anos todos em Roma. — Ela tocou os lábios dele com ternura, e seus olhos se umedeceram. — Nem sequer penso nele, exceto como um meio de ajudar o povo que eu amo. É em você que penso todos os dias, para você que venho todos os dias, como temos feito nestes meses em que você está em Roma.

— Não — Tibro falou, puxando sua mão. — Isso não é suficiente. Quero mais de você. Necessito mais de você.

Ele tocou a nuca de Marcella e apertou-a gentilmente, e ela sentiu o sangue transformar-se em mel quente.

— Eu quero ir dormir com você à noite, acordar com você de manhã e deitar com você ao luar. — Ele chegou mais perto, o rosto contra o dela, e recitou, do Cântico dos Cânticos de Salomão:

"Quão belos são os teus pés nas sandálias que trazes,
Ó, filha de príncipe!

As colunas das tuas pernas são como anéis
trabalhados por mãos de artista".

Marcella fechou os olhos, sentindo a carícia das palavras dele quase como se fosse algo físico, como se fossem as mãos dele explorando seu corpo.

"Os teus seios serão, para mim, como cachos de uvas,
e o perfume da tua boca como o das maçãs.
Os teus beijos são como o bom vinho."

Seu corpo estremeceu quando os lábios dele tocaram sua nuca com os beijos mais suaves. Ele inclinou-se para trás e fitou os olhos dela. Ele começou a recitar, mas ela levou a mão à boca dele, seus dedos explorando os contornos dos lábios, quando ela respondeu com o Cântico dos Cânticos:

"Vinho que se escoa suavemente para o meu amado,
deslizando entre seus lábios e dentes.
Eu sou do meu amado, e ele tem saudades de mim".

— Você precisa ir comigo, Marcella — Tibro implorou. — Se não puder, entregue-se a mim, pois estou ficando louco de desejo.

— Eu não posso. Ainda sou casada e, como cristã, não posso cometer adultério.

— Cristã... — Tibro falou com um resmungo.

— Você já está aqui há quatro meses. Tornou-se amigo de Simão, Pedro e Paulo. E tem o ensinamento de seu irmão para guiar você. Por que ainda não viu a verdade?

— Não há nenhuma verdade para ver, a não ser a verdade que eu vivo — Tibro retrucou.— Tenho lealdade ao meu Deus, o criador de tudo... não a um falso messias.

Os olhos de Marcella se encheram de lágrimas, e ela afastou suas mãos. — Oh, Tibro — ela suspirou. — Eu amo você, mas até que você veja a luz, temo que não possa haver mais nada entre nós.

— Enquanto você ficar com aquele déspota do seu marido, não pode haver nada entre nós de qualquer forma. — Tibro falou com uma raiva que mal continha. — Talvez você deva ir para ele agora, e não desperdiçar sua manhã com este judeu. Tenho certeza de que ele tem algumas notícias para você compartilhar com seus amigos cristãos.

— Tibro, por favor. — As lágrimas de Marcella começaram a cair pelo rosto. — Tente entender.

— Vá — Tibro falou, um pouco mais gentil dessa vez. — Não seria bom ser vista comigo.

— Você estará aqui amanhã?

— Não sei.

— Oh, Tibro, não suporto pensar numa vida sem o seu amor. Eu... farei o que você pede.

Os olhos de Tibro se estreitaram. — Vai fazer o quê?

— Vou me entregar a você. Vou dormir com você. Vou colocar minha alma em risco de maldição eterna por você.

Tibro a envolveu nos braços e a puxou para si. Enquanto ela chorava em seu ombro, ele beijou seu cabelo; depois deu um suspiro e a largou. Colocando o dedo debaixo do queixo dela, ergueu aquele rosto para olhar em seus olhos, ainda brilhando com as lágrimas.

— Não — ele disse.

— Não?

— Quero mais do que a parte de você que posso tocar, ouvir, ver e provar. Eu quero você inteira. Quero sua alma também. E você não pode me dar isso se achar que o que está fazendo é errado. Vá. Fique com seu marido e proteja seus amigos cristãos.

— Mas se eu fizer isso e perder você será...

— Você não vai me perder — ele declarou. — Não tenho força para ir embora.

Rindo por entre as lágrimas, Marcella apertou as mãos dele uma vez mais, virou-se e saiu. Quando chegou ao fundo da casa de banhos, ela olhou para trás e viu que ele ainda estava lá. Sorriu de novo, certa no coração de que ele sempre estaria lá quando ela precisasse.

CAPÍTULO 34

Os grandes edifícios de mármore branco de Roma cintilavam sob a brilhante lua cheia. Num pequeno barracão de meia-água no distrito pobre perto do Circus Maximus, havia carvão incandescente numa forja. O ferreiro o tinha coberto de cinza, para preservar o fogo para o dia seguinte.

Uma repentina brisa surgiu e fez farfalharem as folhas e os galhos das árvores, e fez bater a porta. O vento chicoteou o barracão do ferreiro e formou um pequeno turbilhão em volta do carvão coberto. O funil de vento sugou algumas brasas e carregou-as em direção ao céu, como uma rajada de faíscas por entre as estrelas.

Uma brasa não seguiu as outras. Em vez disso, alojou-se numa parede do barracão e em instantes as fibras da madeira secas ficaram douradas e cintilantes. O vento, em nova rajada, abanou a incandescência, que se transformou numa pequena chama e subiu lambendo a parede. Num instante, o barracão inteiro estava tomado, e em minutos a casa adjacente pegava fogo, as chamas crepitantes ameaçando as construções próximas.

Naquele momento, vários moradores da área em torno já tinham dado o alarme, mas o fogo era grande demais para ser apagado. O inferno intensificou-se ainda mais, até virar uma confusão de línguas de fogo, estalidos, que passavam de construção a construção, atravessando ruas e praças.

Centenas de milhares de faíscas subiam em nuvens de fumaça, deixando o céu mais coalhado de estrelas vermelhas do que azuis. Em seguida, os distritos mais ricos também foram atingidos, as casas amplas fornecendo combustível para a tempestade de fogo. Colunas de calor subiam aos céus sugando o ar em circunferências cada vez maiores. O ar varria tudo com uma força de furacão, superaquecendo o fogo, espalhando faíscas para faixas cada vez mais largas da cidade.

Por causa do calor opressivo de julho, Tibro bar-Dimas dormia junto à janela aberta na casa de Gaius, quando um barulho crepitante o acordou. Assim que afastou o sono dos olhos e olhou para fora, ficou chocado de ver que uma grande parte da cidade a leste do rio Tibre pegava fogo.

— Marcella! — ele exclamou, pois vendo a extensão e a direção da área envolvida pelo fogo, percebeu que a casa dela estava diretamente no caminho das chamas, se já não tivesse sucumbido ao fogo. Vestindo-se rapidamente, Tibro correu para fora e pelas ruas na direção do rio. Ao atravessar a ponte para pedestres, passou por várias pessoas que fugiam do fogo, muitas mancando em virtude de horríveis queimaduras e ferimentos, e com as roupas esfarrapadas e carbonizadas.

— Corra, salve sua vida! — um deles gritou para ele.

— Não vá para lá, senhor! — um outro pediu, bloqueando a passagem de Tibro. Os olhos do homem, de um branco brilhante contra a pele escurecida pela fuligem, arregalaram-se em choque ao ver alguém se dirigindo para o inferno. — O senhor está louco de ir para lá! — ele insistiu, agarrando o braço de Tibro.

Tibro conseguiu se safar, girou em torno do homem e correu pela ponte em direção ao centro da tempestade de fogo. De repente ele estacou, olhou para trás e mudou de direção. O homem que tinha tentado detê-lo deve ter pensado que ele havia recobrado a razão, e gesticulava encorajando-o. Mas, no último momento, Tibro saltou da ponte para a margem inclinada do rio. Entrando na água, submergiu completamente e depois lutou para chegar até a margem. Escalando desajeitadamente o aterro, seguiu em direção ao fogo deixando atrás de si uma trilha de água e um homem gesticulando para ele parar.

Quando chegou à beira do incêndio, Tibro pensou, sarcástico, que tinha acabado de ser batizado na água e agora teria seu batismo de fogo. De algum modo ele achou uma passagem através das chamas, que curiosamente até ajudavam, iluminando as ruas como se fosse meio-dia. Ele conseguiu encontrar caminhos pelo inferno de fogo, algumas vezes se abaixando sob as labaredas, outras as contornando e ocasionalmente pulando pedaços de pau em chamas. Seu manto encharcado o protegia do calor, mas começava a eliminar um sinistro vapor.

Como ele temia, a casa de Rufinus Tacitus estava queimando, embora felizmente o fogo ainda não tivesse atingido o teto.

— Marcella! — ele gritou, forçando a entrada pela porta dianteira. — Marcella!

— Aqui! — ele ouviu uma voz fraca gritar a distância. — Estou aqui!

Apertando o manto contra o nariz para filtrar a fumaça, Tibro correu na direção da voz. Várias vigas do teto estavam no chão e choviam pequenos pedaços de madeira em chamas. Tibro abaixou-se enquanto se dirigia para uma saleta logo ao lado do átrio, no centro da casa.

Entrando, viu que grade parte do teto tinha desmoronado, e Marcella estava de pé perto dos destroços, lutando com uma viga grande e em chamas. — Por aqui! — ele gritou. — Temos de sair!

— Não posso! — Marcella gritou de volta.

— Você está presa? — Ao se aproximar, ele viu que ela não estava. — Venha, Marcella; o teto vai cair sobre nós.

— Não posso deixá-lo.

Foi então que Tibro viu uma perna projetando-se debaixo de uma pesada viga. Ele soube, sem precisar perguntar, que era de Rufinus Tacitus.

Tibro sentiu uma carga de felicidade. — Deixe-o! — ele falou alto.

— Não, eu não posso!

Quando Tibro se aproximou de Marcella, pôde ver o antigo governador de Éfeso no chão, atordoado entre os destroços em chamas, e com a perna presa pela pesada viga. O homem idoso estava vivo e parecia entender o apuro em que estava e seu provável destino. Ele olhou fixo para Tibro com uma mistura de ódio, desdém e orgulho. Tibro sabia que Rufinus jamais pediria sua ajuda.

— Você não vê? — Tibro falou, virando-se para Marcella. — Deus está oferecendo uma saída a você.

Ela balançou a cabeça. — Deus nunca iria querer que eu o deixasse aqui para morrer.

Tibro olhou para Marcella, para Rufinus e para o que restava do teto em chamas e ameaçava desmoronar a qualquer momento em cima deles. Sua breve alegria desapareceu, substituída por um sentimento de solidariedade e culpa. Finalmente, ele suspirou e disse: — Você tem razão. Vou ajudar.

Nesse momento, outra viga pesada caiu a poucos centímetros de onde eles estavam. Marcella pulou para trás para os braços de Tibro e começou a tossir e engasgar com a fumaça quente que enchia a área.

— Precisamos correr — Tibro falou, limpando o rosto dela com o manto úmido.

Juntos, os dois levantaram a madeira o suficiente para Rufinus sair de debaixo dela. Ficaram surpresos de ver que, embora a viga tivesse prendido

Rufinus, sua perna não estava quebrada, embora bastante ferida, e ele era capaz de pôr-se de pé e de caminhar.

— Vamos! — Tibro agarrou Marcella pelo braço e a arrastou. Quando ela hesitou e olhou para o marido, Tibro disse: — Não se preocupe com Rufinus. Ele pode andar, e vai sair daqui.

RUFINUS CONTINUOU IMÓVEL, ainda atordoado com a proximidade da morte e em choque ao ver outro homem pegar sua mulher pela mão e conduzi-la para fora. Uma parte do teto caiu, e Rufinus percebeu que tinha de sair dali. Movendo-se rapidamente, ele seguiu sua mulher e aquele homem através da casa cheia de fumaça, até o vestíbulo que levava para a rua.

Enquanto estivera preso sob a viga, Rufinus pensara que só sua casa estivesse queimando. Mas do lado de fora viu que Roma inteira parecia estar em chamas. Ele ouvia o crepitar e os estalidos de milhares de incêndios, e o céu alaranjado estava claro como o dia. Sob essa luz, ele viu sua mulher de mãos dadas com o estranho, que agia com muita familiaridade. Foi neste momento que Rufinus reconheceu o homem que os salvara.

— Dimas! — ele gritou. — Eu o condenei à morte muitos anos atrás e, contudo, você está aqui. — Ele apontou um dedo acusador. — A sentença ainda continua valendo. Ordeno que se entregue a mim.

— Este não é Dimas — Marcella disse ao marido. — E além do mais, ele acabou de salvar nós dois.

— Isso não compra a vida dele — Rufinus disse com resolução, virando-se para Tibro. — Você foi condenado por um tribunal, e o estou prendendo. Ordeno que fique aqui até que um oficial da Guarda Pretoriana chegue.

— Já disse, este não é Dimas. É...

— Ninguém vai chegar — Tibro interrompeu, como se não quisesse revelar sua identidade naquele momento. — E ninguém aqui vai morrer. Se você quer viver, então fique quieto e siga-nos para longe daqui. — Ainda segurando a mão de Marcella, ele começou a andar.

— Dimas! — Rufinus gritou. — Dimas, volte aqui. Ordeno que pare!

Atrás dele, o que restava do teto caiu com um estrondo, e as chamas subiam crepitantes no telhado da casa. A parede da frente desmoronou, e uma chuva de faíscas atingiu Rufinus. Ele gritou de dor, olhou para Marcella, que estava com Tibro 20 metros à frente, os dois emoldurados pelo brilho alaranjado da cidade em chamas.

— Você vem? — Tibro gritou para Rufinus ao mesmo tempo arrastando Marcella em direção à segurança.

A raiva nos olhos do idoso romano foi substituída pelo temor quando ele percebeu a precariedade da situação. Deu uns poucos e cautelosos passos à frente e depois correu atrás da mulher e do salvador, ainda gritando:
— Isto ainda não acabou, Dimas! Vou cuidar de você depois!

CAPÍTULO 35

O PADRE MICHAEL FLANNERY não tinha idéia de que distância eles haviam percorrido desde que os seqüestradores o capturaram mais cedo naquela tarde. Várias vezes eles pararam por longos períodos. Numa das paradas, os seqüestradores abandonaram o carro alugado e o outro veículo, e os motoristas se enfiaram no carro remanescente, deixando Flannery espremido entre dois homens no banco traseiro, ficando os outros dois no banco da frente.

Mantiveram o capuz negro em sua cabeça e as mãos amarradas nas costas durante toda a tarde, e o alimentaram apenas uma vez. Mesmo nessa hora não tiraram o capuz, levantando-o apenas um pouco para colocar pequenos pedaços de fruta e queijo em sua boca.

Agora já era noitinha. Mesmo encapuzado, Flannery sabia que estava escurecendo e que ninguém podia vê-lo por causa dos vidros cobertos com película escura.

Por causa das curvas e paradas freqüentes, ele achava que não estavam muito longe de onde ele tinha sido seqüestrado, ao norte de Ein-Gedi, na Rodovia 90. E pelos sons do tráfego na rua ele supôs que estivessem numa cidade em algum lugar. A única questão era qual cidade?

Uma vez, quando pararam, ele ouviu o Adhan, a convocação muçulmana para a oração. Será que tinham cruzado a fronteira para a Palestina? Ou ainda estariam em Jerusalém Oriental?

A cadência musical do canto do muezim era amplificada de modo a flutuar sobre toda a cidade.

"Allah u Akbar, Allah u Akbar
Ash-hadu al-la Ilaha ill Allah
Ash-hadu al-la Ilaha ill Allah
Ash-hadu anna Muhammadan Rasulullaah

> *Ash-hadu anna Muhammadan Rasulullaah*
> *Hayya la-s-saleah — Hayya la-s-saleah*
> *Hayya la-l-faleah — Hayya la-l-faleah*
> *Allahu Akbar, Allahu Akbar*
> *La Ilaha ill Allah."*

Durante o chamado do muezim, Flannery ficou sozinho no carro, e embora não pudesse ver o que seus seqüestradores faziam, supôs que estivessem respondendo ao pregador, provavelmente ajoelhados ao lado da estrada. Se assim fosse, seus seqüestradores deviam ser palestinos, ou pelo menos muçulmanos.

Eles raramente conversavam e, quando o faziam, falavam baixo em inglês. Ele não sabia se usavam o inglês para que ele entendesse ou se para esconder sua nacionalidade. Talvez eles não soubessem que ele tinha um passável conhecimento de árabe, e não tinha a intenção de que ficassem sabendo.

Na próxima vez que o carro parou, os seqüestradores saíram e logo ele sentiu uma mão no ombro.

— Por favor, saia do carro — um deles disse com um sotaque forte que mais parecia fingido.

Flannery deslizou pelo assento e o homem o ajudou a sair. Considerando a situação, o captor de Flannery o tratava com gentileza. Os três outros homens também saíram do carro e o conduziram por um solo acidentado.

— *Paralelepípedos*, Flannery pensou.

— Há degraus para descer — seu guia falou. — Tenha cuidado.

Flannery desceu um longo lance de escadas. Ele supôs que a escada fosse estreita, pois podia sentir uma parede de pedras roçar seu ombro direito, e o homem à esquerda ia bem junto dele. Os degraus também eram de pedra, e quanto mais eles desciam, mais o ar ficava fresco e úmido. Havia também um aroma de mofo, muito familiar, que ele reconheceu de imediato, pois já tinha estado naquele lugar muitas vezes. Mesmo sem enxergar, ele sabia que estava nas catacumbas de Jerusalém.

Ele contou 33 degraus de alto a baixo. Depois o conduziram por uma porta até uma sala, onde finalmente removeram o capuz e cortaram o plástico que amarrava seus braços. Enquanto esfregava os punhos, ele examinou a grande câmara de pedra. O local estava iluminado por poucas velas, uma luminosidade tão fraca que foram precisos poucos instantes para os olhos de Flannery se acostumarem, livres da escuridão do capuz. Ele viu que estava certo e de fato estava nas catacumbas. As antigas inscrições cristãs revelavam a localização precisa: as catacumbas do Monte das Oliveiras, descobertas em meados dos anos 1950 pelo arqueólogo franciscano padre Bellarmino Bagatti.

Flannery foi levado por uma das passagens que ia da câmara de entrada para uma sala menor. Iluminada por tochas, essa câmara era consideravelmente mais clara que a primeira ou os estreitos corredores.

A sala continha três ossuários na mesma posição há 2 mil anos. Um, ele sabia, era o túmulo de pedra de Shimon Bar Yonah — o nome original do apóstolo Pedro. Outro, com marcas de cruz, dizia: "Shlom-zion, filha de Simão, o Pastor". Flannery já tinha estado naquele mesmo lugar.

No centro da sala havia uma mesa coberta com uma toalha de linho. Sentados atrás da mesa estavam três homens com mantos eclesiásticos brancos. Eles usavam máscaras, mas não como as de seus seqüestradores. Estas eram do tipo que os convidados usam em bailes de máscaras. De alguma forma, aquelas máscaras com conotações satíricas pagãs, junto das vestimentas sacerdotais, pareciam um sacrilégio contra as ordens sagradas.

Mas o que realmente prendeu sua atenção foi o símbolo vermelho brilhante bordado na frente da toalha. Era o símbolo do Via Dei, similar, mas não exatamente idêntico, ao do pergaminho de Dimas bar-Dimas.

— Sente-se, por favor, padre Flannery — disse o homem no centro do triunvirato, indicando a cadeira em frente a eles. Sua voz não denotava raiva, apenas um tom bajulador.

— Vocês sabem o meu nome — Flannery disse sem surpresa, ao sentar-se do outro lado da mesa.

— Claro que sabemos. — Ele fez um gesto para os seqüestradores de Flannery partirem. Quando eles saíram da sala, ele se voltou para o padre. — Na verdade, padre Flannery, sabemos tudo que há para saber sobre o senhor.

— Vocês sabem?

— Quando tinha 17 anos o senhor ganhou a corrida de 1.500 metros do campeonato nacional irlandês. Seu técnico, o famoso corredor Ron Delaney, queria que o senhor treinasse para os Jogos Olímpicos, mas já naquela época o senhor queria entrar para o sacerdócio.

— Isso os jornais noticiaram — Flannery disse. — Não deve ter sido muito difícil para vocês descobrirem.

— E Mary Kathleen O'Shaughnessy? Eu encontraria o nome dela nos jornais? Ela achou que o senhor se casaria com ela, não foi? O senhor partiu o coração dela quando anunciou que entraria para o sacerdócio.

Flannery não disse nada. O episódio tinha sido um dos mais difíceis períodos da sua vida, e era uma coisa que ele não queria discutir, especialmente com alguém que o tinha levado ali contra a sua vontade.

— Você tem um primo, Sean O'Neal, que fazia parte do IRA — o aparente líder do triunvirato continuou. — Ele foi morto num confronto com os britânicos. A mãe dele, irmã da sua, morreu de desgosto, e até sua mãe sofreu com isso.

Flannery continuou sem falar nada.

— Então o senhor se tornou padre. Não o padre de uma paróquia, mas um jesuíta, um reputado intelectual, com mestrado em arqueologia. O senhor agora é tido com um dos mais importantes arqueólogos da Igreja Católica e, sem dúvida, um dos maiores arqueólogos do mundo. — O homem fez uma pausa, seus lábios se virando num sorriso. — Mas então houve um tempo em que o senhor percebeu que tinha um problema... um problema com a bebida.

— Não tomo uma bebida...

— Há doze anos, nove meses, duas semanas e três dias — seu inquiridor interrompeu.

— Tudo bem — Flannery aquiesceu. — Vocês sabem um bocado a meu respeito. Agora quero saber quem são.

— Acho que o senhor já sabe, padre Flannery. — O homem fez um gesto em direção ao símbolo na toalha de linho. — Afinal, nós tentamos recrutá-lo uma vez. O senhor se lembra, não?

— Sim, eu me lembro.

— Usamos o padre Leonardo Contardi como nosso agente. Mas, infelizmente, Contardi revelou-se... bem, vamos dizer polidamente, instável? E temíamos que, por associação, o senhor também se revelasse instável.

— Entendo.

— Não, acho que o senhor não entende. Padre Flannery, estamos lhe oferecendo uma segunda chance de se juntar a nós... de ser um membro do Via Dei.

— E por que eu iria querer isso?

— Quem exatamente o senhor acha que somos?

— Uma organização secreta, como os Cavaleiros Templários.

O inquiridor deu uma risada. — O senhor conhece a canção que os Cavaleiros Templários cantavam quando marchavam em sua gloriosa Cruzada? — Como Flannery não respondeu, o homem começou a cantar:

*"Vexilla regis prodeunt,
Fulget crucis mysterium,
Qua vita mortem pertulit
Et morta vitam protulit".*

— O hino do breviário de Venantius Fortunatus — Flannery disse, e então recitou a tradução em inglês:

*"Observe as insígnias reais desfraldadas,
O mistério da Cruz reluzente,
Onde a própria vida desistiu de viver
E Cristo, morrendo, venceu a morte".*

— Para responder sua pergunta, padre Flannery, não somos uma versão moderna dos Cavaleiros Templários, embora na verdade um dos nossos mais ilustres membros, Pedro, o Eremita, foi o primeiro a pregar as Cruzadas e era um mentor para os que fundaram os Cavaleiros Templários. Nossos membros também serviram nas legiões de Constantino e nos exércitos de Carlos Magno. Aconselhamos Joana D'Arc; estivemos na Batalha de Constantinopla e com os fundadores no Novo Mundo. Ah, sim, padre Flannery, nosso movimento é uma ordem nobre e sagrada, iniciada e constituída pelo próprio Jesus Cristo para proteger a Igreja e seu abençoado nome.
— Você acredita que o Via Dei foi fundado pessoalmente por Jesus?
— Acredito.
— Eu também fiz minha pesquisa — Flannery disse. — Sei que o Via Dei foi excomungado da Igreja. E por que a Igreja faria isso se, como você diz, ele foi fundado por Jesus?
— Nós temos nossos inimigos, mesmo dentro do Vaticano.
— E é de admirar que tenham inimigos? A Igreja é culpada pela Inquisição Espanhola, o assassinato de milhares de judeus e muçulmanos durante a Idade Média, o morticínio de inocentes no Novo Mundo. Se examinarmos bem de perto, parece que esses atos foram encorajados por uma conspiração secreta dentro da Igreja. Poderia ser o Via Dei?
— Se o Via Dei parece sinistro, padre Flannery, isso é apenas uma máscara — como as que estamos usando. Nossos membros não são párias da Igreja que criaram sua própria sociedade dentro de um todo maior. Na verdade, contamos entre nossos membros com muitos dos papas que se sentaram no trono de São Pedro.

— O que vocês querem de mim? — disse Flannery, impaciente.

— Trouxemos o senhor diante deste tribunal para oferecer-lhe uma grande honra. Nós o admitiremos hoje mesmo em nossas fileiras, dando-lhe não apenas completa filiação como o conhecimento dos mais secretos mistérios da nossa Mãe Igreja. Padre Flannery, são segredos que o senhor passou a vida tentando descobrir. Eles são conhecidos por muito poucos, uma elite, mesmo dentro do Via Dei. Tudo isso nós lhe oferecemos.

— É para isso que fui seqüestrado?

— Eu preferiria dizer que é por isso que o senhor foi trazido aqui.

— Terroristas islâmicos recrutam todos os seus iniciados? — Flannery disse com dureza. — Ou só eu?

— Nós temos aqui uma situação inusitada e uma oportunidade única — o líder do tribunal retrucou. — Como o senhor sabe, "a miséria dá ao homem estranhos companheiros". E, na nossa atual situação, digamos que serve aos nossos interesses aliar-nos com alguns desses companheiros contra inimigos comuns.

Havia algo no timbre de voz e na maneira como ele citou *A Tempestade*, de Shakespeare, que pareceu familiar a Flannery, mas que ele não sabia situar.

— E quem seria esse inimigo comum? — Flannery perguntou.

— Junte-se a nós, padre, e o senhor saberá todos os segredos.

— E qual é a contrapartida? — Flannery perguntou. — Vocês não estão atrás de mim só porque sou um grande prêmio. Deve haver uma contrapartida.

— Ah, sim, a contrapartida. É simples. Algo que, como membro do Via Dei, o senhor vai querer fazer, pois quando todos os mistérios forem revelados, o senhor entenderá que o que pedimos é apenas a realização do plano de Deus.

Com isso ele se virou e acenou para o homem da direita, que tirou um pesado objeto de sob a mesa. Mesmo antes de ser colocada sobre o tampo, Flannery reconheceu a urna desenterrada em Masada.

— Sim, o pergaminho de Dimas bar-Dimas — o líder continuou.

Seu sorriso foi substituído por uma carranca quando ele virou a urna para mostrar que ela estava vazia.

— Fizemos arranjos para obter o pergaminho, mas infelizmente mesmo os mais bem planejados esquemas do Via Dei *"gang aft a-gley"* — ele disse, parafraseando o famoso poema de Robert Burns sobre planos que dão errado. Ele parecia deliciado com sua versão, e o sorriso retornou. — Então, a contrapartida, como o senhor tão eloqüentemente diz, é que o senhor deverá nos trazer o pergaminho de Dimas.

— Por que vocês querem o pergaminho? — Flannery perguntou. — Uma vez que a pesquisa esteja terminada, seu conteúdo será avaliado pela Igreja, que determinará se ele será incluído ou não no Livro Sagrado. Mesmo que não seja, o texto integral será publicado — os israelenses insistirão nisso. Assim, de qualquer modo, dentro ou fora da Igreja, vocês terão completo acesso a tudo o que o pergaminho contém.

— Isso não é suficiente — o homem respondeu, com um primeiro indício de aborrecimento no tom de voz. E citou: — "É adequado, certo e nosso dever moral que tenhamos, em todos os tempos e em todos os lugares, controle sobre o pergaminho".

Flannery olhou com curiosidade para o homem mascarado, que tinha usado expressões tão arcaicas. E o mais peculiar é que não eram católicas, mas do *Livro de Oração Comum* anglicano: *"É adequado, direito e nosso dever moral, em todos os tempos e em todos os lugares, agradecer-Vos, ó Senhor, Pai Santíssimo, Onipotente, Eterno"*. Ou ele estava indicando sutilmente que a influência do Via Dei ia além da Igreja Católica, ou esse era um outro exemplo da queda do homem para alusões literárias.

Novamente Flannery lembrou-se de alguém que ele conhecia, mas não conseguia precisar quem. Arquivando esse dado por enquanto, ele se inclinou para mais perto da mesa e perguntou: — O Via Dei quer possuir o pergaminho, ou meramente evitar que o mundo conheça seus segredos?

O porta-voz suspirou. — Tudo bem, padre Flannery, vou lhe contar uma coisa que nunca foi revelada para ninguém de fora do Via Dei durante os 2 mil anos de sua existência.

— Não — o homem mascarado da esquerda falou, balançando a cabeça.

O homem da direita permaneceu em silêncio, mas colocou a mão no braço do porta-voz, numa indicação negativa.

— Perdoem-me, meus irmãos — o líder disse, olhando de volta para cada um dos companheiros. — Mas circunstâncias extraordinárias exigem medidas extraordinárias.

Os dois outros homens o fitaram um longo momento, e depois olharam para Flannery, como que examinando-o. Primeiro um, e depois o outro, eles aquiesceram com a cabeça.

— Padre Flannery — o líder disse, depois de conseguir o consenso do tribunal. — Sabemos que o símbolo — nosso símbolo — está no documento de Dimas. Suponha que diga que o símbolo do Via Dei foi dado diretamente a Dimas bar-Dimas pelo próprio Jesus Cristo, que apareceu para Dimas na estrada para Jerusalém no dia seguinte à ressurreição.

— Foi dado a Dimas? — Flannery perguntou.

— Sim.

— É isso o que conta sua lenda?

— Não é lenda, senhor; é a verdade! — o líder declarou, o tom de voz endurecendo visivelmente.

— Algumas vezes é difícil separar a lenda do fato — Flannery contrapôs.

— Do fato, sim, mas não da verdade. E sem dúvida, padre Flannery, o senhor é inteligente o suficiente para saber a diferença entre os dois.

— Sim, eu sei a diferença. Mas neste caso a verdade não é suficientemente boa. Vocês estão pedindo que eu os ajude a obter um dos mais importantes documentos já descobertos na história do cristianismo, sabendo perfeitamente bem que negarão ao mundo e a amplos setores do cristianismo o acesso a esse documento. Só para considerar essa ação, eu preciso de fatos. Quais fatos vocês têm?

— Temos o fato de que Dimas escreveu seu evangelho muito antes dos de Mateus, Marcos, Lucas, João ou até de qualquer uma das epístolas de Paulo. Temos o fato de que Dimas deu o pergaminho a seu sucessor, Gaius de Éfeso, que então fundou o Via Dei. Portanto, o Evangelho de Dimas, por direito, pertence a nós. Mas de alguma forma, logo no início do Via Dei, o documento foi perdido, e só nós, por 2 mil anos, soubemos de sua existência, e o procuramos por toda a terra.

Enquanto Flannery ouvia, de repente se lembrou de onde tinha ouvido aquela voz.

— Que provas temos? — o homem continuou. — Ora, o próprio símbolo do Via Dei. O senhor acha que é uma mera coincidência que um documento do século 1 tenha o mesmo símbolo há muito considerado sagrado para a nossa organização? Não é prova suficiente de que Dimas bar-Dimas seja o pai do Via Dei, por meio de seu sucessor e nosso fundador, Gaius de Éfeso, e que seu evangelho deve, por todos os direitos, ser devolvido a nós?

— E vocês querem que eu o devolva — Flannery declarou.

— Fazendo isso o senhor estará realizando um ato de Deus.

— E a morte de Daniel Mazar? Foi um ato de Deus?

O homem hesitou, aparentemente desconhecendo que Flannery sabia o que tinha acontecido no laboratório. Seu tom ficou tenso, defensivo, quando afirmou: — O professor foi morto por terroristas palestinos.

— Mas vocês estão de posse da urna.

— Sim.

— Se terroristas mataram o professor Mazar, como é que vocês têm a urna? — Flannery pressionou. — Isto foi um trabalho daqueles estranhos companheiros que você mencionou?

— Não... era para acontecer dessa forma — o homem retrucou, parecendo cada vez mais desconfortável. — Queríamos apenas o pergaminho, não a morte de ninguém.

— Os seus companheiros mataram não apenas Daniel Mazar, mas também três guardas israelenses. Quando vocês deram a ordem, realmente esperavam alguma coisa menos drástica ou simplesmente lavaram as mãos? — Quando o homem hesitou, Flannery acrescentou: — Como você lava as suas mãos em relação a tantas coisas na Prefettura dei Sacri Palazzi Apostolici, padre Sangremano?

O homem quase caiu para trás, ao ser identificado como o padre Antonio Sangremano, um dos homens mais poderosos da Prefeitura dos Palácios Apostólicos Sagrados, que administrava os palácios papais e servia como uma espécie de Ministério das Relações Exteriores do Vaticano. Recuperando a calma, ele começou a falar, mas foi interrompido por um de seus companheiros.

— Michael, meu caro...

Flannery virou-se, surpreso, para o homem à direita. — Meu Deus — ele deixou escapar, pois também conhecia aquele religioso. — Padre Wester, o senhor?

Sean Wester, o arquivista que era amigo de Flannery havia tantos anos, suspirou ao remover sua máscara e depositá-la sobre a mesa. Ele passou a mão pelos cabelos, depois balançou a cabeça, demonstrando tristeza. — Michael — ele repetiu. — Como um filho, amei você todos estes anos. Como um filho.

CAPÍTULO 36

— Isso é tudo? — Yuri Vilnai perguntou, levantando-se da escrivaninha no pequeno e apinhado escritório no laboratório de Objetos Arqueológicos, conhecido como "Catacumbas" da Universidade Hebraica — Gostaria de ir para casa. Foi um... um dia terrível.

Sarah Arad e Preston Lewkis se levantaram de um pequeno sofá enfiado entre as pilhas de livros que enchiam a sala. Fechando o bloco de anotações, Sarah disse: — Sim, deve ter sido muito desagradável. — Ela bateu com o dedo no bloco. — Você passou tudo isto para a polícia, não?

— Tudo. Mas temo não ter ajudado muito. Eu os vi apenas por uns instantes, na verdade.

— Mas você acredita que eram palestinos?

Vilnai encolheu os ombros. — Foi o que achei na hora. Foi o que disse aos seus investigadores.

— Mas eles usavam máscaras, não?

— Sim, mas deu para ver de relance um deles tirando a máscara no carro. Eu estava muito longe para dar uma boa olhada, mas ele parecia palestino.

— Certo. E obrigada, professor.

Sarah dirigiu-se para a porta, e Preston a seguiu até o corredor. Vilnai estava logo atrás. Colocou o paletó e depois encostou a porta e a trancou com a chave.

— Podemos ligar para sua casa? — Sarah perguntou quando Vilnai se virou para sair.

— Sim, ou a qualquer momento para meu celular. — Movendo a cabeça, ele murmurou: — É uma coisa terrível. Daniel e eu tínhamos nossas diferenças, mas não havia ninguém que eu respeitasse mais. — Despediram-se, e ele seguiu pelo corredor. Parou quando se aproximou da área cercada onde ficava o laboratório, depois pegou uma passagem lateral que contornava a cena do crime.

— O que você acha? — Preston perguntou a Sarah enquanto a seguia até uma sala de reuniões próxima.

— Não estou convencida.

Quando entraram na sala, Sarah deu uma olhada no corredor e depois fechou a porta. A sala tinha uma mesa oval com seis cadeiras, e uma pequena estação de trabalho contra uma parede lateral com um telefone e um fax.

— Você acha que ele está mentindo? — Preston falou quando se sentaram numa ponta da mesa de reunião. — Ele parecia genuinamente aborrecido, o que é perfeitamente compreensível.

— Talvez não mentindo, mas exagerando.

— Exagerando o quê?

— Bem, o ângulo palestino, por exemplo.

— Você não acredita que fossem palestinos?

— Não acredito que ele tenha alguma idéia de quem eles eram ou não eram. — Ela folheou o bloco e tamborilou os dedos sobre uma das anotações. — Lembra quando ele descreveu pela primeira vez o momento que os viu no estacionamento?

— Sim.

— Ele viu três homens, os dois primeiros brandindo armas, e afundou-se no banco para não ser visto. Ele esperou até que partissem antes de voltar a sentar.

— Mas ele também disse que espiou e viu de relance um deles removendo a máscara. Isso não é razoável?

— Ele mencionou isso depois, quando eu pressionei sobre a nacionalidade deles. — Ela continuou tamborilando os dedos no bloco. — Não sei... acho que não engulo isso. A primeira história faz mais sentido. Ele parece um garoto que se esconderia e não moveria um músculo até ter certeza de que já tinham ido embora. A história sobre a máscara.... bem, pareceu uma desculpa, uma explicação para justificar por que ele pensou que eram palestinos.

— Então você *acha* que ele estava mentindo.

— Não necessariamente. Quero dizer, muitos israelenses, ao ver homens mascarados com armas e depois descobrir que o laboratório tinha sido invadido, pensariam imediatamente que era culpa dos palestinos. Talvez Yuri tenha feito o mesmo, e depois forjado, ou até imaginado, ter visto um deles para justificar o preconceito; não apenas para a polícia, mas para si mesmo. — Ela fez uma pausa, balançando a cabeça, e então continuou.

— Quero dizer, será tão fácil dizer que alguém é palestino, especialmente depois de uma rápida espiada a distância? Se você vestir um grupo de israelenses semitas e árabes com as mesmas roupas e colocá-los em linha, são poucas as pessoas capazes de separá-los.

— E quem poderia ter sido então?

— É o que estou me perguntando. — Ela levantou um dedo. — Um instante... preciso verificar uma coisa.

Sarah abriu o celular. Começou a digitar um número e depois o fechou. — Não há sinal aqui.

— Ali tem um telefone. — Preston apontou para a estação de trabalho.

— Certo. — Ela foi até a mesinha. Tirou o fone do gancho, digitou um número e esperou. Depois de poucos toques alguém atendeu e disse: — Roberta Greene.

— Roberta, é Sarah. Estou no laboratório da universidade. Será que...

— Sarah? — a mulher interrompeu. — Estou tentando falar com você.

— Meu celular não está funcionando aqui — Sarah explicou. — O que foi?

— É sobre o Mercedes.

— O carro que estava me perseguindo? Você descobriu alguma coisa com a placa?

— Só há três Mercedes com a placa começando por AL9. Consegui reduzir a um, e ele foi roubado horas antes da batida. Mas há mais.

— O quê?

— Um minuto.

Sarah ouviu sua colega vasculhando alguns papéis.

— Há dois investigadores designados para o caso — Roberta disse. — Deixe-me ver, um se chama Steinberg, e o outro, está anotado aqui em algum lugar...

— Gelb, Bruce Gelb — Sarah falou.

— Isso mesmo. Bem, fugi um pouco do protocolo e pedi a um amigo do departamento de polícia para checar nos arquivos deles. O resultado foi a placa inteira e a ligação com o Mercedes roubado. Mas há mais uma coisa.

— O que é? — Sarah disse com impaciência enquanto ouvia mais papel ser vasculhado.

— Aqui está. — Roberta disse rápido. — Desculpe, há um monte de papéis em minha mesa.

— O que é, Roberta? — Sarah insistiu.

— Quando eles falaram com você mencionaram um anel?
— Não. Que tipo de anel?
— Um anel muito curioso. Foi encontrado numa das vítimas — o motorista do Mercedes. E por meio dele eles identificaram o homem. Vejamos... sim, aqui está. Javier Murillo, um espanhol de ascendência marroquina.
— Um muçulmano?
— Não, católico — pelo menos era. Houve algum tipo de escândalo uns dez anos atrás e ele foi excomungado.
— Você pode me mandar por fax os detalhes?
— Sim, e vou mandar uma foto do anel. Qual é o número do fax?

Sarah viu que o fax estava conectado ao telefone e não tinha uma linha dedicada. Ela passou a Roberta o número do telefone e depois disse:
— Vou ter de desligar para receber o fax.
— Ótimo. Vou mandar neste minuto. Ligue de volta se você precisar que eu faça mais alguma coisa.
— Obrigada, Roberta — Sarah disse, desligando o telefone.
— O que foi? — Preston perguntou, aproximando-se das costas de Sarah.
— Talvez nada. Saberemos num minuto.

O telefone tocou, e Sarah apertou o botão de receber. Logo o papel começou a aparecer na bandeja. Eles observaram quando a imagem em *close-up* do anel começou a aparecer. Tão logo o papel foi ejetado completamente, Sarah o ergueu na frente deles. O anel parecia muito com um anel de formatura, com uma grande pedra preta que continha um selo e uma inscrição gravados.

— O que é isto? — ela perguntou, apontando para a inscrição que circundava o selo.

Preston pegou o papel das mãos dela e passou os dedos sobre a inscrição, lendo em voz alta: — "*In Nomine Patris*".
— Em nome do Pai? — Sarah traduziu, questionando o que ele tinha lido.

Preston confirmou com a cabeça.
— E o selo? — ela perguntou, apontando para uma imagem de chaves cruzadas debaixo de uma coroa.
— Onde você conseguiu isto? — ele perguntou.
— Por quê? O que é?
— Não tenho certeza, mas acho que é o selo do Vaticano.

Sarah olhou mais perto e viu que, sem dúvida, a coroa era a tiara Triregnum do papa, com as chaves representando aquelas que tinham sido dadas ao apóstolo Pedro por Jesus.

— Quem teria um anel como esse? — Sarah perguntou.

— Certamente não os palestinos — Preston retrucou, afirmando o óbvio. — Mas há alguém que pode saber.

— Padre Flannery.

— Isso. — Preston olhou para o relógio. — Ele já deveria estar aqui agora. Liguei para ele há horas para contar sobre Daniel. Vejamos o que o está detendo. — Ele pegou o telefone e ligou para o celular de Michael Flannery. Enquanto esperava uma resposta, ele olhou para Sarah. — Há alguma ligação entre esse anel e a morte de Daniel?

— Pode haver. Não estou certa.

— Sarah, quando estava falando com aquela Roberta você falou de um carro que a perseguiu. Isso está ligado ao anel ou à invasão do laboratório?

— Vou contar tudo mais tarde. — Ela apontou para o telefone.

Preston encolheu os ombros. — Ainda está chamando. Ou está fora de área ou ele não está respondendo. — Ele esperou mais um momento e depois desligou.

— Quanto tempo faz que você ligou para ele?

— Três, talvez quatro horas. Ele estava logo ao norte de Ein-Gedi, na Rodovia 90.

— Não gosto disso — Sarah murmurou franzindo a testa. Ela ligou de novo para o escritório e, quando Roberta Greene atendeu, ela disse: — É Sarah novamente. Preciso que você peça imediatamente uma busca pelo padre Michael Flannery. Descubra que carro ele alugou e alerte a polícia que ele foi visto pela última vez na Rodovia 90 logo ao norte de Ein-Gedi.

Ela deu mais alguns detalhes para a colega, depois terminou a ligação.

— Venha — ela disse a Preston, conduzindo-o para fora da sala. — Há algo que preciso tentar.

Sarah o levou até onde o Mini Cooper estava estacionado. Abrindo a porta traseira, ela retirou um pequeno laptop Sony Vaio e depois fez um gesto para Preston entrar no carro. Ela sentou no banco do motorista e, deixando a porta aberta, abriu o laptop. Com o computador ligado, ela rodou um programa, entrou com sua senha e começou a digitar uma série de números.

— Você não está vendo o que estou fazendo — ela disse quase informalmente.

— O que você quer dizer?

— Isto é um assunto ultra-secreto, mas acredito que você vai esquecer que viu.

— Eu não entendo...

— Aqui — ela mostrou o computador para Preston.

— Um mapa?

— Eis Ein-Gedi. — Ela apontou para um ponto no mapa, indicando o oásis onde o rei Salomão compôs o Cântico dos Cânticos. — E esta é a Rodovia 90.

Seu dedo seguiu uma linha vermelha junto da rodovia e continuou por uma estrada secundária. Quando a linha saiu da tela, ela arrastou o mapa com o mouse para colocar a estrada de novo na tela. A linha vermelha serpenteava para leste e para oeste, rumando vagarosamente para o norte em direção a Jerusalém. Quando a linha chegou ao fim, ela pressionou uma das teclas de função várias vezes, dando *zoom* naquele ponto.

— É aí que o padre Flannery está neste momento, ou pelo menos estava uma hora atrás. E a linha vermelha é a rota que ele tomou para chegar lá.

Preston olhou para ela incrédulo. — Como você sabe?

— Isso não importa agora. A questão é que precisamos descobrir o que ele está fazendo, e por que não consigo rastreá-lo há uma hora.

— Onde é isto? — Preston perguntou, batendo na tela no lugar onde a linha vermelha terminava.

— Jerusalém Oriental. — Ela entregou-lhe o laptop. — Você pode navegar — ela disse, fechando a porta e dando partida no carro. Um momento depois, eles estavam saindo do estacionamento, rumando para leste da cidade.

CAPÍTULO 37

O padre Michael Flannery olhou com perplexidade e descrédito para o homem que tinha acabado de professar seu amor paternal por ele. — Você, padre? — ele murmurou, balançando a cabeça. — Você, entre todas as pessoas, metido nesta... neste assassinato do professor Mazar e daqueles guardas israelenses?

— Não planejamos aquilo — o padre Sean Wester retrucou. — Apenas pedimos que recuperassem o pergaminho. O pecado das mortes é só deles, não nosso.

— Mas com certeza vocês sabiam o que iria acontecer. Palestinos fazendo um ataque em Israel?

— Não pôde ser evitado — Wester falou. — Algumas vezes uma ação decisiva tem de ser tomada para um bem maior.

— E o bem maior qual é? Roubar um evangelho de Nosso Senhor para negá-lo ao mundo? Você, Sean? Um homem que ama o conhecimento? Não percebeu que esse documento, se tiver sua autenticidade confirmada, pode trazer mais milhões para Cristo?

— O bem maior é proteger a Mãe Igreja dos judeus, muçulmanos, cientistas, humanistas, jornalistas, políticos e críticos... sim, dos chamados evangélicos que distorcem e pervertem os ensinamentos da única verdadeira Igreja.

— Não critique os evangélicos por seu zelo em adorar o Senhor — Flannery disse. — Você deveria ficar contente de podermos contar com eles como nossos irmãos e irmãs em Cristo. E lembre-se também de que o próprio Jesus era um judeu.

— Chegou a hora, Michael, meu caro — Wester afirmou. — Onde está sua lealdade? Ao lado da Santa Igreja Católica Romana e do Via Dei, um instrumento de sua proteção, criado por ordem de Jesus Cristo? Ou você se alia aos inimigos da Igreja?

Flannery balançou a cabeça. — Não me considero um inimigo da Igreja.

— Então você vai nos levar até onde está o que é nosso de direito? O sagrado pergaminho de Dimas bar-Dimas?

— Eu não sei onde ele está.

— O senhor está mentindo, padre Flannery — o líder do tribunal disse por trás da máscara. — O senhor foi parte da equipe desde o início. Viu o manuscrito, tocou-o, cheirou, leu. Não percebe?... O senhor já conseguiu uma coisa que gerações de membros de nossa organização não foram capazes de realizar. É por isso que o consideramos digno de entrar para o nível mais profundo do Via Dei.

— É verdade, eu fiz todas essas coisas — Flannery admitiu. — Mas o manuscrito ainda é propriedade dos israelenses. Depois da inspeção inicial, só tive acesso a fotocópias. O pergaminho em si foi mantido num cofre dentro de uma urna, e se não estava lá quando seus agentes atacaram o laboratório, eu não tenho a menor idéia de onde possa estar agora. Ou talvez aqueles seus companheiros o encontraram e o estão ocultando de vocês.

— Diga-me, Michael — Wester falou. Ele colocou a palma das mãos sobre a mesa e inclinou-se para Flannery. — E é a verdade que estou querendo e esperando de um velho amigo. Se você soubesse onde o pergaminho está — e acredito que você não saiba —, se soubesse, você nos diria?

— Nunca — Flannery respondeu resoluto.

Wester recostou-se novamente na cadeira, seus olhos registravam intensa tristeza e arrependimento. — Eu temia isso. — E olhou para os outros dois. — Fizemos tudo o que podíamos. Não vamos conseguir mais nada do padre Flannery.

O homem do meio então removeu sua máscara, confirmando que ele era o padre Antonio Sangremano, primeiro-secretário do subprefeito da Prefeitura dos Palácios Apostólicos Sagrados, um poderoso membro do Vaticano conhecido por pontuar sua fala com citações.

O terceiro inquiridor também removeu a máscara, e Flannery o reconheceu como sendo Boyd Kern, um advogado americano que era conselheiro do Inquisidor do Tribunal da Prefeitura. Como Sangremano, Kern desempenhava uma função bastante elevada na hierarquia da Igreja.

Enquanto observava os três homens, Flannery chegou de repente à conclusão de que era indiscutivelmente o único não-membro do Via Dei capaz de identificar aqueles três homens como membros-chave de uma organização que, por 2 mil anos, fizera de tudo para manter-se em segredo.

— Eu não vou sair daqui vivo, vou? — Flannery disse sem nenhum traço de medo ou de súplica em sua voz. Ao contrário, demonstrava uma calma aceitação de seu destino.

— Sinto muito, Michael — o padre Wester respondeu.

— Mas diga-me uma coisa antes. Até que ponto isso chega... no Vaticano, quero dizer.

— No Vaticano? — Wester perguntou, parecendo momentaneamente confuso. — Você acha que tudo isto é um desejo do Vaticano? Você não entende o Via Dei... não entende mesmo. O Vaticano não é mais do que uma atração secundária. Um meio. Via Dei é o fim. O alfa e o ômega.

— Diga-me, Sean, é você quem vai me matar?

— O padre Wester está muito estressado — Sangremano interpôs-se. — Não aumente a tensão suplicando por sua vida.

— Não tenho nenhuma intenção de suplicar — Flannery declarou.

— Isso fica a seu crédito e confirma que o senhor seria uma valiosa aquisição ao Via Dei. Esta é sua última chance. O senhor vai nos ajudar?

— "Seja lá o que forem fazer, façam rápido" — Flannery afirmou, usando as palavras que Jesus tinha proferido ao ordenar a Judas que o levasse para a morte.

Levantando a mão, Sangremano estendeu o polegar e dois dedos e desenhou uma cruz no ar. — *"In Nomine Patris, et Filii, et Spirictus Sancti. Amen"* — ele entoou. — Que Deus tenha misericórdia de sua alma.

Depois se virou para a porta que levava ao *hall* de entrada e bateu palmas três vezes. Houve uma única batida, mais forte e mais alta, em resposta.

Sangremano bateu palmas de novo e gritou: — Venham!

Como resposta, ele ouviu uma seqüência de estampidos, e dessa vez Flannery percebeu que não eram batidas de palmas, mas o inequívoco som de tiros ecoando nas catacumbas. Ele olhou novamente para Sangremano e, vendo o seu olhar de surpresa e preocupação, entendeu que aquilo era algo que eles não esperavam.

— Padre Flannery, abaixe-se — disse uma voz de mulher nos fundos da câmara.

Com a habilidade atlética que tinha feito dele um fundista na juventude, o padre Flannery mergulhou da cadeira e rolou para debaixo do ossuário de Shlom-zion. Um projétil ricocheteou na parede atrás dele. Virando-se, ele viu que Sangremano tinha puxado um revólver de debaixo do manto e o brandia feito um doido. Flannery abaixou-se para evitar ser atingido. Foi quando viu que o padre Wester tinha pulado na frente de Sangremano e lutava com ele pela posse da arma. Houve mais um estampido abafado e o corpo de Wester foi atirado para trás. Ele escorregou para o chão, e suas mãos sem vida largaram o braço do outro homem.

Alguém apareceu na porta, e Sangremano deu mais um tiro, forçando a pessoa a recuar. Seu próximo tiro acertou o peito de Boyd Kern. Uma mancha escarlate espalhou-se na frente de seu manto branco. Ele caiu de joelhos, os lábios silenciosamente formando a indagação: *Por quê?*, enquanto ele caía estendido de bruços no chão de pedras, um braço apontando o assassino. Mas Sangremano já tinha escapado, após pegar uma tocha da parede e desaparecer por uma estreita passagem nos fundos da câmara.

Os tiros continuaram por mais alguns segundos, e então fez-se um silêncio sinistro, que pareceu ressoar nos ouvidos de Flannery quando ele levantou a cabeça atrás do ossuário e viu que alguém entrava na câmara, sua sombra distorcida pela luminosidade de uma tocha. Pensando que podia se tratar de um atirador de Sangremano, ele acocorou-se novamente para ficar fora de vista.

— Padre Flannery, o senhor está aí?

Era a mesma voz que o advertira antes, e Flannery espiou por sobre o túmulo de pedra e viu Sarah Arad entrando na sala, com os braços estendidos e uma pistola nas mãos. Vendo os dois corpos, Sarah dirigiu-se cautelosamente na direção deles.

— Eles estão mortos — Flannery disse, levantando-se.

Reagindo instantaneamente, Sarah apontou a pistola para ele.

— Sou eu! — Flannery gritou, pondo as mãos para cima.

Com um sorriso meio contrafeito ela baixou a arma. — Há mais alguém?

— Mais um, mas ele escapou por ali. — Flannery apontou para o fundo da câmara.

Com a tocha na mão, Sarah abaixou-se e passou pela abertura. Um minuto depois ela voltou.

— Ele sumiu. Aquela passagem corre pelo subterrâneo da cidade e tem centenas de outras saídas. — Ela foi até a entrada e gritou para o corredor: — Preston, está tudo bem!

Um momento depois, Preston Lewkis entrou na câmara. Ele também tinha uma arma, uma submetralhadora AK-47.

— Onde você conseguiu isso? — Sarah perguntou.

— De um dos guardas — ele respondeu, e correu para seu amigo. — Michael, você está bem?

— Sim, estou — Flannery falou e depois perguntou para Sarah: — Onde está a polícia?

— *Eu* sou a polícia — Sarah falou.

— Só você? Parecia que havia um esquadrão aí fora.

— Acredite, Michael — Preston intrometeu-se. — Sarah é soldado, arqueóloga e agente secreto, tudo ao mesmo tempo.

Parecendo um pouco embaraçada e ávida para mudar de assunto, Sarah falou: — Padre Flannery, havia quatro guardas palestinos, dois fora das catacumbas e dois no corredor. Sabe se havia mais alguém, além desses dois e do outro que o senhor disse que fugiu?

— Esses homens não são palestinos — Flannery disse, apontando para os dois corpos.

— E também não tenho certeza quanto àqueles guardas — Preston falou.

— O que você quer dizer? — Sarah perguntou.

— Quando peguei a arma dei uma boa olhada no sujeito. Ele parece europeu, talvez mediterrâneo, e usa o mesmo anel daquela foto.

— Qual anel? — Flannery perguntou.

Sarah olhou para os dois homens mortos. — Eles são do Vaticano, não são? — ela perguntou, e Flannery concordou. — Alguns dos outros tinham um anel com o selo do Vaticano. Talvez quisessem que nós pensássemos que eram palestinos, mas duvido que qualquer um deles fosse.

Preston foi até a mesa e passou a mão sobre o símbolo bordado na toalha. — É igual ao do pergaminho.

— Não idêntico — Sarah disse, aproximando-se. — Este é encimado por um círculo, como um *ankh*. O símbolo de Dimas tem uma lua crescente apontando para cima.

— Você tem razão — Flannery falou. — Este é o símbolo do Via Dei, um grupo ultra-secreto e muito perigoso dentro da Igreja Católica. Só que eles não pertencem exatamente à Igreja.

— Sim, o Via Dei — Preston retrucou. — Você o mencionou quando viu o manuscrito pela primeira vez. Pensei que fossem da Idade Média. Ainda existem?

— Aparentemente, sim. Eles se dizem protetores do cristianismo e da Igreja. Mas seu zelo excessivo os colocou em atrito com os dogmas da Igreja e foram excomungados há mais de cem anos. Operam cada vez mais secretamente e contam com alguns pesos-pesados do Vaticano entre eles. — E fez um gesto indicando os corpos.

— O que eles estão fazendo aqui agora? — Sarah perguntou. — E o que queriam com o senhor?

— Eles estavam tentando obter o pergaminho de Dimas, que eles acreditam ser deles por direito de nascença.

— Então o símbolo no manuscrito *está* relacionado a este aqui, não está?

— Eles acreditam que sim — Flannery contou. — Mas o símbolo deles, como a organização, é uma perversão da verdade.

— E qual é a verdade? — Preston perguntou.

— Isso, meu amigo, é o que estou tentando descobrir.

— O senhor sabe quem são eles? — Sarah quis saber, indicando os homens mortos.

Flannery ficou em dúvida sobre revelar tudo o que sabia, mas entendeu que não deveria interferir numa investigação de assassinato. — Sim, conhecia todos os três. Especialmente o padre Sean Wester. — Ele se ajoelhou ao lado do corpo do arquivista do Vaticano e rezou pelo seu amigo.

— Você pode nos contar sobre ele enquanto voltamos para a cidade — Sarah falou quando Flannery acabou suas orações.

O padre se levantou. — Você salvou minha vida, você sabe. Tinham acabado de ordenar minha morte quando vocês chegaram.

— Esta é a nossa Sarah — Preston interrompeu. — Como todos os bons salvadores, ela chegou na hora H. Tudo o que faltou foi um corneteiro tocando "Avançar".

Flannery riu e sentiu uma grande alegria em poder fazer isso, dadas as circunstâncias. — Sim, vi todos aqueles filmes americanos com John Wayne e a cavalaria. Mas diga uma coisa, Preston, como ela me descobriu?

Preston estava pronto para responder quando Sarah o cortou, dizendo: — O senhor foi seqüestrado perto de Ein-Gedi, não foi?

— Como você soube?

— Rastreei o senhor por satélite, e ninguém faria intencionalmente a rota que o senhor fez.

— Satélite? Como fez isso?

— Eu não devia revelar, mas suponho que o senhor tenha o direito de saber. O senhor ainda tem o crachá de segurança que Preston lhe deu durante sua primeira visita a Masada?

— Está no meu bolso.

— Ele contém um microchip — ela contou. — Ele não só serve para os *scanners* e o pessoal de segurança identificá-lo mas também pode ser rastreado por satélite GPS.

— Você sabia onde eu estava o tempo todo?

— Não se preocupe, não é algo que eu verifique normalmente, e exigiu uma permissão especial. Mas quando percebemos que o senhor estava desaparecido, fui capaz de rastrear seus movimentos nas últimas horas, até que o perdemos não longe daqui.

— Perderam? — Ele tirou o crachá do bolso e o mostrou. — Mas ainda estou com ele.

— O satélite não consegue localizá-lo aqui embaixo, nas catacumbas. Chegamos até a entrada e foi o suficiente para saber onde o senhor estava.

— Fantástico — Flannery falou olhando mais atentamente o crachá. — Verdadeiramente fantástico.

Preston deu uma risada. — Você poderia dizer que alguém lá em cima estava cuidando de você.

CAPÍTULO 38

Roma queimou durante nove dias. Dois terços da cidade foram destruídos, e apenas quatro de seus catorze distritos não foram atingidos. Três distritos foram totalmente devastados; outros sete ficaram reduzidos a umas poucas ruínas chamuscadas e desfiguradas. O palácio de Nero transformou-se numa massa carbonizada, e todos os seus tesouros artísticos foram perdidos para sempre.

Milhares tiveram suas casas completamente destruídas e perderam tudo o que possuíam. Durante algum tempo pouca coisa diferenciava os mais ricos e poderosos de Roma dos pobres e desprivilegiados, pois todos foram amontoados em abrigos construídos fora da cidade.

Marcella e Rufinus Tacitus tiveram mais sorte do que muitos, pois tinham outro lugar para ir. Os pais de Marcella eram donos de uma *villa* na Campagna, nos arredores de Roma, e a propriedade foi herdada por ela quando eles morreram. Após o incêndio, Marcella separou-se com relutância de Tibro e acompanhou o marido para a *villa* como parte de um acordo informal segundo o qual Rufinus deixaria de ameaçar o homem que ele pensava ser Dimas bar-Dimas.

Mesmo antes que as brasas parassem de arder, havia rumores de que o imperador Nero tinha ordenado o incêndio da cidade para se livrar dos bairros mais pobres e reconstruí-los em grandioso estilo grego, mas o incêndio intencional fugira de controle. De fato, havia histórias sobre ele, de pé, no alto do palácio, tocando a lira enquanto as chamas devoravam a cidade.

Embora fosse verdade que Nero desejava realizar um ambicioso programa de reconstrução, era pouco provável que ele iniciasse o projeto de forma tão temerária. Ele nem sequer estava em Roma quando o fogo começou, mas voltou correndo de seu palácio em Antium e percorreu a cidade naquela primeira noite, sem esperar que sua guarda pessoal o acompanhasse. Ele dirigiu os esforços para diminuir o incêndio e ajudou pessoalmente no resgate de alguns cidadãos. A despeito disso, os boatos de que ele fora o arquiteto do fogo eram tão persistentes, a raiva tão palpável, que alguns de seus aliados começaram a temer pela segurança dele — e por sua própria.

Rufinus era um grande defensor de Nero, não tanto por concordar com suas políticas ou apreciar seus talentos artísticos, mas porque acreditava que o seu próprio poder dependia da manutenção do imperador no trono. Havia outros que compartilhavam a posição de Rufinus, e nesse dia dois deles, Cassius Avitus e Sêneca Fabius, tinham ido à casa de campo para discutir a situação. Marcella não participava da conversa, mas sentou-se num canto, bordando uma capa de almofada enquanto ouvia.

— Não acredito que tenha sido Nero — Sêneca afirmou. — Estou convencido de que foram os judeus. Já há comerciantes judeus se aproveitando da reconstrução.

— Os judeus não. Foram os cristãos — Cassius contrapôs.

— Por que você diz isso?

— Eles se opõem diretamente às antigas práticas sociais e religiosas de nossa sociedade. Acredito que são nossos inimigos jurados. E poucos deles perderam suas casas.

— Mas judeus e cristãos não são a mesma coisa?

— De maneira alguma. Os judeus vivem entre nós há séculos, e embora sejam um grupo impuro e decaído, eles não se misturam e só causam problemas em suas terras. Esses cristãos, por outro lado, procuram nos converter à sua causa. Lamento dizer, mas muitos cidadãos aderiram à sua fé e, portanto, são traidores de Roma.

— Mas o líder do culto, aquele chamado Jesus que foi crucificado há muitos anos, era judeu, não era? — Sêneca perguntou.

— Ele era, mas os judeus o renegaram e decretaram sua morte. — Cassius explicou. — Há muito pouco amor entre cristãos e judeus...

— O que não consigo entender é como um culto continua a seguir um líder que está morto.

— Os cristãos acreditam que esse Jesus renasceu dos mortos — Rufinus falou, entrando na conversa. — Não é isso, Marcella? — E acrescentou rapidamente: — Minha mulher não é cristã, mas lidou com eles durante acontecimentos desagradáveis em Éfeso.

— Ele renasceu dos mortos? — Cassius falou, seu tom de voz demonstrando desdém. Ele e Sêneca riram, mas Rufinus não mostrou nenhum humor quando se voltou para Marcella.

— Essa é a crença dos cristãos — ela disse suavemente sem erguer os olhos de seu trabalho.

— Então, o que você está dizendo é que esses cristãos adoram um fantasma — Sêneca disse. — E nem mesmo o fantasma de um deus, mas de um judeu crucificado?

— O que você diz, Marcella? — seu marido perguntou. — Jesus, o judeu, é uma aparição?

— Os que o viram dizem que não era um fantasma, mas que apareceu para eles em carne e osso — Marcella disse.

Cassius deu uma gargalhada. — Você fala como se acreditasse que houve pessoas que realmente o viram. — Como Marcella não respondeu, ele olhou para Rufinus com mais do que um pouco de suspeita. — Sua mulher é muito versada na doutrina cristã. Quais foram as coisas desagradáveis que lhe deram esse conhecimento?

— Um de seus amigos de infância, Marcus Antonius, era centurião em minha guarda pessoal quando fui governador de Éfeso. Ele se tornou cristão, e Marcella, com a minha permissão, claro, procurou convencê-lo de seu erro.

— Um centurião tornou-se cristão? — Sêneca interveio. — Ele ainda é um oficial romano?

Rufinus balançou a cabeça. — Ele era obstinado e recusou minhas ofertas de misericórdia caso se arrependesse e renegasse esse Jesus. No final, meu tribunal o condenou à morte, mas ele conseguiu escapar. Pelo menos não desgraça mais o império mantendo a patente de centurião. Por muitos anos não soube o que aconteceu com ele, mas minha mulher ouviu que ele se casou com a amante efésia e está vivendo de plantar e colher figos na Dalmácia.

— Na Dalmácia? — Sêneca riu disfarçadamente. — Eu preferiria ter sido executado.

Cassius olhou com curiosidade para Marcella. — Como é que ela sabe disso?

— Você não compreende minha mulher. — Rufinus forçou um sorriso. — Ela é muito tolerante e gentil. Já aconselhei precaução, mas ela não distingue entre romanos, cristãos e judeus quando se trata de pessoas de sua amizade.

— Não há nenhuma lei que proíba conhecer cristãos — Marcella disse, mantendo os olhos e a voz baixos.

— Querida esposa, deixe-nos, por favor — Rufinus falou com uma gentileza misturada a desdém. — Toda esta conversa de religião e política não é apropriada para uma mulher.

— Como queira — ela respondeu. Pondo-se de pé, ela fez uma pequena reverência aos três homens e saiu da sala.

Cassius começou a falar, mas Rufinus ergueu a mão, num sinal para que aguardasse até que estivessem sós.

UM MINUTO MAIS TARDE, Marcella estava sentada numa saleta no segundo andar. Logo depois de se mudar para a *villa* ela tinha descoberto que o sistema de grelhas usado para transferir calor de uma sala para outra também propagava vozes. Esse quarto em particular ficava diretamente acima de onde seu marido recebia os convidados, e ela não tinha nenhuma dificuldade para ouvir a conversa.

— Você acha prudente permitir que sua mulher passe tempo com cristãos? — Cassius estava dizendo, num tom que indicava tanto preocupação quanto desaprovação.

— Permitir? — Rufinus retrucou. — Eu não apenas permito, eu encorajo.

— Por que você faria uma coisa dessas?

— Porque serve aos meus propósitos. Você mesmo já disse em várias ocasiões, Cassius. Devemos conhecer nossos inimigos, ou inimigos potenciais. Você acha que eu não percebo o perigo que esses cristãos representam? Mais importante, eu vejo sua utilidade, assim como vejo a utilidade de permitir que minha mulher, como você diz, passe tempo com eles e me conte o que aprende.

— Então ela é sua espiã? — Sêneca perguntou.

Rufinus deu uma risada. — Uma espiã involuntária. Ela é muito delicada para ser uma espiã. Mas adora tagarelar, e eu a encorajo a contar tudo sobre os costumes e os atos dos cristãos, judeus e quem quer que ela seja amiga. E como ela gosta de me dizer, não há nenhuma lei contra conhecer um cristão ou mesmo tornar-se cristão.

— Teria ela se convertido?...

— Por todos os deuses, não — Rufinus afirmou. — Ela é atraída por pessoas diferentes, isso é tudo. Quanto à devoção de Marcella pelos deuses, ela faz todos os rituais e oferendas necessários. Ela é especialmente devotada a Apolo, e reza para ele todos os dias.

No andar de cima, Marcella sorriu ao ouvir o marido mencionar Apolo. Muitas vezes, quando Rufinus a apanhou rezando, ela explicou que venerava o Deus Filho, sabendo que ele entenderia isso como o Deus Sol, Apolo.[1]

---

1 No original, um trocadilho entre "Sun God" (deus sol) e "Son God" (deus filho). N. do T.

— Você faria bem se a vigiasse — advertiu Cassius. — Esses cristãos são um bando perigoso, e sua mulher, com sua licença, parece impressionável.

— E todas as mulheres não são? — Rufinus retrucou com uma meia risada. — Mas toda esta conversa sobre cristãos me deu uma idéia. Se pudermos convencer os bons cidadãos de Roma de que os cristãos começaram o fogo, a raiva deles contra Nero vai diminuir.

— E como vamos fazer isso? — Sêneca perguntou.

— Fazendo Nero dizer que investigou a causa do fogo e chegou à conclusão de ter sido obra dos cristãos. Depois fazê-lo editar uma lei que torna um crime contra o Estado ser cristão.

— Você acha que Nero concordaria? — Cassius perguntou.

— Ele fará qualquer coisa que acredita ser vantajosa para ele — Sêneca disse.

— Isso seria muito vantajoso, e acho que podemos convencê-lo disso se tivermos um modo de chegar ao ouvido dele — Rufinus disse.

— Talvez eu possa falar com Laelius — Sêneca sugeriu. — Ele também é músico, e tem a confiança de Nero.

— Ótimo, ótimo. — Rufinus deu um amplo sorriso. — Diga a Laelius que ele precisa convencer Nero a lançar uma campanha contra os cristãos. Eles precisam levar a culpa pelo fogo e por qualquer outro mal que caia sobre nós. Eles precisam ser caçados e colocados na prisão, e todos os seus líderes devem ser executados.

No andar de cima, Marcella quase engasgou, cobrindo a boca para não ser ouvida.

— Você tem certeza de que isso vai funcionar? — Cassius falou denotando dúvida. — Não podemos dar nenhuma prova de que os cristãos estiveram envolvidos de alguma forma, e Nero permitiu que eles vivessem livres entre nós. Ele talvez não queira persegui-los.

Rufinus riu. — Quando Nero temeu que houvesse uma conspiração contra ele, matou a própria mãe. Também matou a mulher e o irmão. Se ele perceber que a melhor maneira de preservar o trono é declarar os cristãos criminosos, ele não hesitará.

— Talvez — Cassius concordou. — E se formos nós a lhe oferecer uma saída para seu dilema, teremos para sempre seus favores. — Ele virou-se para Sêneca. — Rufinus tem razão. Você deve falar com Laelius.

— Imediatamente — Sêneca disse.

Marcella ouviu uma cadeira se mover e barulho de passos quando Sêneca se dirigiu para a porta.

— Vou acompanhá-lo — Cassius ofereceu-se, afastando a cadeira e seguindo-o.

— Sêneca — Rufinus chamou. — Você vai dizer ao imperador que a idéia foi minha?

— Claro.

— Diga-lhe também que entregarei pessoalmente um cristão por nome Dimas bar-Dimas. Isso vai fortalecer mais ainda a nossa posição diante de Nero.

Quando os passos se afastaram, Marcella levantou-se e foi de mansinho até seu quarto. Ela deixou-se cair diante de uma pequena mesa que fazia as vezes de altar improvisado e lutou contra as lágrimas que brotavam de dentro dela. Embora soubesse que seus irmãos cristãos não tinham nada a ver com o incêndio, ela não duvidava de que seria simples convencer os outros, Nero inclusive, de que sim. Eles corriam grande risco, pois a maioria estava instalada no bairro Trastevere, que praticamente não tinha sido atingido pela tragédia. Embora pudesse ter sido uma bênção de Deus, era também porque Trastevere estava separado da cidade pelo rio Tibre, que tinha servido como barreira contra o fogo. Mas as massas supersticiosas seriam facilmente persuadidas de que a sorte dos cristãos era prova de sua culpa.

Marcella ficou de mãos postas, os olhos fechados com força enquanto ela repetia e repetia a prece do Senhor: "Seja feita a Vossa vontade. Seja feita a Vossa vontade".

NAQUELA NOITE, DEPOIS que Rufinus dormiu, Marcella deixou a *villa* e caminhou rapidamente pela Via Appia até os arredores de Roma. O ar cheirava a madeira queimada e pedra carbonizada. Um véu de fumaça ainda cobria a cidade destruída, e aqui e ali ela via pequenos grupos de pessoas desalojadas morando na rua, pois não tinham para onde ir.

Só depois de entrar na Via Portuensis ela viu edifícios inteiros novamente. Quando chegou à casa de Gaius, foi logo recebida, a despeito da hora. A casa estava quase completamente cheia, pois ele tinha aberto suas portas para muitos dos que perderam suas casas.

Entre os presentes estavam Tibro e Dimas. Seu coração alegrou-se ao ver os irmãos juntos. Embora não existisse mais a hostilidade que os separou, ainda havia alguma tensão em seu relacionamento, devido à diferença de crenças.

— Marcella! Não esperava ver você tão cedo — Tibro exclamou, correndo quando ela entrou na sala de reuniões. — Como está? Você está segura?

— Sim. — Ela sorriu com recato. — A casa de campo é bem segura e confortável.

— É bom saber. Fiquei muito preocupado com você.

— E eu com você — ela retrucou.

— Saudações, Marcella. Espero que esteja bem — Dimas disse, aproximando-se do outro lado da sala.

Quando fitou os olhos de Dimas, Marcella pôde adivinhar os pensamentos por trás daquela simples saudação. Ela e Tibro nunca lhe contaram a respeito de seus sentimentos, mas era óbvio que ele sabia que eles se amavam. E embora os olhos dele mostrassem aprovação, revelavam também alguma coisa a mais — uma permanente preocupação com a dificuldade e a precariedade da situação dos dois. Um era incrédulo, a outra batizada em nome de Jesus; um, plebeu e judeu, a outra, da realeza de Roma; um, livre para casar, a outra, mulher de outro homem. Afastando esses pensamentos, ela devolveu a saudação de Dimas.

Dimas sorriu. — O que a traz aqui? Não temos reunião esta noite.

Marcella respirou fundo. Quando finalmente falou, sua voz estava calma, mas firme. — Vocês estão em perigo. Todos vocês, e você Dimas, e Paulo e Pedro, mais ainda.

— Por quê? — Dimas perguntou.

— O fogo. Há um plano em ação para fazer o imperador culpar os cristãos pelo fogo.

Gaius e alguns dos outros se aproximaram a tempo de ouvir a advertência.

— Mas por que ele nos culparia? — Gaius perguntou. — Que razão teríamos para incendiar Roma? Não temos nenhum desentendimento com Nero. Ele tem tolerado nossa religião.

— Não é necessária nenhuma razão — ela retrucou, balançando a cabeça. — Vocês não entendem? Seremos culpados simplesmente porque Nero diz que somos. Ele vai nos usar como bodes expiatórios para afastar a raiva que os cidadãos têm dele.

— Mas certamente os cidadãos de Roma não vão acreditar numa falsidade tão óbvia — um dos outros falou.

— Não importa se eles acreditam ou não — Marcella retrucou. — Tudo o que importa é que Nero declare que é assim. Ele vai usar a falsidade para reunir e executar primeiro nossos líderes, e depois qualquer um que professe a fé. Vocês precisam fugir. Todos vocês.

Dimas balançou a cabeça. — Não vou a lugar nenhum. Há muito trabalho a fazer por aqui.

—Você precisa ir — Tibro insistiu. — Que trabalho você vai fazer se estiver morto?

— Seu irmão tem razão, meu amigo — Gaius disse. — Você deve partir, e já. — Gaius se permitiu um sorriso: — E conheço um lugar perfeito. A casa de Felipe de Játiva, na estrada para Ariminum. Ele vai recebê-lo.

Dimas suspirou e concordou. — Vou aceitar o conselho, mas só por uns tempos.

CAPÍTULO 39

Na manhã seguinte Marcella estava no jardim da casa de campo quando um oficial da Guarda Pretoriana chegou a cavalo. Prendendo o cavalo a uma argola de ferro da cerca, ele saudou Marcella com um aceno de cabeça e levou a mão ao capacete perfeitamente polido. — Bom dia, senhora Tacitus.

— Bom dia, Legatus Lucius Calpurnius — ela respondeu.

— Tenho notícias para seu marido. Ele está?

— O senhor o encontrará no peristilo.

Calpurnius levou novamente a mão ao capacete e dirigiu-se para a entrada. Marcella voltou a se ocupar das glicínias em flor até que ele tivesse desaparecido. Depois correu até uma outra entrada e se escondeu atrás de uma das colunas que circundavam o peristilo, um pátio interno no centro da *villa*.

— Boas notícias, Excelência. Localizamos Dimas bar-Dimas — o oficial romano anunciou.

— Ótimo! — Rufinus respondeu. — Ele foi detido?

— Ainda não. Aguardo apenas sua ordem para capturá-lo.

— Sim, faça isso — Rufinus falou com impaciência.

— Vou reunir meus homens e prender esse criminoso esta tarde mesmo — Calpurnius afirmou com uma saudação.

Vendo que o soldado tinha se virado para sair, Marcella correu de volta ao jardim. Quando Calpurnius apareceu no vestíbulo um instante depois, Marcella já estava novamente ocupada cuidando das glicínias.

— Com sua permissão, senhora — ele disse andando para o cavalo e soltando a rédea da argola.

— Vá em segurança — Marcella respondeu.

Logo após a partida de Calpurnius, Marcella levou uma cesta com botões de glicínia para o peristilo. Lá encontrou o marido sentado num banco de pedra, com um amplo sorriso nos lábios. Ela lutou para não reagir àquela alegria presunçosa.

— Rufinus, vou sair um pouco — ela disse.

— Oh? E aonde você vai? — ele perguntou distraído, como se tivesse coisas bem mais importantes na cabeça. — Os banhos estão todos queimados.

— Quero visitar alguns amigos que não vejo desde o incêndio, e ver se estão bem. Colhi algumas flores para levar. — Ela mostrou a cesta.

— Você poderia mandar por uma das criadas — ele falou, mas depois balançou a cabeça e fez um gesto de desdém. — Sim, vá. O que você quiser.

— Obrigada, marido — ela falou gentilmente. E deixando-o com seus pensamentos ela saiu logo, antes que ele pudesse mudar de idéia.

— Ela já foi — uma voz falou do outro lado do peristilo.

— Você a viu saindo? — Rufinus perguntou, levantando-se quando Calpurnius entrou no pátio.

— Vi, Excelência.

— Siga-a. Ela vai levá-lo até Dimas.

Calpurnius sorriu. — O senhor tinha razão, Excelência. Ela ouviu nossa conversa e agora vai alertá-lo.

— Sim, mas tenha cuidado e não se deixe ver — Rufinus pediu. — Se ela vir seus homens, nunca vai levar você até ele.

— Teremos muito cuidado — Calpurnius prometeu. — Ela não vai perceber que estamos perto.

Chegando à igreja da casa de Gaius, Marcella encontrou Tibro e Simão sentados sozinhos numa pequena ante-sala. Adiantando-se, ela falou quase sem pensar: — Dimas está correndo grande perigo.

— Que tipo de perigo? — Simão perguntou.

— Os soldados sabem onde ele está escondido e planejam prendê-lo.

— Como eles descobriram?

Ela balançou a cabeça. — Só sei que Legatus Lucius Calpurnius, da Guarda Pretoriana, contou a meu marido que tinham descoberto onde Dimas está escondido.

— Ele disse isso na sua frente? — Tibro perguntou.

— Não. Eles estavam no pátio, e eu me escondi atrás de uma coluna. Nem meu marido nem Calpurnius sabiam que eu estava lá. Ouvi Calpurnius pedir permissão para prender Dimas.

— Aposto que não foi uma decisão difícil para Rufinus. Ele odeia meu irmão.

— Estou muito preocupada — Marcella falou.

Tibro colocou a mão em seu ombro, dando-lhe coragem. — Não se preocupe, eu vou avisar Dimas.

— Vou com você — Marcella afirmou.

— Não seria prudente — Tibro respondeu.

— Eu vou — ela insistiu.

— E eu vou também — Simão declarou, de pé ao lado do amigo. — Meu corpo pode ser velho, mas ainda há força nestes braços e pernas. Posso ser de alguma ajuda se houver problemas.

— Está bem, está bem — Tibro concordou. — Não vamos conseguir nada se ficarmos aqui conversando. Vamos logo.

LEGATUS LUCIUS CALPURNIUS segurava as rédeas de seu cavalo no que tinha restado de um estábulo de pedra perto da ponte que levava ao Trastevere. Quando um dos seus centuriões desmontou e veio correndo, ele perguntou: — O que foi Horatius?

— Segui a mulher até a casa de um cristão e uns minutos depois ela saiu com aquele Dimas bar-Dimas e um homem negro.

— Você tem certeza de que era Dimas? — Calpurnius perguntou ao centurião que muitas vezes espionara para ele.

— Já o vi muitas vezes. É Dimas.

— Onde eles estão agora?

— Na Via Flaminia, indo para Ariminum. Deixei Junius seguindo-os.

— Vamos — Calpurnius disse para os outros nove soldados que seguravam as rédeas de seus cavalos. — Precisamos agir imediatamente.

MARCELLA FOI A primeira a ouvir o barulho dos cascos. Ela agarrou o braço de Tibro e fez um gesto para trás, na direção de onde vinha o barulho.

— Soldados romanos, parece — Simão falou, olhando pela Via Flaminia.

— Sim — Tibro concordou. — E sem dúvida já nos viram. É bobagem nos escondermos. Melhor é tentar enganá-los, se pararem.

Quando os soldados pararam junto deles, Marcella percebeu que não havia nenhuma possibilidade de passarem uma idéia falsa. — Legatus Calpurnius — ela disse quando o oficial desmontou do cavalo à sua frente. — O que o senhor está fazendo aqui?

— Eu poderia perguntar a mesma coisa, senhora Tacitus — ele retrucou com um arremedo de sorriso.

— Que insolência — ela falou com raiva. — Meu marido vai saber.

— Oh, sem dúvida, ele vai sim, senhora, pois eu pessoalmente a levarei até o *curia lictor* — ele disse, usando o título de Rufinus como membro da Assembléia dos Curiae. — Como ele vai agir com a senhora é assunto dele. — E voltou-se para Tibro. — E você, Dimas, vai finalmente enfrentar a justiça, que você vem evitando há tanto tempo.

— Ele não...

— ...tem medo da sua justiça — Tibro interrompeu Marcella, mostrando com os olhos que ela não deveria revelar a Calpurnius que ele era o homem errado. — Vou de boa vontade enfrentar um tribunal romano — ele continuou. — Pois acredito que, quando a verdade for conhecida, serei libertado.

Marcella entendeu que Tibro estava usando a si mesmo para proteger o irmão, jogando com a expectativa de ser libertado quando revelasse a sua identidade. Então seria tarde demais para eles encontrarem Dimas.

— Não, não faça isso — ela advertiu. — Acho que você está subestimando demais o perigo que enfrenta.

— Venham, amigos — Tibro disse aos companheiros. — Vamos pôr à prova a justiça romana.

— Não — Calpurnius declarou. E apontou para Simão. — Aquele ali não.

— O que vamos fazer com o escravo? — Horatius perguntou.

— Você e Junius tirem-no da estrada e levem-no para o mato. — Calpurnius falou.

Horatius e Junius olharam um para o outro, em dúvida. Então Horatius perguntou: — E depois?

Calpurnius deu um sorriso frio. — Matem-no, claro. Não vamos perturbar o tribunal com mais um réu.

Simão continuou ereto enquanto observava os soldados partirem em fila para Roma com os prisioneiros: Marcella sentada na cela na frente de Calpurnius, e Tibro amarrado e de bruços, atravessado na cela em frente a outro cavaleiro.

Os dois soldados que tinham ficado para trás desembainharam suas espadas, e o de nome Horatius fez um gesto para o prisioneiro sair da estrada e entrar num matagal fechado um pouco abaixo. Quando Simão obedeceu, percebeu uma nota de medo nos olhos dos soldados e supôs que, embora servindo na guarda, eles nunca tinham matado um homem, pelo menos não tão de perto.

— Vamos fazer aqui? — Junius perguntou, seguindo Horatius e Simão para o mato.

— Não, um pouco além... vê aquela clareira? Vamos fazer lá. — Horatius cutucou as costas de Simão com a ponta de sua espada. — Vamos andando, e depressa!

Eles deixaram o matagal e entraram numa pequena clareira. Simão foi até uma extremidade e virou-se para olhar seus carrascos. — Vocês não precisam fazer isso — ele disse, com um sorriso cheio de compaixão. — Vocês podem simplesmente ir...

— Cale a boca! — Horatius interrompeu ríspido, erguendo a espada ameaçadoramente. — Fique de joelhos!

Simão obedeceu. Levantou a mão esquerda e começou a rezar em aramaico, a mão direita ele enfiou sob a túnica. Quando a retirou, não trazia uma adaga escondida, mas um simples pedaço de pano. Ele o levou aos lábios, beijou-o e continuou a oração.

Os soldados se entreolharam confusos, e depois para o prisioneiro ajoelhado. Horatius deu um passo à frente, mas estacou, como se congelado naquela posição. Ele inclinou a cabeça para o lado, os olhos fixos em Simão, hipnotizados pelo olhar do prisioneiro, ouvindo as palavras que não entendia. Junius também estava imobilizado, a espada com a ponta para baixo, tentando entender o que estava ouvindo.

De repente Simão engastou e pressionou o tecido contra a barriga. Ele inclinou-se para a frente, mas recuperou o equilíbrio e manteve-se ajoelhado, as palmas das mãos estendidas para os soldados. Suas mãos e o pano que ele segurava estavam ensopados de sangue, e mais sangue jorrava da túnica rasgada e caía na terra.

Perplexos, os soldados olharam para as espadas e viram que das lâminas também pingava sangue do prisioneiro.

— Senhor, perdoai-os — Simão murmurou ao cair de lado e rolar de costas, sem movimentos, uma mancha escura de sangue se espalhando em seu redor.

— O q-q-quê aconteceu? — Junius perguntou, recuando devagar. — Não lembro ... — ele parou no meio da frase e olhou novamente para a espada encharcada de sangue.

— Cumprimos nosso dever — Horatius retrucou, balançando a cabeça, atordoado.

Ele chegou mais perto e cutucou Simão com o pé para confirmar que ele estava morto. Depois foi até um dos arbustos junto à clareira e limpou a espada. Junius fez o mesmo, e os dois homens entraram novamente na mata e se dirigiram para a estrada.

Simão ficou imóvel até o barulho dos cavalos sumir na distância. Então pôs-se de lado e levantou. Esfregou a barriga, confirmando que não estava ferido. Na verdade, a túnica não estava mais rasgada e não havia nenhum sinal de sangue no pano ou em suas mãos, que ele levou novamente aos lábios e beijou carinhosamente.

— Oh, Senhor, de meus inimigos haveis me livrado. E por isso vos agradeço. Amém.

Retornando à estrada, ele olhou a Via Flaminia na direção sudoeste e viu na distância a poeira dos cavalos dos dois assustados soldados correndo de volta a Roma. Virando-se para a direção oposta, continuou rumo à aldeia perto de onde Dimas bar-Dimas estava escondido.

CAPÍTULO 40

PÁSSAROS NOTURNOS E insetos enchiam o ar de música quando Simão passou por entre árvores para chegar à pequena casa onde Dimas bar-Dimas estava hospedado. No estábulo, um jumento zurrava e uma brisa fresca fazia as folhas farfalharem. Simão bateu na porta.

— Quem chega? — uma voz abafada falou lá de dentro.

— Sou Simão de Cirene, amigo de...

Antes que ele pudesse terminar a resposta, a porta foi escancarada e um velho de cabelos brancos o recebeu com um sorriso tão torto quanto a sua corcunda.

— Eu sei quem você é — o homem disse. — Dimas tem falado bem e muitas vezes de você. Sou Felipe de Játiva, mas, como você pode ver, estou muito distante da Hispania. Por favor, entre e descanse um pouco. Você quer comida ou bebida?

— Os dois seriam bem-vindos, sem dúvida — Simão retrucou.

— Espere aqui. — Felipe indicou uma sala junto ao vestíbulo. — Leve esta lamparina. Vou acender outra. Depois vou acordar Dimas e trazer queijo e vinho.

— Obrigado.

A luz trêmula da lamparina a óleo guiou o caminho de Simão até a sala. Ele sentou-se num sofá sem encosto, que não era mais do que uma armação de madeira, mais comprida do que larga, apoiada em seis pernas e coberta por uma almofada dura estofada com palha de milho. O *afresco* atrás do sofá representava uma campina e árvores, possivelmente a paisagem vista da casa, ou uma lembrança da antiga vida de Felipe na província romana da Espanha. O chão era coberto por um mosaico com representações de uvas, cereais e vinho.

Poucos instantes depois, Dimas foi até a sala, ainda amarrando as abas que fechavam sua túnica. — Simão, meu amigo, que surpresa bem-vinda — ele disse alegremente.

— Talvez não tão bem-vinda, quando você souber por que estou aqui.

— E por que é? Alguma coisa aconteceu?

— Marcella ficou sabendo que os romanos descobriram onde você está — Simão explicou. — Estávamos vindo para cá alertá-lo quando fomos parados por soldados uma hora ao sul daqui.

Dimas olhou em volta, como se esperasse ver Marcella. — Onde está ela agora?

— Os romanos a levaram... e também levaram Tibro. Você sabe como vocês são parecidos. Eles acreditam que ele é você.

— Mas certamente ele os corrigiu — Dimas falou, mas depois franziu a testa. — Não, acho que não. Mas eles vão acreditar em Marcella.

— Ela também não falou nada. Ela não iria desobedecer aos desejos de Tibro, nem eu. Ele espera com isso dar a você tempo de fugir antes de revelar o engano.

Dimas balançou a cabeça resolutamente. — Eles não se importam de terem cometido um engano. Não são estúpidos e vão perceber o que ele fez, e por quê. Eu não vou permitir que meu irmão coloque sua vida em risco por mim. Vou a Roma acertar tudo.

Felipe entrou na sala com um pouco de pão, queijo e vinho.

— E como você pretende acertar tudo? — Simão perguntou, partindo um pedaço de pão.

— Vou dizer que eu sou quem eles procuram e insistir para que o libertem.

— E o que vai impedi-los de prender vocês dois? Não foi assim que aconteceu em Éfeso?

Dimas pensou nisso por um momento. Finalmente, disse: — É uma longa viagem de volta a Roma. Tempo bastante para pensar num plano que assegure a libertação dele na troca por mim.

— Você tem certeza de que quer fazer isso?

— Sim, tenho certeza.

— Muitos culpam Nero pelo incêndio, e ele está determinado a desviar essa raiva. Você não será apenas preso, Dimas, você será executado.

Dimas concordou. — Se essa for a vontade de Deus. Mas não posso deixar meu irmão morrer em meu lugar.

— É, achei que era isso mesmo o que você faria — Simão retrucou. — Deixe-me acabar de comer e eu o acompanharei.

— Não há nenhum motivo para você querer correr riscos.

— Não haverá risco nenhum — Simão falou com convicção.

— Então sua companhia será bem-vinda. Termine a ceia. Há uma coisa que preciso preparar para a viagem.

Os dois homens caminhavam havia uma hora, cada um levando um cajado arranjado por Felipe. Dimas carregava um pequeno saco com suas coisas dependurado no ombro. As pedras lisas do pavimento da Via Flaminia brilhavam com um cinza suave sob a luz da lua. Quando ouviram o murmulhar de um riacho, saíram da estrada e saciaram a sede.

Olhando em volta, Simão percebeu que estavam perto de onde os soldados romanos os tinham prendido mais cedo. Ele indicou um pequeno outeiro. — Vamos sentar e descansar um instante.

— Não há tempo para descanso — Dimas retrucou. — Temo que não chegaremos a tempo de salvar Tibro. Ainda se tivéssemos cavalos ou uma biga...

— Não tema. Chegaremos a tempo. Mas há a chance de nem chegarmos lá caso não descansarmos. Somos velhos agora.

Dimas concordou e deu um suspiro. — Não me lembro como aconteceu, mas sou mais velho que meu pai.

Simão deu uma risada.

— Por que você ri? — Dimas perguntou enquanto se sentava no chão, ao lado do amigo.

— Estava pensando em quando nos conhecemos. Eu ia para Jerusalém vender azeite de oliva. Parei para descansar por alguns minutos na sombra de uma figueira, mas a grama estava tão macia e a sombra tão fresca que caí no sono. — Simão ergueu um dedo. — Mas não era para ser sono, pois meus bonitos sonhos foram interrompidos por altas vozes.

— Ah, sim, os ladrões — Dimas falou.

— Passe a bolsa e você não será ferido — um deles falou. — E o que foi que você respondeu?

Dimas riu. — Falei que se eles queriam meu dinheiro teriam de tirá-lo de mim. Conversa temerária de um homem enfrentando três.

— Conversa de valente, eu diria.

— Mas no final eu não os enfrentei sozinho. Felizmente para mim, você apareceu do nada, brandindo o seu cajado como se fosse Gedeão, armado com o poder de Deus.

— E juntos nós os pusemos para correr — Simão disse. — Éramos muito mais jovens então, meu amigo.

— É. E tem sido uma longa mas gratificante viagem desde aquele dia. E cada passo do caminho tem sido dado no caminho de Nosso Senhor.

— E você registrou tudo — Simão observou. Vendo o olhar de surpresa do amigo, ele indicou o saco. — Você não está levando um manuscrito com o registro de sua viagem?

— Você sabe do manuscrito? Mas não falei a ninguém sobre sua existência. Nem estou certo se ainda vou conseguir terminar.

— Há muitos anos que sei do manuscrito — Simão contou. — Mesmo antes de você se decidir a começar a escrever. Você sabe, cada um de nós foi escolhido para uma missão, e a sua, dada por Deus, é escrever sobre as coisas que ouviu, viu e experimentou. Daqui a cinqüenta gerações, homens e mulheres vão ler e se inspirar por suas palavras.

— Dois mil anos? Você acha que meu humilde manuscrito vai sobreviver tanto tempo?

— Sim — Simão disse, sucinto.

— Se, como você diz, eu fui escolhido para escrever, fico imaginando por que Deus não pegou um homem mais qualificado ou mais instruído. — Dimas deu uma risadinha autodepreciativa. — Nem sequer escrevi numa língua só, mas troquei de línguas conforme o espírito me movia.

Simão sorriu. — É, conforme o *espírito* movia você. Pois embora a mão que segura a pena seja sua, a mente que compôs as palavras foi conduzida por Deus.

— Sim — Dimas falou, concordando. — Senti muitas vezes esse poder... e fiquei amedrontado.

— Não é uma coisa formidável?

Olhando para lua brilhante no meio de uma cortina de nuvens, Dimas sentiu um arrepio percorrer seu corpo. — Simão, confesso que sinto aquele temor neste momento. E recordo que, na noite em que Nosso Senhor foi traído, ele pediu que o cálice do sofrimento fosse retirado dele.

— Não tema o futuro, Dimas. A hora determinada para cada um de nós deixar esta terra está nas mãos de Deus.

— Como é, Simão, que mesmo quando enfrenta os maiores perigos você parece estar sempre em paz... uma paz que ultrapassa todo entendimento?

— Talvez por causa disto — Simão falou de forma cifrada. — Aqui, deixe-me mostrar um segredo.

Dimas observou interessado o amigo enfiar a mão sob a túnica e retirar uma pequena bolsa de couro. Simão desatou o cordão, abriu a bolsa e removeu o pedaço de pano, que gentilmente, reverentemente, desdobrou. Era o pano mais branco que Dimas já vira, e parecia quase iridescente ao luar. E tinha uma marca estranha, no mais brilhante dos vermelhos.

— Este é o sangue de Jesus — Simão sussurrou — derramado no caminho do Gólgota.

— Mas isso foi há mais de trinta anos — Dimas falou. — Veja como ele parece fresco e novo.

— Ele continua tão fresco quanto na hora em que eu rasguei este pedaço de pano da bainha da minha túnica e limpei a fronte do Senhor.

— Então, por que não está todo borrado? Parecendo como se alguém tivesse desenhado um signo com sangue.

Dimas inclinou-se para examinar mais de perto o símbolo desconhecido. — O que é este símbolo estranho?

— Nosso Senhor o chamou de Trevia Dei.

— Trevia Dei?

— Os três caminhos para Deus.

Dimas ouviu meio por cima a história contada por Simão sobre como ele encontrou Jesus na estrada para Cirene após a crucificação. A atenção de Dimas fixou-se na imagem sobre o pano. Enquanto ele olhava maravilhado, o Trevia Dei começou a se alterar, transformando-se em três símbolos separados, que vagarosamente se ergueram no ar e se afastaram um do outro. A parte superior girou e formou uma lua crescente e uma estrela. A pirâmide duplicou e dobrou-se sobre si mesma numa estrela de seis pontas. Finalmente, o transepto da cruz abaixou, formando uma cruz com quatro braços.

— O que é isto? — Dimas falou meio engasgado.

Simão sorriu ao pressionar o pano contra o peito de Dimas e colocar sua outra mão na testa do amigo. — Tenha fé em Deus — ele murmurou — e tudo será revelado.

A estrada e a floresta escura ficaram mais brilhantes. A alteração não foi nem gradual nem repentina. Foi como se Dimas tivesse recebido o privilégio de ver uma luz que sempre esteve lá, e que estaria sempre presente, mesmo na escuridão. Estranhamente, a luz parecia sair do coração de Simão. E estampado lá, sobre seu peito, o mesmo símbolo tomou forma. Embora os lábios de Simão não se movessem, Dimas ouviu seu amigo entoar as palavras "Trevia Dei". Depois a luz desapareceu, e uma vez mais eles ficaram banhados pelo brilho cinzento do luar.

— Você está pronto para retomar a viagem? — Simão perguntou.

Dimas sentiu uma força renovada no corpo e no espírito, e olhou para Simão, sabendo que eles tinham recebido um lampejo da glória de Deus.

— Sim — ele disse. — Estou pronto para tudo o que possa vir.

CAPÍTULO 41

Dimas bar-Dimas e Simão de Cirene esperaram do lado de fora da *villa* na Campagna até Rufinus sair. Então, na expectativa de que fosse seguro, entraram num pequeno vestíbulo e chamaram por Marcella.

Como esperavam, ela mesma veio à porta, e não uma das criadas. Ela parecia bastante perturbada e — o que não era característico — desarrumada, mas mesmo assim conseguiu abrir um tímido sorriso ao ver Dimas. E quando percebeu que Simão o acompanhava, prendeu a respiração e foi até ele para tocá-lo. — Não... não pode ser. Você foi...

— Assassinado? — Simão falou com uma risada. — Não, Marcella, não sou uma aparição.

— Mas quando os soldados Horatius e Junius voltaram, contaram que você estava morto.

— Teremos de chamá-lo de Simão, o Mágico, de agora em diante — Dimas interrompeu.

— Por favor, não — Simão pediu. — Simão Magus foi repreendido por Pedro por suas falsas artimanhas. Digamos apenas que esses soldados se enganaram — ele falou sem mais explicação.

— Podemos entrar? — Dimas perguntou.

— Claro... por favor... desculpem-me. — Ela se afastou para um lado e os conduziu para dentro da *villa*. — Tenho estado tão perturbada, tão distraída — ela disse enquanto os levava a uma sala de visitas junto ao vestíbulo. — Mas estou muito alegre de ver que estão bem. — Ela riu para Simão, e virando-se para Dimas, agora com voz trêmula, disse: — Tibro está em grande perigo. Os romanos o prenderam. Ele é prisioneiro de Nero!

— Eu sei. Você tem notícias dele?

— Nenhuma. Mas vou descobrir quando chegar ao palácio.

Os dois homens olharam para ela com curiosidade.

— Estava esperando meu marido sair. Pretendo ir a Nero declarar minha fé e meu amor. Quero morrer ao lado de Tibro.

— Não! — Dimas falou com convicção. — Não será necessário que nem você nem meu irmão morram. Eu vou me entregar, em troca de Tibro.

— E se não funcionar? — Marcella perguntou. — Lembre-se, uma vez antes você tentou se oferecer em troca de um prisioneiro, mas meu marido condenou tanto você quanto Marcus Antonius.

— Seu marido era um governador insignificante, mas Nero é imperador, e ele entende o valor da palavra dada. E não serei tão temerário de me apresentar de repente. Mandarei um emissário arranjar a troca. — Ele olhou para Simão, que concordou em ajudar no plano.

— Mas, mesmo que ele aceite a sua oferta, isso significará a sua morte — Marcella falou. — E você é muito importante para a Igreja.

— Minha hora chegou, e estou pronto.

Dimas abriu o saco e colocou um objeto enrolado em tecido sobre a mesa lateral, iluminada por uma pequena janela. Cuidadosamente ele removeu o pano, revelando um pergaminho.

Marcella se aproximou da mesa. — O que é isto?

— Isto, Marcella, é o seu destino. Seu e de Tibro. — Ele desenrolou uma parte do pergaminho e usou uma pequena tigela para segurar a ponta, a fim de que ele não voltasse a se enrolar.

Quando Marcella se inclinou para mais perto, viu que ele estava totalmente escrito, as letras gregas bem talhadas, com traços fortes e muito legíveis:

> *O relato de Dimas bar-Dimas.*
> *Registrado por sua própria mão no 30º ano*
> *após a Morte e a Ressurreição de Cristo,*
> *feito na cidade de Roma por ordem de*
> *Paulo, o Apóstolo, por este Servo e Testemunha.*

— Dimas... você escreveu um relato! — Marcella exclamou. — Oh, que coisa maravilhosa!

— Anos atrás, em Éfeso, fui incumbido dessa tarefa e você me ajudou a começar quando arranjou material de escrita na prisão de seu marido. Finalmente completei o trabalho e o transcrevi neste manuscrito. Agora minha missão nesta vida está no fim. A única coisa que falta é que este relato seja levado aos fiéis em Jerusalém

— Então você precisa partir — Marcella disse. — Você precisa partir imediatamente e levá-lo.

— Não, Marcella. — Dimas tocou gentilmente sua mão. — Eu não vou levá-lo. Isto é trabalho para você e para Tibro.

— Por que nós? Tibro não é um crente, e eu não sou judia. Com certeza essa é uma missão para ser desempenhada por outra pessoa. Por você.

— Não. — Simão interrompeu, indo para o lado dela. — É vital que você e Tibro o levem para Jerusalém.

— Mas eu não entendo. Por que é tão importante que sejamos nós?

— Eu não sei — Simão admitiu. — Eu sei apenas o que vi... que o manuscrito deve ser revelado quando for mais necessário, e devem ser vocês.

— Você também sabe como vamos realizar tal coisa? — ela perguntou. — Eu sou virtualmente uma prisioneira, e Tibro é prisioneiro de Nero.

— Quando chegar a hora, vocês saberão o que fazer — Simão disse. — Por ora, é importante apenas que aceitem essa grande missão.

Marcella respirou fundo e expirou lentamente enquanto concordava. — Farei como você pede — ela jurou. — Não sei como, mas farei. — E estendeu a mão para o pergaminho.

— Espere — Dimas falou. — Há ainda uma missão final.

De pé ao lado do pergaminho, Dimas tirou uma adaga de sob a túnica. Com o braço estendido sobre a tigela que prendia o pergaminho, ele cortou o punho no mesmo ponto em que um prego perfurou a carne de Jesus. Quando sangue suficiente tinha caído na tigela, ele enrolou um pano no braço. Então, pegando uma pena no saco, e usando o sangue como tinta, escreveu algo no início do texto.

Marcella olhou fixamente para o estranho desenho. — Que símbolo é esse?

— Trevia Dei — Dimas respondeu.

— Trevia Dei? — ela repetiu. — O que significa?

— Pergunte a Simão. Ele é o guardião do Signo.

Ela olhou interrogativamente para Simão.

— Ele fala de três grandes caminhos para Deus, mas significa que, para o crente, todos os caminhos sagrados levam ao único e verdadeiro Senhor.

Quando Marcella voltou os olhos para o pergaminho, viu que Dimas usava o restante do sangue para escrever mais alguma coisa no texto.

— Por alguma razão deixei um espaço quando escrevi o nome de Simão pela primeira vez, e agora entendo por que — Dimas explicou. Ele indicou com um gesto o trabalho final, e Marcella viu que ele tinha desenhado uma versão menor do símbolo do Trevia Dei entre as palavras gregas para "Simão" e "de Cirene".

Quando os símbolos em sangue secaram, Marcella enrolou o pergaminho, embrulhou-o com o pano e levou-o para seus aposentos particulares. Ela tinha acabado de se juntar novamente aos amigos quando foram surpreendidos pela chegada inesperada de seu marido.

— Rufinus! — Marcella falou de chofre, surpresa de vê-lo na entrada.

— Como você escapou? — Rufinus perguntou a Dimas, ignorando sua mulher.

— Não escapei — Dimas falou. — Nunca estive preso. O homem que Nero prendeu é meu irmão.

— Ele fala a verdade — Marcella disse. — Nero prendeu seu irmão mais jovem, Tibro. E foi Tibro, não Dimas, que salvou sua vida durante o incêndio.

— Tibro? — Rufinus falou, coçando o queijo. — E é Tibro com quem você vem se encontrado nos banhos públicos?

Marcella engoliu em seco, mas não respondeu.

Rufinus ergueu a mão. — Você acha que eu não sabia, minha querida? Que eu não mandaria vigiar você? Sabia desde o início que você estava vendo outro.

— Rufinus, eu nunca fui infiel a você.

— Se você quer dizer que nunca dormiu com ele, sei disso também.— Rufinus disse com desdém. E riu, embora não houvesse nenhum humor. — Na verdade, não teria me importado se você tivesse dormido com ele. Essas trivialidades não significam nada para mim. — E retornou sua atenção para Dimas. — Você é o homem que sentenciei à morte muitos anos atrás, não é?

— Sou — Dimas respondeu.

— Então, o que devemos fazer com você agora? Você vai fugir novamente e deixar seu irmão morrer em seu lugar?

— Não — Dimas falou resoluto. — Vim aqui para corrigir o erro. Pretendo entregar-me a Nero, em troca da vida de meu irmão.

— Que... cristão da sua parte — Rufinus sorriu com afetação. — Muito bem, venha comigo e eu explicarei tudo.

— Não! — Marcella falou, com urgência na voz. — Dimas, lembre-se do que aconteceu em Éfeso.

— Sim, eu me lembro. Não irei com o senhor.

— Como queira. Quer você morra, quer o seu irmão, não faz a menor diferença para mim.

— Eu ofereço uma troca, Rufinus Tacitus.

— Que tipo de troca?

— Vá a Roma. Pegue meu irmão e traga-o aqui para que eu possa ver que ele está livre. Quando souber que ele está em segurança, eu me entregarei ao senhor.

— E por que eu faria isso?

— Porque Nero pretende fazer dos cristãos bodes expiatórios, e eu sou um líder entre os que crêem. Tenho certeza de que ele vai preferir ter a mim em vez de um judeu comum, que é o que ele tem em meu irmão. Tibro nunca professou a fé — ele não é cristão.

Rufinus pareceu surpreso. — Ele não é cristão?

— Não, não é — Marcella afirmou. — Eu tentei, muitas vezes, levá-lo ao Senhor, mas ele não vê.

— E você, minha querida? Você é cristã?

— Eu sou. Mas você já sabia, não sabia?

— Claro. Só queria ver se você ia mentir para mim — Rufinus falou. — Mas sempre soube que você é incapaz de mentir, e é por isso que não fiz essa pergunta antes. Mas você sendo ou não cristã, isso não tem nenhuma conseqüência para mim. Depois converso com você. Por ora — ele olhou para Dimas —, aceito a sua oferta. Vou mandar um mensageiro à prisão trazer Tibro até aqui. Vou até dar uma oportunidade para um amigável adeus antes de acabar com você para sempre.

DUAS HORAS MAIS TARDE, Rufinus abriu a porta da frente para receber Legatus Lucius Calpurnius e três dos seus soldados. Eles conduziram Tibro bar-Dimas, algemado, pela *villa* até o peristilo, onde Marcella estava de pé ao lado de Dimas. Ele correu até o irmão mais moço, mas um dos soldados se colocou entre eles e impediu sua passagem.

Vendo a semelhança entre os irmãos, Calpurnius balançou a cabeça e disse para Rufinus: — Sinto muito, Excelência, pelo engano.

— Já foi consertado — Rufinus retrucou.

— Devo levar o prisioneiro de volta agora? — Calpurnius perguntou, indicando Dimas.

— Prometi a eles uma curta visita — Rufinus disse, e depois olhou para Marcella. — E sou homem de palavra.

A um sinal de Calpurnius, um dos soldados removeu as correntes de Tibro e ele foi levado ao pátio.

— Aproveitem a visita — Rufinus falou. — Mas não por muito tempo. Dimas tem um encontro com a cruz, e ele já está dez anos atrasado. E, se pensam em fugir, haverá um soldado em cada saída. — Ele acenou para Calpurnius, que indicou a seus homens que tomassem posição em cada porta que saía do pátio.

Quando Rufinus entrou na casa e eles ficaram finalmente sós, Tibro abraçou seu irmão e depois Marcella. Então Tibro notou Simão perto de uma das colunas e exclamou: — Você está vivo! Pensávamos que estivesse morto.

— Não estou, como você pode ver. — Simão aproximou-se e pegou no antebraço de Tibro em sinal de amizade.

Tibro voltou-se para seu irmão. — Dimas, disseram-me que você está trocando sua vida pela minha. É verdade?

— É.

— Não vou permitir que você...

— Você não vai permitir? Você é meu irmão mais moço, Tibro. Você não pode permitir ou não permitir que eu faça qualquer coisa.

— Então vou voltar com você e morrer ao seu lado.

— Mas você não é cristão.

— Não, mas sou seu irmão. E sou judeu, e, como você, sou contra Roma.

Dimas colocou a mão sobre o ombro de Tibro. — Sei que você faz isso por amor, mas, se realmente me ama, viva por mim. Você deve viver, pois há uma coisa que quero que faça.

— Farei qualquer coisa que você queira — Tibro disse —, exceto ficar vendo você ser morto.

— Entreguei a Marcella um manuscrito. Vocês dois devem levá-lo aos apóstolos em Jerusalém. Se não puderem, escondam num lugar seguro para que não caia nas mãos dos incrédulos e seja destruído.

— Mas eu sou um dos incrédulos, meu irmão. Como sabe que não vou destruí-lo?

— Porque você é um homem honrado e, se me der sua palavra de que vai proteger este manuscrito, sei que vai fazer isso. — Vendo que o irmão hesitava, Dimas o puxou para mais perto e cochichou em seu ouvido: — Você precisa fazer isso não apenas por mim, mas por Marcella. Esta é a única chance de ela... a única chance de vocês ficarem juntos. Se por teimosia você se recusar, o que será dela? Você quer que ela tenha o mesmo destino que eu? Ela é sua mulher em espírito, Tibro. Você tem deveres para com ela.

Dimas beijou o irmão em cada face, depois se afastou e o soltou.

Tibro olhou para Dimas e Marcella, depois acenou com a cabeça. — Farei o que você pede. Dou minha palavra. — E então virou-se para Simão. — E você? Vai nos acompanhar até Jerusalém?

— Vou para Roma com Dimas — Simão anunciou.

— Não, Simão — Dimas falou. — Você não deve se colocar em perigo por minha causa.

— Não estou em perigo — Simão falou. — Eles não me verão.

— E como vai se esconder deles?

— Há maneiras de andar sem ser visto. — Simão olhou para Marcella. — Você não achou estranho que seu marido não percebeu minha presença quando voltou para casa? E Calpurnius? Ele não fez nenhuma referência a uma aparição.

Naquele momento, Rufinus, Calpurnius e os soldados voltaram ao pátio. Um dos soldados carregava as correntes que prenderam Tibro, e fez sinal para Dimas estender as mãos. Dimas obedeceu, e as algemas foram colocadas nele.

— Ande — Calpurnius ordenou. — Quero chegar a Roma antes que anoiteça.

Quando Calpurnius deu a ordem, Simão foi diretamente para a frente dele, bloqueando sua visão de Dimas. Mas o oficial não tomou conhecimento, agindo como se olhasse através de um espectro. Simão passou ao lado dele, e depois olhou para os amigos e sorriu.

— Eles não me verão — ele repetiu, e realmente Calpurnius, Rufinus e os soldados não o viam nem ouviam nada do que ele dizia.

Quando os soldados conduziram Dimas pelo interior da casa, com Simão atrás, até o contingente maior de tropas a cavalo do lado de fora, Rufinus fez um sinal para Calpurnius ficar. — Por favor, fique mais um momento com um dos seus soldados — ele falou. — Necessito de vocês.

— Muito bem, Excelência — Calpurnius respondeu e depois chamou um dos homens: — Darius, você ficará aqui. Mande o prisioneiro com os outros. Em breve nos uniremos a eles.

Quando Darius e Calpurnius voltaram ao pátio, Rufinus apontou Tibro e ordenou: — Levem-no lá para dentro.

— Mas você prometeu libertá-lo! — Marcella falou alto quando os dois soldados se aproximaram.

— Levem-no lá para dentro — Rufinus repetiu, ignorando a observação.

Darius segurou um braço e, quando Tibro tentou soltar-se, Calpurnius o atingiu no rosto com o cabo da espada, deixando-o atordoado. Os soldados o agarraram e o levaram para dentro da casa.

Marcella correu atrás deles enquanto Tibro era arrastado pelo *hall* para a mesma sala onde Dimas lhe tinha entregado o manuscrito. Ele estava escondido, mas, ao entrar na sala, ela viu alarmada que a adaga de Dimas ainda estava do lado da tigela. Temendo que Rufinus percebesse e fizesse perguntas, foi para a frente da mesa, impedindo que a faca fosse vista.

— Mantenham-no aqui — Rufinus disse, dirigindo-se a um armário.

Tibro, ainda atordoado por causa do golpe de Calpurnius, balançou a cabeça para clareá-la, contorcendo-se na tentativa de se livrar dos soldados que o agarravam.

— Ele salvou a sua vida, Rufinus. Você prometeu libertá-lo — Marcella implorou.

— Você gostaria disso, não? Então você poderia fugir com ele. Bem, minha querida, isso não vai acontecer. — Ele abriu a porta do armário e tirou uma espada curta de lâmina larga.

— O que você vai fazer? — ela perguntou aflita.

— O que deveria ter feito há muito tempo. Vou matar o seu amante.

Rufinus ergueu a espada ao passar por Marcella. Desesperada, ela tateou a mesa atrás de si e pegou a adaga de Dimas. Rufinus percebeu que ela se virava, ficando face a face com ele, a faca a centímetros de seu peito.

Rufinus baixou a vista para a lâmina, depois olhou para a mulher e começou a rir.

— Vamos, mulher — ele afirmou, baixando a espada. — Enfie no meu coração. Não é isso o que esse Jesus de vocês ensina?

A mão de Marcella tremeu quando ela olhou o marido e depois o homem que amava, que estava inconsciente nas mãos dos romanos. Ela tentou falar, gritar, mas não conseguiu emitir nenhum som. Seus olhos se encheram de lágrimas, e a faca começou a escorregar de seus dedos.

— Como eu imaginei — Rufinus afirmou, dando uma pancada na mão de Marcella com o punho da espada e fazendo a faca cair no chão ruidosamente.

— Você não tem mais nenhum valor para mim, mulher. Você não é mais minha esposa.

Ele ergueu a espada, o queixo retesado, preparando-se para enfiá-la no peito de Marcella. De repente ele cambaleou à frente, os olhos arregalados em choque. Abriu a boca para falar, mas o sangue escorreu do canto da boca. Ele caiu de joelhos na frente dela, a mão esquerda agarrou a *stola* e depois caiu de bruços, deixando ver o cabo de uma adaga saindo de suas costas.

De onde estava, Marcella viu a figura do homem que tinha acabado de entrar correndo na sala. Era Gaius de Éfeso, e ele parecia chocado com o que tinha feito, e ficou estático, esfregando as mãos manchadas de sangue.

Calpurnius já tinha soltado o braço de Tibro, desembainhado a espada e avançava para Gaius. — Bastardo! — ele praguejou. — Você matou o *curia lictor*!

Tibro se equilibrou em Darius, que ainda o segurava, e de repente empurrou o soldado para o lado, derrubando-o no chão. Lançando-se à frente, pegou a espada que Rufinus tinha deixado cair e, com um movimento amplo, atingiu a coxa de Calpurnius, logo abaixo da armadura.

Surpreendido pelo ataque, Calpurnius tentou atingir Tibro com a espada. E ficou mais chocado ainda quando viu o reluzir do metal no momento em que Tibro enfiou a ponta da espada logo abaixo de sua garganta e acima do peitoral. Tibro estava tão próximo que Calpurnius só conseguiu atingi-lo fracamente com o punho da sua espada. Depois o romano escorregou para o chão, gorgolejando enquanto a vida se esvaía.

Antes mesmo de Calpurnius atingir o chão, Tibro já corria no encalço do outro soldado, que disparara para a porta. Tibro o perseguiu até o exterior da *villa* e o pôs a correr pela estrada.

Voltando para a sala, Tibro abraçou Marcella, que caiu em seus braços e ficou chorando encostada em seu ombro. Segurando-a bem apertado, ele sentiu algo se liberar de dentro dela, e de dentro dele também. Era como se a distância entre eles tivesse desaparecido, como se essa fosse a primeira vez que realmente tinham se abraçado. Ele sabia, com certeza absoluta, que nunca se separariam, nesta vida ou em uma próxima.

Tibro olhou para Gaius, que parecia estar se recuperando do choque.
— Foi uma coisa valente o que você fez.

— Eu... eu o matei — Gaius murmurou, fitando o corpo sem vida de Rufinus no chão.

— Você salvou nossa vida. Aos olhos de Deus, e nós adoramos o mesmo Deus, o que você fez foi certo. — Tibro parou por um momento e então acrescentou: — Mas precisamos ir. O soldado vai trazer outros com ele.

Com Gaius seguindo, Tibro tirou Marcella da *villa* e levou-a para longe da cena de morte.

CAPÍTULO 42

Na manhã seguinte ao resgate do padre Michael Flannery nas catacumbas do Monte das Oliveiras, Sarah Arad se encontrou com ele e Preston Lewkis no Laboratório de Objetos Arqueológicos Antigos. O edifício tinha sido fechado após o ataque, mas Sarah não teve nenhuma dificuldade para entrar, em função de sua posição de agente especial do YAMAM, a unidade antiterrorismo de elite de Israel.

Quando Sarah e seus acompanhantes seguiam pelo corredor em direção ao laboratório em que Daniel Mazar tinha sido morto, ela parou um instante para falar com o policial-chefe de serviço.

— Tenente Lefkovitz — ela falou, lendo a identificação no crachá —, podemos ver o videoteipe da câmara de segurança?

Lefkovitz balançou a cabeça. — Sinto muito, agente Arad, mas não havia nenhuma fita.

— Não pode ser. Há uma câmara de segurança no laboratório.

— Sim, mas não havia fita nela. Evidentemente ela não foi colocada.

— Entendo — ela retrucou. — Podemos ficar uns momentos a sós no laboratório? Vamos seguir o protocolo.

O policial olhou para ela em dúvida, mas pensou melhor e achou que não devia negar a entrada a um membro do YAMAM. — Mas tome precauções. — Ele indicou uma mesa no corredor, logo do lado de fora do laboratório. Sobre ela havia caixas de luvas cirúrgicas e chinelos de papel, bem como sacos para coleta de provas e outros apetrechos necessários para as equipes técnicas de medicina legal.

Lefkovitz foi até o laboratório, deu uma olhada para confirmar que não havia ninguém de serviço e depois virou-se para Sarah. — Se precisar de mim, estarei na recepção. — E voltou pelo corredor.

— O que faremos primeiro? — Preston perguntou ao enfiar os sapatos no chinelo e colocar as luvas.

— Encontrar o pergaminho — ela respondeu.

— Espero que esteja aqui em algum lugar — Flannery disse enquanto também colocava as proteções.

— Por que você diz isso?

— Bem, o Via Dei tinha informação de que ele estava no laboratório, mas tudo o que encontraram foi a urna que recuperamos ontem à noite. Por algum motivo, eles não o viram.

— Vamos descobrir logo — Sarah falou enquanto os conduzia para dentro.

A porta do cofre continuava aberta, como quando o corpo de Mazar foi encontrado. Sarah examinou cuidadosamente o interior e depois se virou para eles, balançando a cabeça.

— Está completamente vazio. E não há como deixar de ver o manuscrito se ele estivesse aqui.

— Talvez tenham mentido para você — Preston disse a Flannery. — Talvez eles estivessem com ele e estavam testando você, para saber se estaria disposto a entregá-lo.

— Penso que não. Não, se eles tivessem o pergaminho, não teriam se dado ao trabalho de me seqüestrar. Não precisariam de mim.

— Eu concordo — Sarah falou, afastando-se do cofre. — Só há outra explicação. Alguém com acesso ao cofre o retirou antes do ataque.

— Por exemplo? — Preston perguntou.

— Eu, por exemplo — Sarah riu. — Como a responsável pela segurança desse projeto, tive acesso a uma das duas combinações. — Ela viu suas expressões de confusão e acrescentou: — Não se preocupem, não levei o manuscrito. Estava só dando um exemplo. Sei a combinação, ela está arquivada no quartel e pode ter vazado. Os professores Mazar e Vilnai sabiam a outra combinação.

— Talvez tenham obrigado Mazar a abrir o cofre — Preston sugeriu.

— Talvez, mas então por que o matariam? — Sarah pensou alto. — Quero dizer, quando perceberam que o pergaminho não estava lá, não tentariam usá-lo para descobrir seu paradeiro? Da mesma forma que tentaram usá-lo, padre?

— Talvez Daniel o tenha escondido — Flannery sugeriu. — Se ele percebeu que o laboratório estava sendo atacado, é possível que não tenha confiado no cofre.

— Então onde ele está? Nosso pessoal vasculhou este laboratório.

Sarah andou pela sala, tomando cuidado por onde pisava para não danificar nenhuma prova. Parou perto de um pequeno painel na parede no canto da sala e abriu a porta. Numa prateleira lá dentro havia um videocassete. Ele estava ligado, e ela pressionou o botão de ejetar várias vezes para confirmar que não havia uma fita dentro.

— Há alguma coisa estranha aqui — ela murmurou. — Este videocassete capta as imagens daquela câmera — e indicou uma câmera de segurança acima da porta. — O tenente Lefkovitz disse que alguém pode ter esquecido de colocar a fita, mas ninguém jamais carrega ou descarrega este vídeo. A mesma fita se recicla continuamente. É um sistema que grava seis horas e apaga a gravação anterior. É bastante simples e geralmente muito eficiente.

— A menos que alguém soubesse onde estava o videocassete — Preston comentou.

— Precisamente. As pessoas que mataram o professor Mazar deviam saber do sistema e levaram a fita.

Flannery não estava ouvindo a conversa, mas examinando alguma coisa que tinha despertado sua atenção. Ele chamou os outros e disse para Sarah: — Quando você mencionou uma câmera de segurança, olhei na direção errada e vi esta aqui. Está conectada ao mesmo videocassete?

Sarah viu uma pequena webcam enfiada entre alguns livros numa prateleira acima da estação de trabalho. — Não faz parte do sistema de segurança. — Afastando os livros para examinar mais de perto, ela seguiu o cabo da prateleira até atrás da estação de trabalho, onde ele estava plugado numa porta USB do computador no chão. — Este computador está ligado — ela disse, surpresa, recuando.

— Não, não está — Preston falou. — Todos estão desligados.

— Este não. — Ela examinou o monitor. — Alguém desligou a tela, mas deixou a CPU ligada.

Sarah apertou o botão para ligar o monitor. Ele deu um estalido por causa da eletricidade estática e aos poucos o *screen saver* apareceu. Ela deu um clique no botão do mouse e o padrão turbilhonado desapareceu, dando lugar à imagem da área de trabalho.

— Ali está um programa de captura para a *webcam*. Ainda está aberto, mas deve ter atingido o tempo limite e desligado.

Movendo o cursor, ela clicou no botão "voltar" para ir ao começo da gravação e depois clicou em *play*.

No início, tudo o que eles viram foi um par de mãos ampliadas no primeiro plano. Depois as mãos se afastaram, mostrando Daniel Mazar ajustando a câmera na prateleira.

— Sarah! — Yuri Vilnai disse ao aparecer na entrada do laboratório. — Que bom que você mandou me chamar. Tentei chegar mais cedo, mas esses idiotas lá na entrada não queriam me deixar passar. Obviamente você tem mais força com a polícia.

— É — Sarah retrucou. — Entre, por favor.

— O manuscrito... vocês o encontraram? — ele perguntou ansioso.

— Como você sabia que ele está desaparecido?

— Foi a primeira coisa que cheguei quando entrei aqui e encontrei o pobre Daniel morto.

— Quer dizer, você olhou no cofre?

— Certamente. Mas ele não estava lá, então imaginei que estivesse dentro da urna, e era isso o que os assassinos deviam estar levando do prédio.

— Como você acha que eles o pegaram? — Sarah pressionou. — Quero dizer, o cofre estava fechado, não?

— Presumo que sim. Talvez tenham forçado Daniel a abri-lo.

— Mas ele só tinha uma combinação.

Vilnai pareceu um pouco acanhado. — Acho que Daniel teria aberto o cofre sem dificuldade se tivesse necessidade.

— Da mesma forma que você — Sarah disse sem explicações. — Mas esqueça. Para responder sua primeira pergunta, não, não encontramos o manuscrito. Mas encontramos uma outra coisa.

— Verdade? O que mais importa, além do manuscrito? — ele olhou para Preston e para Flannery, que o observavam em silêncio.

— Talvez você queira dar uma olhada nisto — Sarah falou, indo até a estação de trabalho. Ela clicou o mouse, reiniciando o vídeo que Daniel Mazar tinha gravado.

— O que é isto? O que está acontecendo? — Vilnai perguntou, enquanto a imagem do professor ajustando a webcam aparecia.

— Apenas assista — Sarah retrucou.

Vilnai caiu duro na cadeira em frente ao computador. Na tela, Mazar começava a falar, sua voz meio fina e alta, através das caixas de som do computador.

A gravação começava com o telefonema de Mazar pedindo a Preston que corresse ao laboratório. Quando Preston perguntou se tinha acontecido alguma coisa, Mazar respondeu: *"Não é o que aconteceu, mas o que vai acontecer se eu estiver correto".*

"Correto a respeito do quê? Daniel, meu amigo, você está sendo muito, muito misterioso. Do que se trata?"

"Se eu dissesse você iria pensar que fiquei louco. É melhor você mesmo ver."

"Dá para esperar eu chegar aí?"

"Já esperou dois mil anos, suponho que pode esperar mais uma hora."

Em seguida, Mazar continuou o trabalho no computador, de vez em quando fazendo uma narração:

"Estou trabalhando com fotocópias do pergaminho, pois preciso fazer algumas anotações para usar o código".

— O código, que código? — Vilnai perguntou, interrompendo a gravação.

— Shhh — Sarah falou. — Apenas ouça.

"Alguns devem conhecer o trabalho de meu colega dr. Eliyahu Rips, um dos líderes mundiais da teoria dos grupos, um campo da matemática que está na origem da física quântica. O dr. Rips descobriu um código escondido na Torá que parece revelar detalhes de acontecimentos de milhares de anos depois que as Escrituras foram redigidas."

"Espantosamente, eu encontrei esse mesmo código incrustado nas partes em hebraico do nosso pergaminho de Dimas. Uma anotação diz que o pergaminho ficará enterrado nas 'montanhas dos patriotas judeus' até o momento de ser revelado. A data dessa revelação, indicada no calendário hebraico, coincide exatamente com o dia em que o manuscrito foi desenterrado em Masada. Ainda mais incrível, a mensagem codificada diz que o evangelho será cobiçado por muitos e que, pouco depois de sua descoberta, ele voltará às trevas por mãos humanas. O espaço de tempo entre a descoberta do manuscrito e seu desaparecimento era dado em dias, revelando que ele seria roubado nesse mesmo dia."

No monitor, Mazar era visto olhando para a câmera.

"Não sei se estas mensagens são alertas ou previsões absolutas, mas trabalhando com a teoria de que é um alerta, pretendo remover o pergaminho de seu lugar habitual."

Yuri Vilnai olhava fixamente para a tela como se estivesse hipnotizado e viu quando Mazar foi interrompido por um ruído crescente, que logo tornou-se o som indiscutível de tiros. Vilnai viu o professor afastar-se correndo da estação de trabalho, ouviu a porta do laboratório ser aberta e fechada, escutou petrificado quando Mazar exclamou: *"Meu Deus! A profecia é verdadeira!".*

No vídeo, Vilnai viu Mazar ir na direção do cofre, que estava fora do alcance da câmera, e reaparecer logo depois com o pergaminho. Ele ficou à vista no canto da tela quando removeu a gaveta do arquivo e colocou o manuscrito lá dentro, recolocando a gaveta depois.

Vilnai girou e correu para o arquivo. A gaveta estava no chão e não havia nada lá dentro.

— Continue olhando — Sarah disse, indicando o monitor.

Vilnai começou a tremer quando Mazar disse diretamente para a câmera: "*Temo que estas sejam as minhas últimas palavras nesta terra. Cuidem do pergaminho. Protejam-no com sua vida. Ele é muito importante*".

Logo em seguida os atiradores irromperam na sala e foram mostrados os momentos finais da vida de Daniel Mazar, ele sendo baleado a queima-roupa, os pistoleiros abrindo o cofre e fugindo.

Ainda tremendo, Vilnai levantou-se e se afastou do computador. — Daniel... ele gravou a própria morte — ele falou, a voz entrecortada.

— Espere — Sarah disse. — Há mais.

— Não, desligue. Não quero ver mais.

— Tem certeza?

— Eu... por favor... — Vilnai despencou numa cadeira e cobriu o rosto com as mãos. — Por favor — ele implorou com voz abafada. — Desligue.

Sarah parou o programa. — Por que, dr. Vilnai? — ela perguntou. Quando ele não respondeu, ela continuou: — O senhor percebe que a gravação mostra tudo, não percebe? O que vocês dois disseram... o que o senhor fez a ele... como depois roubou a fita do sistema de segurança para encobrir seu crime.

Vilnai continuou mudo.

— Por que o senhor o matou?

— Não tive nada a ver com o ataque — Vilnai falou num arranco, olhos arregalados de medo quando olhava para ela. — Quero que você saiba disso. Juro, não tive nada a ver com o ataque.

— Mas você o matou — Preston disse, chegando mais perto.

Vilnai concordou com a cabeça, as lágrimas escorrendo em sua face. — Sim. Sim. Eu o matei.

— Pergunto de novo. Por quê? — Sarah insistiu.

— Ele ia morrer de qualquer modo. Os ferimentos eram terríveis. Ele mal podia se agüentar.

— Mas era na vida que ele procurava se agarrar — Flannery disse.

— Você não tinha o direito de bancar Deus.

— Vocês não entendem. Ninguém entende — Vilnai disse. — Foi Daniel quem errou a respeito do ossuário de Tiago. Ele o autenticou. Ele foi negligente na pesquisa. Provei que era um engano, mas eu fui elogiado por isso? Pelo contrário. As pessoas diziam que eu tinha apunhalado um colega pelas costas. E Daniel, a despeito do erro, continuou tendo mais respeito do que eu.

— Então você o matou? — Preston disse, incrédulo.

— Quando ele contou sobre o código Torá... não suportei que ele ganhasse todo o crédito. Mesmo postumamente. Eu continuaria sempre à sua sombra. Não, melhor que ele ficasse quieto, e eu continuaria seu trabalho.

— O senhor está preso, dr. Yuri Vilnai, pela morte do dr. Daniel Mazar — Sarah falou, de forma profissional.

— Eu... eu não vou resistir — Vilnai disse fracamente.

— As coisas podem melhorar para o senhor se devolver o pergaminho — ela acrescentou.

Vilnai olhou para ela surpreso. — O que você quer dizer?

— O pergaminho — Preston falou. — O que você fez com ele?

— Não fiz nada com o pergaminho. Não estava naquela gaveta do arquivo?

Sarah balançou a cabeça. — Não estava lá.

— Então os terroristas o pegaram.

— Não — ela falou. — Fica claro no vídeo que eles saíram sem ele. Alguém voltou à sala e o retirou do arquivo depois da gravação.

— Juro, eu não sei onde está o manuscrito — Vilnai protestou.

— Por que iríamos acreditar em você? — Preston perguntou.

— Eu acabei de confessar um assassinato. Vocês acham que eu confessaria um assassinato e mentiria sobre um roubo?

— Eu não duvido disso ou de qualquer coisa em relação a você — Preston falou com desdém.

— Vamos nos preocupar com isso depois — Sarah declarou. — Agora é hora de o professor ir para a central de polícia e começar a se acostumar com seu novo ambiente.

Duas horas mais tarde uma mulher digitou um número em seu celular. Quando o outro lado atendeu, ela disse: — Alô, padre Flannery. Aqui é Azra Haddad. O senhor está procurando o Evangelho de Dimas, não está?

— Azra? — Flannery respondeu. — Quem disse que ele está desaparecido?

— O senhor o procura, não procura?

— Sim. Sim, estamos procurando.

— Eu tenho algumas informações que podem ser úteis.

— O que você quer dizer? — Flannery perguntou. — Você sabe onde ele está?

— Encontre-me às 4:30, hoje à tarde — Azra falou. — Mas esta informação é apenas para o senhor. Por favor, não traga ninguém junto e não fale a ninguém sobre o encontro.

— Onde nos encontramos?

— Na escavação de Masada — ela respondeu. — Mas o senhor precisa vir sozinho.

Houve uma pequena pausa e então Flannery disse: — Estarei lá. Sozinho.

Desligando o celular, Azra levantou-se e foi até uma mesa no canto de uma das celas do antigo Mosteiro do Caminho do Senhor. Estendido sobre a mesa estava o comprido manuscrito. Cuidadosamente ela começou a enrolar o Evangelho de Dimas bar-Dimas.

CAPÍTULO 43

As costas de Dimas bar-Dimas doíam por causa das longas horas em pé sobre o chão de pedra. Antes do amanhecer, ele tinha sido levado da prisão para uma grande sala no palácio, onde se juntou a Pedro, Paulo e dezenas de outros cristãos capturados pela guarda imperial e reunidos para o julgamento. O promotor era o próprio imperador Nero, que também servia como juiz e júri. Eles não tinham direito a um advogado de defesa.

Nero não parecia nada com um promotor, um juiz ou até mesmo com um imperador. Usava uma vestimenta espalhafatosa, mais adequada a um ator, tinha os cabelos perfumados e clareados, e ruge na face.

— Vocês sabem quantos morreram em virtude de sua falsidade? — Nero perguntou, andando de um lado para outro diante dos acusados. — Vocês sabem quantos ficaram sem um teto em virtude de sua maldade? Vocês sabem quantas belas estátuas e obras de arte foram destruídas pela traição de vocês... cristãos?

Nero alongou a pronúncia, como se a palavra fosse impura.

— Você é o que chamam Pedro? — ele perguntou, parando em frente a um velho magro, barba preta encaracolada e sobrancelhas tão finas que quase eram invisíveis.

Pedro fitou Nero diretamente nos olhos. — Sim, sou eu.

Aparentando desconforto com o olhar firme do prisioneiro, Nero ergueu a mão diante do seu rosto e examinou as unhas. Elas brilhavam com o esmalte púrpura aplicado recentemente. Sem olhar de volta para Pedro, ele continuou o interrogatório.

— E você tem pregado a respeito desse homem Jesus? Ele está morto, não está? Por que você adora um deus que está morto?

— Ele morreu, mas ainda vive — Pedro afirmou.

Nero deu uma risada. — É, soube que você assegura que ele levantou dos mortos. Você realmente acredita nisso?

— Eu próprio vi seu corpo ressuscitado.

— Você viu, não viu? — Nero zombou. E voltando-se novamente para o prisioneiro: — Diga-me uma coisa. Se renunciando a esse falso profeta você salvasse sua vida, você renunciaria?

— Não.

— Lembre-se, eu tenho o poder da morte e da vida. Você quer morrer?

— A morte não tem nenhum domínio sobre aqueles que aceitaram Jesus — Pedro retrucou.

— Uma declaração corajosa. Mas você vai se arrepender dessa bravata quando sentir os pregos mordendo sua carne.

Continuando, Nero parou defronte de vários prisioneiros, oferecendo-lhes e mesma oportunidade de salvar a vida renunciando publicamente a Jesus. Mas ninguém aceitou a clemência de Nero.

— Eu não entendo — ele falou ao último da fila. — Fiz uma oferta de boa-fé para poupar a vida de quem renunciasse a seu deus, mas nenhum aceitou. Por quê?

— Sua oferta salvaria nosso corpo, mas não poderia redimir nossa alma — o prisioneiro retrucou. — E se a vida na Terra é temporária, a alma é eterna.

— Você é?...

— Dimas bar-Dimas.

— Já ouvi falar de você. Seu pai morreu na cruz ao lado de Jesus, não foi?

— Isso é verdade.

— Então, tal pai, tal filho — Nero gracejou, dando risadinhas, feliz com seu humor. — Quintus, traga minha lira.

Ele se aproximou de um moço muito maquiado e com uma aparência bem feminina, que lhe entregou o instrumento musical.

— Que belo rapaz — Nero falou com admiração. E depois para os prisioneiros: — Agora vou tocar e cantar para vocês.

"Protegido de ventos que suspiram
Você observa as horas solitárias passarem.
Colunas revestidas de marfim assomam
Cercando estátuas que me representam."

"Pedras espalhadas pela trilha
Protegem seus pés ao andarem.
Vocês cumpriram sua missão,
E aqui estão, no dia do julgamento."

Mais tarde naquela manhã, Tibro e Marcella retornaram à *villa* na Campagna, para pegar o pergaminho escondido e outros pertences para sua viagem a Jerusalém. Depois de confirmar que o corpo de Rufinus e de Calpurnius tinham sido removidos na noite anterior, e não havia nenhum soldado por ali, Tibro conduziu Marcella para o interior da casa agora vazia, abandonada até pelos criados.

— Não pegue muita coisa — Tibro pediu quando ela começou a escolher. — É uma viagem longa, a maior parte a pé.

— Desculpe — Marcella disse, deixando de lado algumas das roupas que tinha juntado. — Estou acostumada a viajar com criadas e transporte.

Ele deu uma risada. — Seus dias de cidadã romana bem-nascida acabaram. Espero que você não sinta muita falta.

— Não vou sentir nenhuma falta — Marcella prometeu. — Estou feliz de deixar Roma para trás — ela suspirou. — E ficarei feliz também de deixar este lugar.

— Há mais uma coisa que quero fazer antes de deixarmos Roma — Tibro falou.

— Eu sei. — Ela colocou sua mão sobre a dele. — Resgatar Dimas. Mas, Tibro, nós dois somos procurados por assassinato. Já corremos um grande risco vindo aqui. E ele deve estar na prisão de Nero. Não tenho nenhum acesso a ela, como tive em Éfeso.

— Claro que você tem razão. Mas me sinto como se estivesse traindo Dimas.

— Mas você não está. — Marcella mostrou o pergaminho. — Seu irmão o incumbiu de uma missão que, no fundo do coração, ele considera tão importante quanto a vida dele. Se conseguirmos levar isto a Jerusalém, você não o estará traindo, mas desempenhando a missão que ele determinou.

— Espero que você esteja certa. — Ele passou as alças dos dois sacos de viagem pelos ombros. — Você está pronta?

Marcella enfiou o pergaminho num saco menor e passou as alças em volta da cabeça. Ela examinou a sala pela última vez. A *villa* tinha sido de seus pais, e ela passara muitas horas felizes lá quando criança. Ela tentou gravar aquelas imagens na mente, e não as sombrias memórias dos últimos dias.

— Sim — ela disse, concordando com a cabeça. — Estou pronta.

Prestes a sair, eles ouviram barulho de passos no vestíbulo, e Tibro empurrou Marcella para uma ante-sala mais escura, fazendo um gesto para ela ficar quieta. Colocando os sacos de viagem no chão, ele tirou uma adaga do cinto e ficou rente à porta. Olhou o corredor, esperando para ver se algum soldado romano tinha voltado para vasculhar a casa.

Um homem emergiu do vestíbulo, Tibro se afastou da porta e de repente reconheceu o homem que tinha visto. Colocando a adaga na bainha, ele saiu da ante-sala e falou: — Gaius!

Surpreso, o homem parecia pronto para correr, mas então virou a cabeça e olhou a figura no *hall*. — Tibro?

— Pensei que você tivesse voltado para casa.

— Voltei — Gaius respondeu aproximando-se de Tibro, e Marcella juntou-se a eles no corredor. — Mas decidi tentar ver Dimas na prisão antes que eles encontrassem os corpos e as coisas ficassem complicadas. — Ele parecia nervoso ao passar os olhos pela sala onde ele tinha matado Rufinus Tacitus na noite anterior.

— Os corpos foram levados — Tibro assegurou-lhe. — O soldado que escapou deve ter voltado com outros e levaram os corpos.

— Você viu Dimas? — Marcella perguntou ansiosa.

Gaius concordou com a cabeça. — Algumas moedas de ouro compraram os guardas noturnos.

— Como ele está?

— Forte... e convicto. Ele está preparado para o que o Senhor planeja para ele.

— Mas são os planos de Nero que me preocupam — Tibro comentou.

— Logo vamos descobrir. Ele foi levado para o julgamento hoje de manhã.

— Então por que você não está lá?

— Ninguém pode assistir ao julgamento. O próprio Nero o está conduzindo.

— Não há nada que possamos fazer?

— Agora, não — Gaius retrucou. — Talvez, depois que as coisas se acalmarem nos próximos dias, Nero possa ser persuadido a demonstrar misericórdia. Ele gosta de condenar um homem apenas para depois conceder perdão — desde que um bom resgate seja oferecido. E nossa comunidade está levantando mais do que o suficiente para tentar mesmo um imperador.

— O que o trouxe de volta aqui hoje? — Tibro perguntou. — Estava procurando por nós?

— Bem, sim — Gaius falou, um pouco reticente. — E outra coisa.

— O quê? — Tibro insistiu.

— Dimas falou de um manuscrito. Ele disse que pediu a vocês que o levassem a Jerusalém.

Tibro fitou Marcella, na dúvida sobre o quanto tinha liberdade de revelar.

— Vocês têm o pergaminho de Dimas, não têm? — Gaius perguntou.

Tibro concordou com a cabeça. — E você veio aqui para pegá-lo.

— Ora, sim, claro — Gaius admitiu, parecendo um pouco surpreso com o tom acusatório de Tibro. — Isto é, e se alguma coisa tivesse acontecido depois que saímos. Os soldados poderiam ter prendido você, ou coisa pior. E independentemente de nossa fé, o Evangelho de Dimas precisa ser protegido.

— E será — Tibro assegurou.

— Então precisamos levá-lo a Roma. Os fiéis ficarão ansiosos por ler o que...

— Nós o estamos levando para Jerusalém.

— Claro, como Dimas quer. Mas primeiro precisamos fazer umas cópias. O original vai ser escondido e preservado, e em poucos dias vocês levarão a primeira cópia para os apóstolos em Jerusalém.

— Uma cópia não, este aqui — Tibro afirmou, indicando o pequeno saco que Marcella carregava. — E não em alguns dias, agora mesmo.

— Mas isso é loucura.

— Eu jurei a meu irmão.

— A viagem é muito perigosa. O pergaminho pode ser perdido para sempre. Claro que Dimas não quer que isso aconteça.

— Ele disse isso? — Marcella perguntou. — Foi idéia dele?

Gaius hesitou, depois sorriu e começou a concordar com a cabeça. — Sim, sim, é o desejo dele. Quando sugeri este plano ele pediu que eu o encontrasse e dissesse a você que ele estava de acordo.

A expressão de Tibro ficou séria, os olhos verdes faiscando de raiva. — Mentir não fica bem num cristão como você. — E virou-se para Marcella: — Vamos, temos uma longa viagem pela frente.

— Mas vocês não podem! — Gaius exclamou e continuou a protestar enquanto Tibro pegava os sacos de viagem. Quando ficou claro que Tibro não seria dissuadido, Gaius falou: — Se você tem de ir, pelo menos me deixe ver. Dimas falou do manuscrito, de modo que não objetaria que eu o visse.

Ele dirigiu a súplica a Marcella, que viu um desejo genuíno nos olhos dele, e finalmente se virou para Tibro: — Só por uns minutos.

Tibro começou a objetar, depois suspirou e concordou.

Foram para o vestíbulo, que era bem iluminado, e lá Marcella desembrulhou o pergaminho e o colocou na mesa lateral de mármore. Enquanto desenrolava vagarosamente o pergaminho, Gaius se aproximou e se inclinou, a mão tremendo enquanto seguia o texto com o indicador. Leu em silêncio, os lábios formando as palavras enquanto o dedo corria sobre o documento, como se estivesse tentando gravar na memória o máximo possível.

— Está na hora — Tibro falou depois de 10 minutos. — Não estamos seguros aqui, precisamos ir andando. — E começou a enrolar o manuscrito.

— Um momento. Há uma coisa que está me confundindo. — Gaius apontou para o símbolo vermelho que Dimas tinha desenhado no início do documento. — Este signo... o que ele significa?

— Ele chamou de Trevia Dei — Marcella explicou.

— Três caminhos para Deus? Eu não entendo.

— Nem nós — Tibro intrometeu-se, falando rápido. Enrolou o restante do manuscrito e embrulhou-o com o pano. — Tire meu irmão daquela prisão e ele lhe contará tudo.

— Procure Simão — Marcella disse a Gaius. — O próprio Mestre o escolheu para Guardião do Signo. — Ela colocou o pergaminho de novo no saco e o dependurou num ombro.

— E agora precisamos ir — Tibro falou.

Ele começou a andar, mas Gaius bloqueou o caminho e disse: — Vou pedir mais uma vez... deixe-me levar este Evangelho para o nosso povo por segurança.

Tibro percebeu a mão direita de Gaius sobre o punho de sua adaga. Ele fitou a arma um longo momento, depois olhou para Gaius. — Você está tão desesperado que é capaz de macular o Evangelho de Dimas com o sangue do irmão dele? E desta boa cristã? — ele acrescentou, olhando para Marcella.

Ela se adiantou e colocou gentilmente a mão sobre Gaius. — Que todo sangue cristão derramado seja pela mão de Nero, não de vocês dois. — Sentindo que a mão de Gaius no punho da adaga relaxava, ela retirou a sua. — Volte para Roma — ela lhe disse, com um sorriso afável e sincero. — Temo que Dimas precise de você hoje. E não se preocupe com o pergaminho. Dimas já teve uma visão dele em segurança em Jerusalém.

Ela pegou o braço de Tibro e saiu com ele para o jardim da frente, deixando Gaius de Éfeso, que observava pela porta do vestíbulo.

JÁ ERA O FIM DA MANHÃ quando Tibro e Marcella entraram na Via Appia, que os levaria de Roma até Capua, e daí pelo mar até a Grécia e as regiões a leste. Havia muitos outros viajantes na estrada e Tibro supôs que a maioria era de cristãos fugindo das perseguições desencadeadas por Nero na cidade.

Tibro percebeu o medo de Marcella e queria abraçá-la e prometer protegê-la. Ele achava que era capaz, na maioria das circunstâncias. Mas não havia como protegê-la do exército de Roma, se a fuga deles fosse descoberta.

De repente, Tibro se sentiu muito pequeno e insignificante. E o sentimento foi multiplicado milhares de vezes quando subiram um pequeno outeiro e viram o espetáculo à frente.

— Meu Deus! — Marcella falou engasgada, cobrindo a boca com a mão.

Até Tibro ficou perplexo ao ver uma aparentemente infindável fileira de cruzes em forma de T, alinhada ao longo dos dois lados da estrada e desaparecendo na distância. Por um instante, ele pensou que elas portavam o corpo dos cristãos que Nero tinha jurado executar. Mas elas estavam vazias, e ele se lembrou de que estavam lá como testemunhas silenciosas dos 6 mil escravos liderados por Spartacus numa tentativa frustrada de levante ocorrida quase 150 anos antes.

Embora as cruzes estivessem vazias, isso não diminuía a repulsa que Tibro sentiu, e ele estremeceu quando se voltou e envolveu Marcella com os braços. Ficaram assim um longo momento, juntando forças, e depois se voltaram para a estrada e continuaram a viagem, à sombra dos crucificados.

VINTE E QUATRO HORAS DEPOIS que Marcella e Tibro passaram pelas cruzes da Via Appia, 300 delas não estavam mais vazias. Tinham voltado a ser usadas a serviço do imperador, com corpos torturados de cristãos sofrendo seus terríveis tormentos finais.

Ausente do grupo estava Paulo de Tarso. Como cidadão de Roma, ele tinha sido poupado da provação da crucifição, mas não da sentença de morte. Foi decapitado antes mesmo que seus companheiros fossem enviados às cruzes.

Enquanto Dimas era amarrado à travessa da cruz e os pregos perfuravam seus punhos e tornozelos, ele disse a si mesmo que tinha enganado a cruz em Éfeso, e que agora era a hora de pagar a conta. Ele arregimentou forças com a alegria que viu nos olhos de Paulo, quando o apóstolo fitou o carrasco e se preparou para apresentar-se ao seu Senhor.

Dimas cerrava os dentes a cada martelada dos soldados, decidido a não gritar. Quando não podia mais suportar a dor, fechou os olhos e rezou, primeiro a Jesus, e depois a seu pai, a quem tinha sido prometido um lugar no céu. Ele sentiu alguma coisa, como se uma mão acariciasse sua testa, e a dor intensa diminuiu e seus braços e pernas ficaram entorpecidos.

E conforme a pior das dores se abrandava, ele abriu os olhos e olhou para a cruz a seu lado. O velho e frágil apóstolo Pedro tinha sido trazido por dois dos soldados e estava prestes a enfrentar o mesmo destino de Dimas.

Vendo a maneira como Pedro discutia com os soldados, Dimas lembrou-se de como, na noite em que Jesus fora preso, o apóstolo tinha negado três vezes que conhecia Jesus. Seria possível que Pedro, diante de uma morte semelhante, tivesse perdido a fé e estaria outra vez negando o Senhor para salvar sua própria vida? Mas o coração de Dimas encheu-se de orgulho com a coragem de seu líder espiritual quando ouviu por que o homem velho protestava.

— Não! — Pedro gritou. — Não sou digno de morrer da mesma forma que meu Senhor. Por favor, imploro que quando me colocarem na cruz me dependurem de cabeça para baixo.

— De cabeça para baixo? — um dos soldados repetiu e riu. — Esse velho idiota quer olhar o chão — ele falou ao companheiro de execução. — Não o desapontemos.

Dimas virou o rosto, sentindo que era quase imoral ver seu amigo e mentor sofrer essa última indignidade. Quando os soldados terminaram o trabalho e se afastaram para cumprir a próxima execução, Dimas olhou para Pedro. As pernas do homem velho estavam abertas, seus tornozelos pregados no travessão da cruz. Suas mãos tinham sido amarradas juntas sobre sua cabeça e pregadas pelos punhos à base do pau fincado no chão.

— Pedro.... — ele chamou, com voz fraca e lutando para respirar.

O velho abriu os olhos e sorriu para Dimas. Pedro conseguiu mover a cabeça e mexeu os lábios numa tentativa de falar, mas nenhuma palavra saiu.

Dimas piscou os olhos para afastar o suor que escorria em sua face e tentava compreender o que Pedro dizia.

O Senhor seja louvado, Pedro entoou silenciosamente. Depois fechou os olhos e perdeu o fôlego. Seu sofrimento tinha terminado.

Dimas sabia que sua morte, de cabeça para cima, não seria tão rápida.

Quando voltou seus pensamentos para a paixão de Jesus e de seu pai, Dimas sentiu o resto de seu corpo ficar entorpecido e frio. Ele podia ouvir pessoas gritando de desespero, dependuradas em suas cruzes, e percebia os soluços de dor daqueles que tinham se juntado na estrada esperando que o sofrimento dos amigos e dos entes queridos terminasse. Havia outros por ali que não eram tão simpáticos ao sofrimento das vítimas. Alguns olhavam com mórbido fascínio, apreciando o espetáculo. Outros estavam curiosos, mas não participavam, indiferentes como se observassem um bando de passarinhos pendurados nas árvores.

Dimas virou a cabeça o máximo que pôde e olhou a fila de cruzes. Quantos mártires. Quantos novos santos subiriam aos céus nesse dia.

Quando Dimas voltou os olhos para baixo, viu vários membros de sua comunidade de fiéis ao redor de Gaius de Éfeso, a quem impediam de chegar mais perto. Sua preocupação era justificada, pois um soldado aproximou-se e os acusou de serem cristãos. Percebendo o perigo que enfrentavam, Gaius recompôs-se e disse ao soldado que não tinham nenhuma relação com a seita, e os outros assentiram. A mentira entristeceu Dimas, mas ele perdoou a fraqueza deles e lhes deu uma bênção silenciosa.

O soldado ordenou ao grupo que se dispersasse, sob pena de enfrentar destino semelhante, e quando Gaius os afastou, olhou uma última vez para Dimas. O homem mais velho sorriu e acenou com a cabeça, como se estivesse dizendo: *Meu tempo acabou; você agora deve liderar nosso rebanho.*

— Ele vai conduzi-los para as trevas, pois não tem o seu discernimento — uma voz falou, e Dimas viu, aos pés da cruz, Simão de Cirene na beira da estrada. Aparentemente ninguém mais podia vê-lo, pois os soldados romanos passaram por ele várias vezes, sem tomar conhecimento.

A expressão de Simão era de amor e não piedade, esperança e não horror. Embora ele não pronunciasse as palavras em voz alta, o som delas ressoava na mente e no coração de Dimas. Essa comunicação não podia ser silenciada pela simples destruição da carne de um homem, Dimas percebeu quando fechou os olhos e ouviu.

Enquanto os vários caminhos para Deus são só um, Gaius verá apenas o seu próprio e renegará todos os outros. Via Dei — o único caminho para Deus — que tudo abraça, traz a salvação, mas empunhado como arma, traz destruição.

Dimas tentou entender o que seu amigo estava dizendo. Via Dei? Mas ele não o tinha chamado de Trevia Dei?

Tudo acontecerá como o Mestre alertou. Seus ensinamentos serão distorcidos, até que os muitos caminhos que são um só se tornem aquele que negará todos os outros. Tudo já começou, como está escrito, e como deve ser.

— Mas você deve impedi-los — Dimas suplicou. — Vá até Gaius e os outros. Fale do erro que estão cometendo.

Não há nenhum erro. Como o Mestre proclamou: "Aquele que tenha ouvidos para ouvir que ouça". Mas não tema, meu amigo. A verdadeira mensagem está sempre lá para ser ouvida. E no momento certo, será revelada para o mundo todo ver. Você tornou isso possível, por sua própria mão. E então, meu amigo, sua dor e sofrimento logo estarão terminados e você estará num lugar muito mais bonito do que este. Você estará em casa.

Dimas viu então que Simão não estava sozinho. Um homem numa estranha vestimenta negra, com um colarinho branco rígido, estava a seu lado. O homem curiosamente vestido olhava com horror e perplexidade o espetáculo de crucificação em massa.

Dimas voltou-se para Simão, tentando entender quem era o estranho. Com a morte se aproximando, Dimas começou a achar respostas, não apenas para esse mistério mas para todas as perguntas que tinha feito. Quando olhou pela última vez para a Via Appia, as distâncias encolheram e ele pôde enxergar além do horizonte, para onde Marcella e Tibro viajavam, e depois mais além, para as velhas muralhas de Jerusalém.

Sua visão atravessou não apenas a distância mas também o tempo. Ele observou os apóstolos ainda vivos e os líderes da igreja que ainda não tinham nascido. Acontecimentos do passado, presente e futuro passaram rapidamente por seu olho interior e ele percebeu, sem saber como, que aquele homem vestido de negro e de colarinho branco morava num lugar e num tempo distantes. E não era mais um estranho para Dimas, mas um amigo querido e bem-vindo.

As imagens ficaram mais claras e brilhantes, os detalhes menos distintos ao serem tomados por um esplendor que Dimas percebia com todos os seus sentidos. A última imagem terrena que ele reconheceu foi uma fortaleza no alto de um platô desértico. *Masada? Por que Masada?*, ele se perguntou. E lá, sob as paredes da fortaleza, jazem os corpos dos mortos, com suas últimas preces ainda subindo aos céus:

> *Yeetgadal v'yeetkadash sh'mey rabbah*
> *B'almah dee v'rah kheer'utey.*

E lá, entre tanta morte e destruição, estava o homem de preto, seus braços aninhando o pergaminho de Dimas.

Sim, Dimas suspirou quando um esclarecimento final preencheu sua consciência. *Terminou. E então vai começar.*

CAPÍTULO 44

O PADRE MICHAEL FLANNERY deu um salto na poltrona, despertando. Olhando em volta, percebeu que estava no quarto do hotel. Ele devia ter cochilado. Virou-se rapidamente para o relógio no criado-mudo, poucos minutos tinham se passado. Ele ainda tinha tempo suficiente para dirigir até Masada e encontrar-se com Azra Haddad às 4:30.

Ele fez menção de levantar, mas sentiu-se esgotado e meio tonto. Uma imagem passou rapidamente por sua memória, a lembrança de um sonho. *A paixão do Senhor?*, ele se perguntou ao se lembrar de uma fugaz visão de alguém na cruz.

Mas não, não era Cristo no Gólgota, pois havia dúzias, não, centenas de mártires numa fila de cruzes que se estendia até o horizonte. E havia um, em particular, que o fitava de cima para baixo.

Flannery piscou, afastando as memórias, não querendo revisitar qualquer que tenha sido aquela visão. Inspirou algumas vezes tentando acalmar-se, depois se levantou e foi até a cômoda. Colocou no bolso as chaves do carro que tinha alugado naquela tarde e pegou o crachá de identificação. Ele hesitou, alisando o crachá que fora crucial para o seu resgate das catacumbas perto do Monte das Oliveiras.

Um sentimento dentro dele dizia para deixá-lo ali. Mas isso era ridículo, disse a si mesmo, tirando o crachá da cômoda. Ia colocá-lo no bolso, mas sua mão ficou paralisada. Os dedos ficaram estranhamente entorpecidos e uma única palavra emanou de dentro dele: *Fé.*

Enquanto a palavra se repetia e repetia, como um mantra, ele viu a mão voltar à cômoda e seus dedos soltarem o crachá. Ele ficou olhando, por um longo momento, até que se ouviu sussurrar: "Que seja feita a Vossa vontade, não a minha".

Virando-se rapidamente, saiu correndo do quarto, em direção ao carro, e depois para o sul, pela estrada de Masada.

Uma esfera de luz cintilou quando Gavriel Eban acendeu um cigarro. Protegendo os olhos do sol da tarde, ele avistou a baixa estrutura de pedra que dois milênios antes estocara grãos e outras provisões para o ataque final contra a fortaleza de Masada. Contra o vão da porta aberta, viu a silhueta de meia dúzia de homens e mulheres, membros da equipe de arqueologia, reunidos no local durante uma pausa no trabalho para desfrutar um pouco a brisa fresca que soprava do interior. Eban estava longe demais para entender algo além de uma palavra ocasional, mas fantasiou que eles eram fanáticos zelotes debatendo como derrotar as tropas romanas que haviam sitiado sua fortaleza no topo da montanha. E viu-se como um guarda zelote com uma espada de lâmina larga presa à cintura, em lugar da pistola 9 mm Jericho 941, que era o equipamento-padrão da polícia israelense.

Em sua imaginação, o ataque final tinha começado e logo caberia a ele e a um punhado de outros homens da segurança — não, guerreiros zelotes — levar glória à nação judaica com a ponta de suas espadas.

Mas esse não era o século 1, era o século 21, lembrou-se Eban. Não havia soldados romanos nem uma insurreição zelote para aliviar o tédio paralisante de outro longo e quente dia de trabalho protegendo uma escavação arqueológica, onde o único ataque inimigo era realizado pelos demônios da poeira que varria o vale desértico circundando Masada.

Eban deu uma longa tragada no cigarro, jogou-o no chão e o esmagou na terra com sua bota, relembrando a promessa feita a Lyvia de que iria largar tudo. E sorriu pensando na imagem dela a esperar por ele no apartamento em Hebron. Algumas horas mais e ele estaria em casa, enfiando-se embaixo das cobertas ao lado dela.

Um movimento de pés se arrastando, vindo de um dos lados, chamou sua atenção. Virando-se diretamente contra a luz do sol, viu a figura de um homem que se aproximava, vindo de um dos pequenos edifícios externos do forte.

— Moshe? — ele chamou, semicerrando os olhos na tentativa de descobrir se era um dos outros guardas de serviço. — Moshe, o que você está fazendo aqui? Pensei que você estivesse...

Uma lâmina prateada zuniu uma vez e penetrou na garganta de Eban. Ele sentiu uma pontada e logo o sangue da artéria carótida escorreu em seu pescoço. Ele abriu a boca, mas a traquéia estava seccionada, o grito silenciado enquanto ele caía de joelhos e agarrava o pescoço. Eban ergueu os olhos para ver seu agressor, a expressão suplicante, os lábios formando a pergunta: *Por quê?*

Apenas os olhos ferozes e intensos do homem eram visíveis por trás do capuz preto que cobria aquele rosto. Sua resposta foi tão fria quanto o aço que ele trazia nas mãos ao se inclinar e enfiar a lâmina de baixo para cima no coração de Eban. Então, com os pés, virou o corpo sem vida contra a terra.

O braço erguido e o punho cerrado do assassino convocaram outros, e mais onze homens com capuzes negros e roupas negras se materializaram de detrás de rochas e paredes de pedra ao redor.

Com sinais e gestos, ele comandou a horrível empreitada. Sem suspeitar, desarmadas, as vítimas foram abatidas pelas facas e pelos garrotes do grupo de ataque.

O assassino caminhou entre os corpos, virando cada um deles para ver o rosto, enquanto o resto do grupo dava uma busca na área. Um deles veio correndo e disse com um encolher de ombros: — Não está aqui.

— Está por perto — ele respondeu, sem se dar ao trabalho de olhar o sujeito. — Ela disse que estava aqui, e eu acredito nela.

— Procure você mesmo; não está aqui, estou dizendo.

— Você procurou dentro de todos os edifícios? — ele perguntou.

— Claro.

— Procure de novo. — Ele fez um gesto de desdém. — Encontre a mulher. — Ele não se preocupou em dizer o nome. Sua equipe havia sido treinada incontáveis horas; todos sabiam muito bem quem e o que tinham ido buscar. — Encontre-a, mas tenha cuidado para que ela não seja ferida. Ela vai nos levar até ele.

U<small>M ARREPIO DE</small> medo, ou de morte, alastrou-se pelo corpo do padre Michael Flannery, mas ele conseguiu afastá-lo quando estacionou perto do teleférico que levava turistas e trabalhadores para o alto do platô onde ficava a fortaleza de Masada.

O teleférico estava parado e parecia deserto. Embora as ruínas estivessem fechadas para o público, Flannery sabia que deveria haver um atendente disponível para transportar trabalhadores e o pessoal da segurança até o topo.

— Alô? — ele gritou. — Alguém aqui? Por favor! Preciso ir ao topo! Há alguém aqui? — A única resposta foi o eco de suas palavras na parede do penhasco.

Flannery foi até a bilheteria, no escritório do teleférico. Uma xícara de café pela metade estava sobre a platibanda, e Flannery estendeu a mão pela abertura semicircular para sentir a sua temperatura. Estava fria.

Pelo vidro, ele examinou o pequeno escritório, mas não viu ninguém. Uma leve brisa agitava as páginas de uma revista sobre uma das mesas e fazia as persianas baterem contra o peitoril da janela.

— Alô? — ele chamou, encostando-se na abertura do guichê. — Há alguém aqui?

Achando que todos tinham descido e já terminado o trabalho naquele dia, Flannery pensou em voltar a Jerusalém. Mas havia algo fascinante no modo como Azra Haddad insistiu para que ele a encontrasse ali. Ele olhou para o carro, depois para o platô. Decidindo-se, atravessou o estacionamento até chegar ao início da mesma trilha que os zelotes judeus usaram 2 mil anos antes, quando capturaram Masada e fizeram sua última resistência.

Quando começou a íngreme subida para a fortaleza de Masada, a mais de 120 metros acima do deserto, Flannery foi inundado por emoções e lembranças: o padre Leonardo Contardi, o Via Dei, o Evangelho de Dimas com seu estranho símbolo, a morte de Daniel Mazar.

Parando no meio da subida para descansar, Flannery sentou-se numa pedra roliça e lisa e encostou-se numa outra, ainda maior. Fechando os olhos, viu imagens das pessoas e dos eventos que recordara na subida. No início, foi como se estivesse acordando de um sonho, mas aos poucos as imagens foram mudando, se transformando em algo muito mais real, algo que ele nunca tinha visto antes.

Flannery estava só num terreno que não lhe era familiar. Não, sozinho não, pois agora ele podia ver pessoas a seu lado, uma grande multidão em vestimentas antigas, ocupando o que parecia ser uma antiga estrada construída a mão. Ele ouvia mulheres chorando, homens gritando de dor. Sentiu uma presença em suas costas. Quando se virou, viu um homem negro, forte, vestido com um manto grosseiro.

— Você — Flannery murmurou. — Você estava na basílica de São Pedro.

O velho simplesmente assentiu e fez um gesto com uma das mãos, indicando que Flannery olhasse para trás.

Virando-se, Flannery viu um homem de pé na beira da estrada, usando a armadura de um soldado romano, a mão repousando no punho de sua espada de lâmina larga. Depois Flannery olhou para cima e ficou engasgado. Lá, pairando poucos metros acima dele, havia um homem pregado na cruz.

Por um instante Flannery pensou que podia ser o Salvador, mas então olhou ao longo da estrada e percebeu que não havia três cruzes, não três homens crucificados, mas muitos, talvez centenas.

— Deus do céu! — ele gritou, olhando. — O que é isto?

O sonho — disse a si mesmo. — *Estou tendo o sonho novamente.*

Ele lutou para acordar, imaginando se ainda estaria no quarto do hotel.

— Fé — veio a resposta, e ele sentiu a mão do homem negro pousar em seu ombro. — Olhe para ele com fé.

Flannery ergueu o olhar para o moribundo que o fitava e alguma coisa se passou entre eles — esperança, reconhecimento, amor.

— Dimas bar-Dimas... Flannery sussurrou, fechando os olhos, incapaz de continuar testemunhando tanto sofrimento.

O vento aumentou, a visão foi se apagando e, quando Flannery abriu os olhos de novo, estava de volta à trilha para Masada. Ele ficou em silêncio, olhando em volta, à procura de qualquer sinal do homem negro, ou da estrada com muitas cruzes.

Ele ouviu, na distância, o grasnar de um corvo.

Nove anos tinham se passado desde que Tibro bar-Dimas e Marcella Tacitus deixaram Roma. Eles se casaram durante a viagem, em Éfeso, onde se conheceram. Foi necessário mais tempo do que eles esperavam para conseguir uma passagem segura para Jerusalém e, quando finalmente chegaram à cidade, a situação estava tão caótica que não encontraram meios de cumprir a promessa feita a Dimas.

Com os romanos exercendo uma grande pressão, a situação tinha piorado muito para os cristãos. Os zelotes, que os consideravam colaboradores de Roma, aumentaram seus ataques, assassinando muitos de seus líderes e forçando a maioria dos fiéis a fugir da Judéia. Sem uma liderança e com pouca segurança contra os zelotes e os romanos, Tibro pensou que o melhor era adiar a entrega do manuscrito de seu irmão.

A situação em Jerusalém acabou se tornando insustentável até para os judeus, com Titus Flavius Vespasianus sitiando a cidade. De modo que Tibro e Marcella se juntaram a centenas de outros judeus e seguiram o líder zelote e alto sacerdote Eleazar ben-Yair para a fortaleza de Masada, no deserto. Entre os poucos e preciosos pertences que conseguiram levar estava o Evangelho de Dimas.

Agora, três anos depois da queda de Jerusalém, os judeus de Masada tinham conseguido resistir a uma força de 15 mil soldados romanos sob o comando de Flavius Silva, o governador da Judéia. O cerco de Silva já durava dois anos, mas ainda não tinha conseguido causar grandes danos ao platô ou tomar a fortificação. Porém, ele tinha usado aqueles longos meses para construir uma rampa de terra, levando os romanos perto o suficiente para seu ataque final. Na noite anterior, suas forças finalmente tiveram sucesso em pôr fogo nos tetos de madeira da fortaleza, incêndio que durou a noite inteira até extinguir-se.

Logo depois do amanhecer, quando uma névoa de fumaça cobria a fortaleza, Tibro estava junto de um dos parapeitos, olhando abaixo para as torres cobertas com chapas de ferro trazidas durante o cerco. De dentro dessas torres, os romanos utilizavam balistas para lançar grandes pedras contra a fortaleza. Os constantes ataques com pedras atingiam as barricadas como mísseis, enervando os defensores. E após o recente ataque com fogo, eles sabiam que seu destino estava selado.

— Tibro — alguém chamou, e ele se virou para ver Eleazar ben-Yair subindo a escada que dava no parapeito.

— Aqui — Tibro ofereceu a mão e ajudou o velho a sair da escada para a plataforma. Eleazar esfregou as duas mãos, endireitou as roupas e caminhou até a beirada. Olhou o acampamento romano lá embaixo, que, durante o cerco, tinha assumido a aparência de uma cidade.

— Nosso destino está chegando ao fim — o alto sacerdote falou. — Na noite passada, eles chegaram perto o suficiente para atear fogo. Amanhã eles terão escalado o monte e estarão em nossas muralhas.

No instante em que Eleazar falava, uma pedra catapultada fez desmoronar grande quantidade de madeira e pedra carbonizada. Tibro ouviu os gritos de medo e alarme dos defensores dentro da fortaleza.

— Existe um jeito de fortificarmos as muralhas e impedir o avanço? — Tibro perguntou.

Eleazar abanou a cabeça. — Não temos mais material. Não temos mais tempo. Convoquei uma reunião, Tibro.

— Dos líderes?

— De todo homem, mulher e criança, pois afeta a todos.

— Entendo — Tibro falou solenemente.

Meia hora depois, mesmo com o bombardeio contínuo, Eleazar falava a seus seguidores no grande pátio central do complexo.

— Há muitos anos, meus generosos amigos, decidimos não ser mais servos dos romanos, ou de ninguém mais, a não ser do próprio Deus, que é o único e justo Senhor da humanidade. Agora chegou o tempo de colocarmos esta resolução em prática. Está claro que Masada será tomada dentro de poucos dias. Mas, embora os romanos possam invadir nossas muralhas, não vão invadir ou quebrar o nosso espírito.

Alguns na assembléia exprimiam sua aprovação, enquanto outros pediam a Eleazar explicações sobre o que fazer.

— Primeiro, nós vamos destruir nossos pertences e nosso dinheiro, e queimar o que resta da fortaleza, para que os romanos não possam se apossar do que ainda nos resta. Mas não destruiremos nossas provisões, pois elas serão o testemunho de que não fomos subjugados pela fome e que preferimos a morte à escravidão.

Ele fez uma pausa e olhou em volta, para cada um dos quase mil presentes.

— E finalmente, meus fiéis amigos, escolheremos a morte por nossas próprias mãos, para que nenhuma espada romana possa manchar este chão sagrado com sangue judeu.

— Mas o suicídio é um pecado, não é? — alguém gritou.

— Sim, o pecado final — um outro disse —, pois não haverá pedido de perdão a Deus.

— É um pecado — Eleazar admitiu. — Mas arquitetei um plano pelo qual o pecado recairá em apenas um de nós. Dez serão escolhidos para executar todos os outros. Depois entre eles tirarão a sorte, e um desses dez executará os outros nove, deixando o pecado do suicídio recair sobre ele apenas.

— Sim, essa é a maneira como devemos proceder — um homem gritou, e outros se uniram aos gritos, até que a assembléia inteira estava de acordo.

— Quando começamos? — alguém perguntou.

— Em poucos minutos — Eleazar respondeu. — Já pedi voluntários entre nossos maiores guerreiros, e entre eles escolhi os dez que serão o instrumento de nossa glória. Vamos usar o tempo que nos resta para abraçar nossos irmãos e oferecer preces em louvor de Nosso Senhor.

Eleazar falou o nome dos dez executores, e enquanto estes pegavam suas espadas e se juntavam ao líder no centro do pátio, outros ateavam fogo ao que restava da fortaleza. O resto da assembléia se reuniu em pequenos grupos, beijando-se, abraçando-se, dançando e cantando a glória de Deus.

Quando os executores começaram sua terrível missão, Tibro e Marcella se afastaram, não para evitar a morte, mas porque tinham sua própria missão a desempenhar. Sabendo havia muitas semanas que o destino estava selado, já tinham preparado um pote de barro, colocado o Evangelho de Dimas lá dentro, preenchido o resto com palha e depois vedado a tampa com cera para proteger o pergaminho até o dia em que ele fosse descoberto.

Eles retiraram a urna de seus aposentos e a levaram para a sala que tinham escolhido, bem no fundo da fortaleza. Tibro levou uma pá para cavar um buraco suficientemente grande para a urna.

Mesmo através das grossas paredes de pedra, eles ouviam os aterradores sons vindos de cima, os gemidos, gritos e as orações dos moribundos

— Rápido — Marcella disse. — Não podemos deixar que ele seja descoberto.

Tibro pôs-se de joelhos para escavar a terra com a pá de cabo curto, o odor pungente de terra fresca penetrando em suas narinas.

— Rápido — ela insistiu. — Não temos muito tempo!

— Já estou quase na profundidade certa. — Ele respirou fundo e aumentou o ritmo.

Outro grito, dessa vez tão perto que fez os dois darem um salto. E depois um cântico plangente:

Que Seu grande nome cresça exaltado e santificado
Neste mundo que Ele criou como Ele desejou.

— Dê-me — ele disse, deixando cair a pá e se aproximando dela.
— É fundo o suficiente? Isto não pode cair em mãos erradas.
— Tem de ser. Não temos mais tempo.

Que Seu grande nome seja abençoado para sempre e sempre.
Que Seu grande nome seja abençoado para sempre e sempre.

No alto, o canto do Kaddish foi enfraquecendo à medida que as vozes desapareciam, uma a uma.

Marcella vigiava o alto da escada enquanto Tibro rapidamente fechou o buraco, alisou a terra e jogou a pá de lado.

— A pá — ela sussurrou nervosa, apontando para a ferramenta.

— É mesmo — ele disse, percebendo que a pá indicava o lugar do esconderijo. Ele a agarrou de volta e depois passou o pé sobre a terra, apagando qualquer marca no lugar onde tinham cavado o buraco.

Marcella estava outra vez vigiando o alto da escada, o vão da porta, quando seu marido se aproximou e colocou a mão em seu ombro.

— É hora de irmos embora.

— Você acha seguro? — ela perguntou, o medo evidente naqueles olhos que o fitavam.

— Fizemos tudo o que pudemos. Se a porta vai se abrir para o Céu ou para o Inferno, agora é com Deus.

Do lado de fora, os gritos e as preces tinham cessado, substituídos pelo suave sussurro do vento.

Quando Tibro e Marcella emergiram do subsolo, descobriram que a matança estava terminada e os dez executores também estavam mortos pela mão daquele escolhido por sorteio. Era uma visão terrível, e ainda assim eles não estavam horrorizados, pois agora havia algo de pacífico, quase poético, no modo como aqueles patriotas de Israel jaziam no abraço final.

Tibro pensou ter ouvido ruídos vindos de dentro da fortaleza e supôs que alguns tivessem desistido da resolução e se escondido durante a matança. Eles enfrentariam um destino incerto nas mãos dos romanos. Talvez uns poucos até vivessem para contar os terríveis eventos que tinham ocorrido naquele dia.

Por um momento ele pensou em se juntar a eles, não para se salvar, mas para o bem de sua mulher, a quem amava com todas as forças. Marcella deve ter percebido seus pensamentos, pois o beijou na face e sussurrou: — Deixe-os com o destino deles, nós já escolhemos o nosso. Não vamos nos separar.

E juntos eles caminharam pelo pátio imóvel silencioso, pelos corpos de pais e filhos, guerreiros e sacerdotes, e depois pelos portões da fortaleza até a beira do penhasco de Masada. Lá, olharam para as tropas romanas, que já se reuniam para o ataque final subindo a rampa de terra.

Tibro e Marcella rezaram juntos em voz alta, primeiro para o Deus dele e depois para o dela, percebendo que era o mesmo Deus, fossem eles cristãos, fossem judeus. Com um abraço final, deram um passo à frente e se jogaram no vazio.

CAPÍTULO 45

O PADRE MICHAEL FLANNERY sentiu uma curiosa mistura de pressentimento e excitação quando chegou ao cume de Masada e dirigiu-se às ruínas da fortaleza. O sol se punha no horizonte, mas estranhamente ele estava imperturbável diante da possibilidade de ficar preso lá após o anoitecer, sem condição de percorrer a descida até o carro.

Havia um silêncio sinistro enquanto ele se movia por entre as ruínas. Ele percebeu o motivo ao aproximar-se do local onde o pergaminho tinha sido desenterrado e ver o primeiro corpo. O homem vestia o uniforme de guarda de segurança, e o nome em seu crachá de identificação, preso à camisa ensopada de sangue, era "Gavriel Eban". O pobre homem estava estendido de barriga para cima, com um profundo corte na garganta e os olhos arregalados e fixos.

Lutando contra a ânsia de fugir, Flannery continuou em direção ao edifício. Na entrada, ele viu mais seis corpos de homens e mulheres usando as roupas normais de uma equipe de arqueólogos. Alguns também tiveram a garganta cortada. Outros exibiam múltiplos ferimentos de faca no torso e no rosto.

O estômago de Flannery ficou embrulhado, e ele fechou os olhos tentando não vomitar. Encostou-se na porta, esforçando-se para respirar lentamente e com calma enquanto pensava no que fazer. Lembrou-se do celular e o abriu, mas depois balançou a cabeça desanimado ao descobrir que estava fora da área de serviço.

Embora soubesse que deveria voltar correndo para o carro e ir atrás de ajuda, alguma coisa o compelia a examinar o interior do edifício. Ele desceu vagarosamente as escadas que levavam à câmara onde a urna tinha sido descoberta. Ao entrar na sala, notou que ainda havia luz suficiente entrando pelas janelas pequenas e altas, para iluminar a área.

O buraco onde a urna tinha sido encontrada estava consideravelmente maior agora e continha algo escuro no fundo. Ao se aproximar, Flannery viu que era o corpo de um dos líderes da equipe de arqueólogos, que ele reconheceu da visita anterior. Parecia que o homem tinha tentado se esconder quando os assassinos o encontraram. Diferentemente das outras vítimas, essa tinha sido baleada. Havia dois outros corpos no canto oposto da sala, também baleados.

Flannery examinou a sala e percebeu que as paredes tinham sido grafitadas com símbolos e *slogans* muçulmanos. Chegou perto e viu que a tinta ainda estava úmida. Ele sabia o suficiente de árabe para traduzir:

> *Só há um Deus, Alá!*
> *Israel é a desova de Satã!*
> *Morte aos judeus!*

Ele ainda fitava as palavras quando uma voz calma falou: — Via Dei.

Flannery virou-se e viu Azra Haddad ao pé da escada.

— Não se deixe enganar pelas aparências — ela falou, indicando os *slogans*. — Não foram os palestinos que fizeram isso. Foi trabalho do Via Dei. Eles vieram atrás do pergaminho.

— Certamente parece ação de terroristas — Flannery disse, examinando-a com suspeita ao notar sua tradicional vestimenta muçulmana e o xale na cabeça. — O que a faz suspeitar do Via Dei? E por que eles viriam a Masada em busca do manuscrito?

— Por que eles sabiam que estava comigo. Sabiam que eu o traria para cá.

— Você! — Ele a fitou, confuso. — Você está com o pergaminho?

— Eu o tirei do local em que o professor Mazar o escondeu, dentro do arquivo.

— Como você ficou sabendo? — ele quis saber. — Não contamos a ninguém o que ele fez.

— Há meios de saber sem que lhe contem.

— Mesmo que você soubesse, o laboratório foi vigiado o tempo todo. Você seria impedida caso tentasse entrar lá.

— Há maneiras de andar sem ser vista — ela respondeu, de forma igualmente cifrada.

— Eu... eu não entendo. — Ele abriu os braços. — Por que você traria o pergaminho para cá?

— Para entregá-lo ao Via Dei.

— O quê? — ele disse, perplexo. — Você o entregou a eles, assim sem mais nem menos? Por quê?

— Conheço o Via Dei muito melhor e há muito mais tempo do que você pode imaginar — ela respondeu. — Sabia que não abandonariam a busca, e que o assassinato de Daniel Mazar era apenas o início.

— Mas outro dia, nas catacumbas, dois de seus líderes foram mortos, e o terceiro fugiu.

— Não se deixe enganar pelas aparências — ela repetiu. — Há muitos para assumir o lugar dos que morrem. E Sangremano em fuga é muito mais perigoso do que escondido nas sombras do Vaticano.

— Você conhece o padre Sangremano?

— Eu conheço o Via Dei. Mas há algumas coisas com as quais nem mesmo eu contava. Vim aqui porque sabia que, após a tentativa fracassada de roubar o pergaminho do laboratório, Sangremano mandaria seus homens verificar se ele tinha sido trazido de volta para Masada. E era hora de as mortes pararem. Mas cheguei tarde demais. — Ela olhou para os corpos. — Não consegui evitar suas mortes e, embora tenha entregado o pergaminho de boa vontade, temo que as mortes não terminaram.

— Por que você o devolveu? — ele exigiu saber, a voz se elevando. — Você não tinha o direito. O manuscrito não lhe pertence.

— Fui eu quem o descobriu, aí bem perto de onde o senhor está.

— Só porque você teve sorte suficiente para pisar n...

— Não foi acidente — ela falou, erguendo a mão para silenciá-lo. — Há muitos anos eu sabia onde ele estava. Vim para Masada e me juntei à equipe de arqueologia apenas para poder pisar nele, como o senhor diz.

— Anos? — ele falou com incredulidade. — Mas como você ficou sabendo?

— Foi-me revelado.

— Por quem?

— Pelo Guardião.

Flannery balançou a cabeça, confuso. — Desculpe, Azra, mas você não está dizendo coisa com coisa agora.

— O senhor se lembra do símbolo no pergaminho de Dimas?

— Sim, o Via Dei.

— Não, padre. Não o Via Dei.

— Sei que é diferente, mas pouca coisa.

— Trevia Dei... o símbolo que Dimas bar-Dimas desenhou com seu próprio sangue no manuscrito é o Trevia Dei.

— Sangue?... — ele falou, visualizando o manuscrito. — É, é o que pareceu. Mas o que é o Trevia Dei?

— O verdadeiro signo. Durante séculos ele foi corrompido pelos seguidores de Dimas, da mesma forma que eles também foram corrompidos.

— Mas o padre Sangremano disse que a organização recebeu o símbolo do próprio Jesus.

— O verdadeiro signo do Trevia Dei foi revelado por Jesus ao Guardião, e...

— É a segunda vez que você fala nele. Quem, ou talvez eu devesse perguntar o quê, é o Guardião?

— O primeiro Guardião do Signo foi Simão de Cirene, que o revelou para Dimas bar-Dimas. O Via Dei tem suas origens no sucessor de Dimas, Gaius de Éfeso, mas ele conheceu o Trevia Dei de segunda mão. Durante séculos, a organização que ele fundou foi obrigada à clandestinidade, e o símbolo se tornou corrompido, seu verdadeiro sentido foi perdido.

— Como é que você sabe todas essas coisas? — Flannery perguntou.

— Não há muito tempo — ela disse, virando-se e subindo as escadas. — Venha comigo.

Ele a seguiu até o platô, longe do edifício e dos corpos. Enquanto caminhavam sob o sol poente, ela continuou seu relato.

— No devido tempo, padre Flannery, o senhor saberá toda a história, como Jesus visitou Simão depois da crucificação, como um pano encharcado com o sangue de Jesus veio a portar o Trevia Dei, como Jesus ungiu Simão como o Guardião do Signo e o encarregou de sua proteção, não apenas durante sua vida terrena, mas por cinqüenta gerações.

Flannery a interrompeu: — Isso não faz sentido. Absolutamente não faz.

— Pense em tudo o que o senhor viu e fez — ela insistiu. — O signo... o que está no manuscrito. De quais elementos ele se compõe?

Fechando os olhos, ele visualizou a imagem que tinha visto tantas vezes pelos olhos da mente. — Uma pirâmide... uma cruz... uma lua crescente e uma estrela.

— Trevia Dei — ela disse devagar e no mesmo tom. — Os três grandes caminhos para Deus. A pirâmide dobrada... a estrela de Davi. A cruz da sua fé. A estrela e o crescente do meu Islã.

— Mas não faz sentido — ele falou, arregalando os olhos. — Nenhum desses símbolos existia há 2 mil anos. Dessas três religiões, só o judaísmo existia, e eles não adotaram a estrela de Davi até séculos depois. E o Islã? Centenas de anos antes do nascimento de Maomé? Impossível.

— Todas as coisas são possíveis para Ele que criou o universo e o tempo. Esse é o grande mistério do Trevia Dei, que fala não apenas dos três caminhos para Deus, mas da unidade de todos os caminhos que levam a uma única e verdadeira casa, ao abraço do Senhor.

— Trevia Dei — Flannery murmurou, a cabeça concordando ligeiramente. — Via Dei... o único caminho para Deus.

Ela sorriu.

— Eles o alteraram completamente — ele declarou, a voz com um tom de urgência, de ânsia.

— Sim, Michael, você compreende. E muito mais coisas ficarão claras para você, no devido tempo.

Um sentimento de calor humano, de aceitação, envolveu Flannery quando Azra usou seu nome de batismo pela primeira vez.

— Agora, Michael, chegou a hora. Os Guardiões estão esperando.

— Guardiões? Mas você só mencionou um.

— Até hoje existiram 49. Quando Simão chegou ao fim de seus dias, encontrou alguém digno de receber o grande tesouro. Esse tesouro foi passado de um para outro, cada Guardião ungindo aquele que o sucederia. A unção continuou século após século, através da Idade das Trevas e do Renascimento, de pragas, guerras e do Holocausto. Cada um teve um papel a desempenhar, uma missão especial a cumprir. Um esteve ao lado do papa Leão, o Grande, nos portões de Roma quando ele confrontou Átila, conhecido pelos cristãos como Flagellum Dei, o Flagelo de Deus. Outro esteve ao lado de Maomé quando o profeta recebeu a luz de Alá e a estrela e o crescente. Mais recentemente, um Guardião veio ao Novo Mundo e ajudou a fundar uma nação baseada na liberdade e na tolerância religiosa, coisa nunca ouvida antes desse tempo.

Azra começou a caminhar novamente, e Flannery a seguiu para além das ruínas. De repente, ele foi tomado por um discernimento que lhe pareceu simples e familiar.

— Meu Deus! — ele exclamou, não como uma blasfêmia, mas cheio de perplexidade e temor. — Você é um deles, não é? Um dos Guardiões do Signo.

Azra sorriu em resposta.

— Mas por que você está me contando tudo isso? — Flannery perguntou. — Por que revelar o segredo agora?

— O segredo... e o tesouro.

Esticando os braços, ela tirou uma fina corrente de prata de seu pescoço. Da corrente pendia uma caixa de prata, um pouco maior que um medalhão e primorosamente trabalhada com padrões geométricos e linhas circundando o signo do Trevia Dei gravado. Ela a estendeu na direção dele.

— Este recipiente foi presente de Maomé para o Guardião que influenciou sua conversão. O que ele contém foi um presente a Simão, o primeiro Guardião do Símbolo.

Azra abriu a caixa com cuidado e carinhosamente removeu e desdobrou um pedaço de pano de um branco brilhante, estampado com a imagem em vermelho vivo do Trevia Dei.

— Este — ela sussurrou — é o sangue de Cristo.

— *Sanguis Christi* — Flannery repetiu, admirado. — Mas como pode estar tão fresco?

— Porque é o sangue de Cristo — ela respondeu, explicando tudo com aquela única afirmação.

Azra colocou a corrente no pescoço dele e lhe ofereceu o pano.

— Um presente — ela disse — de uma Guardiã para seu sucessor.

— O quê? — Flannery deixou escapar, fitando o pano em suas mãos, sentindo seu calor subir pelos braços e encher seu coração. — Mas... mas não sou digno.

— É a minha hora, preciso ir. Na verdade, só estava esperando você chegar.

— Mas como você sabe que sou eu?

— Você não entende, Michael? Você sempre foi o Guardião. E sempre será o Guardião.

Então ela fez menção de ir embora.

— Espere! — ele chamou atrás dela. — Há tantas coisas que quero saber, tantas coisas que você precisa me contar.

— Tenha fé no Trevia Dei e em Deus, e você saberá tudo o que há para saber.

— Sim — Flannery murmurou, aceitando a missão, entendendo que em Deus estão todas as respostas.

— Seu tempo de provação começou — Azra disse, chegando mais perto e parando em frente a ele. — Sei que você servirá a Deus fielmente, mas você precisa ter muito cuidado, Michael, pois o Via Dei vai perseguir você. E eles não serão os únicos. Mas não suponha que todos são seus inimigos. Há os que, mesmo dentro do Via Dei, reconhecerão sua luz depois de verem a verdade.

— Mas o pergaminho... eles têm o pergaminho — Flannery disse. — Como eu o pegarei de volta? Ou está perdido para sempre?

— Eles têm apenas papel. A verdade do Evangelho de Dimas é permanente. Ele não está perdido, apenas aguardando. Tudo ficará claro no devido tempo. Até lá, nós estaremos por perto.

— Nós?

— Os Guardiões que vieram antes e aqueles que ainda estão por vir. Sempre estaremos aqui. Olhe com seus verdadeiros olhos e verá. Ouça com seus verdadeiros ouvidos e tudo será revelado.

Azra colocou uma mão na fronte de Flannery e com a outra tocou o coração do padre. Quando fitou os olhos dela, Flannery viu o rosto de muitos outros, da longa linhagem de Guardiões, até aqueles olhos pretos, penetrantes, do primeiro de todos. Então, de repente, um outro par de olhos fixou-se nele, tão brilhantes e abrangentes que ele mal podia agüentar a intensidade daquele olhar.

Flannery sentiu como se estivesse deixando o chão, flutuando sobre tudo, e lutava para ver o mundo ao seu redor.

— Estamos com você sempre, até o fim do mundo — ela disse, indo exatamente para o mesmo lugar de onde, 2 mil anos antes, Marcella e Tibro tinham se jogado no vale.

Flannery observou em silêncio e atordoado Azra seguir em direção ao penhasco. Ele queria correr atrás dela e impedir que ela continuasse, mas não tinha controle sobre seu corpo. Ele observou imóvel quando ela avançou sem hesitação para a beira do precipício e para além.

Surpreendentemente, ela não caiu para a morte. Em vez disso, ela prosseguiu acima do abismo, em direção a um círculo de homens e mulheres que a esperavam com os braços abertos.

Um sexto sentido fez Flannery olhar para a sua direita, e ele viu alguém no chão ali perto. Era o corpo de Azra Haddad, a garganta cortada, seu torso marcado pelas balas do grupo de ataque do Via Dei, que invadiu Masada e tomou o pergaminho de Dimas das mãos dela.

Olhando novamente por sobre o abismo, Flannery viu quando um homem negro e alto se adiantou do grupo, abraçou Azra e a levou para o seu rebanho. Flannery o reconheceu como o mesmo que tinha vindo a ele em espírito meses antes durante uma missa pontifical e novamente quando ele testemunhara as crucificações em massa. Soube agora que era Simão de Cirene. E lá, ao lado de Simão, estava o velho que Flannery tinha visto entre os crucificados da Via Appia: Dimas bar-Dimas, cujo evangelho tinha movido Flannery em sua busca.

Após os outros Guardiões cercarem Simão e Azra, seus corpos tremeluzentes foram ficando esmaecidos, mais etéreos, até finalmente desaparecerem.

Michael Flannery, o novo Guardião do Trevia Dei, ficou só, segurando o pano de Jesus, sentindo a mão do Mestre ainda repousar em sua fronte e em seu coração.

— Pai — ele orou. — Dai-me a força para desempenhar sua grande missão.

NOTA DOS AUTORES

Trechos do relato de Dimas bar-Dimas que aparecem neste livro não são uma tradução oficial, mas foram encomendados pelos autores a um teólogo e a um especialista da Seton Hall University, que tiveram acesso ao manuscrito descoberto numa urna em Masada e desejam permanecer anônimos.

Especialistas bíblicos trabalhando na tradução do documento de Dimas deram permissão para que os autores reproduzam o trecho inicial no grego e hebraico originais. A tradução oficial não estará disponível até que o trabalho esteja completo e seja lançado para o público.

O relato de Dimas bar-Dimas, como encontrado na urna em Masada:

ΔΙΗΓΗΣΙΣ ΔΙΣΜΑΣ ΒΑΡΔΙΣΜΑΣ ΑΝΑΓΕΓΡΑΦΑΜΕΝΗ
ΕΝ ΧΕΙΡΙ ΑΥΤΟΥ ΕΝ ΕΤΕΙ ΤΡΙΑΚΟΣΤΩΙ ΑΠΟ ΤΟΝ ΘΑΝΑΤΟΝ
ΚΑΙ ΑΝΑΣΤΑΣΙΝ ΤΟΥ ΧΡΙΣΤΟΥ ΜΝΗΜΟΝΕΥΘΗΣΟΜΕΝΗ ΕΝ
ΤΗΙ ΠΟΛΕΙ ΡΟΜΑΙ ΥΠΟ ΤΗΣ ΕΝΤΟΛΗΣ ΠΑΥΛΟΥ
ΤΟΥ ΑΠΟΣΤΟΛΟΥ ΔΙΑ ΔΟΥΛΟΥ ΚΑΙ ΜΑΡΤΥΡΟΥ

ΕΓΩ ΔΙΣΜΑΣ ΥΙΟΣ ΤΟΥ ΔΙΣΜΑΣ ΓΑΛΙΛΗΟΥ ΚΑΙ ΑΓΓΕΛΟΣ ΙΗΣΟΥ ΧΡΙΣΤΟΥ ΥΠΟ ΤΗΣ ΒΟΥΛΗΣ ΘΕΟΥ ΠΑΤΡΟΣ ΔΙΑ ΘΕΛΗΜΑΤΟΣ ΑΓΙΟΥ ΠΝΕΥΜΑΤΟΣ ΕΝΤΑΥΘΑ ΠΡΟΤΙΘΗΜΙ ΔΙΑΘΗΚΗ ΠΙΣΤΕΥΟΝΤΟΥΣΙ ΚΑΙ ΠΙΣΤΕΥΣΟΝΤΕΣΙ ΚΑΤΑ ΒΟΥΛΗΝ ΑΥΤΟΥ ΜΑΡΤΥΡΙΟΝ Ο ΕΓΩ ΔΕΔΩΚΑ ΠΑΝΤΩΝ Α ΙΗΣΟΥΣ ΤΕΤΕΛΕΥΤΗΚΕ ΚΑΙ ΕΠΑΙΔΕΥΣΕ ΠΡΟ ΣΤΑΥΡΩΣΙΝ ΑΥΤΟΥ ΥΠΟ ΠΟΝΤΙΟΥ ΠΙΛΑΤΟΥ ΗΓΗΜΟΝΤΙΣ ΡΟΜΑΝΟΥ ΙΟΥΔΑΙΑΣ ΥΠΕΡ ΔΕΔΟΤΑΙ ΕΚ ΤΗΝ ΣΤΩΜΑΤΩΝ ΑΓΙΩΝ ΑΠΟΣΤΟΛΩΝ ΑΥΤΩΝ ΠΡΟΣ ΕΜΕ ΑΛΛΑ ΠΕΡΙ ΣΤΑΥΡΟΣΕΩΣ ΑΥΤΟΥ ΦΕΡΩ ΜΑΡΤΥΡΠΟΝ ΙΔΙΟΝ

ΚΑΙ ΠΕΡΙ ΤΩΝ ΑΚΟΛΟΥΘΗΣΕΩΝ ΜΕΧΡΙ ΑΝΑΒΕΒΗΚΕ ΕΙΣ ΤΟΝ ΟΥΡΑΝΙΟΝ ΠΡΟΣ ΔΕΞΙΑΙ ΤΟΥ ΠΑΤΡΟΣ ΠΑΓΚΡΑΤΟΥ

ΤΑΥΤΑ ΕΣΤΙΝ Α ΟΙ ΠΙΣΤΕΥΟΝΤΕΣ ΑΠΟΜΑΡΤΥΡΟΝΤΑΙ ΑΛΗΘΗ ΟΤΙ ΠΑΙΣ ΕΤΕΧΘΗ ΜΑΡΙΑΜ ΝΑΖΑΡΕΘ ΕΝ ΗΣ ΥΣΤΕΡΑ ΚΥΡΙΟΣ ΑΥΤΟΣ ΥΠΟ ΔΥΝΑΜΕΩΣ ΠΝΕΥΜΑΤΟΣ ΑΓΙΟΥ ΠΑΡΑΔΕΔΗΚΕ ΥΙΟΝ ΕΙΝΑΙ ΒΑΣΙΛΕΑ ΤΗΣ ΒΑΣΙΛΕΙΑΣ ΥΠΕΣΧΗΜΕΝΗΣ ΟΥΡΑΝΙΗΣ ΟΤΙ ΠΑΙΣ ΜΑΡΙΑΜ ΓΑΜΕΤΙΔΟΣ ΙΩΣΗΦ ΕΞ ΟΙΚΟΥ ΔΑΥΙΔ ΤΗΣ ΑΝΕΥ ΜΙΑΣΜΑΤΟΣ ΚΑΙ ΜΗΤΡΟΣ ΤΟΥ ΚΥΡΙΟΥ ΜΕΜΑΝΤΕΥΕΤΑΙ ΥΠΟ ΤΩΝ ΠΡΩΦΗΤΩΝ ΙΣΡΑΕΛ ΣΩΤΗΡ ΚΑΙ ΣΗΜΕΙΟΝ ΤΟΥ ΘΕΟΥ ΜΕΤΑ ΗΜΩΝ ΠΑΙΔΩΝ ΑΥΤΟΥ ΤΗΣ ΔΙΑΘΗΚΗΣ ΟΤΙ ΟΝΟΜΑ ΑΥΤΟΥ ΙΗΣΟΥΣ

ΚΑΙ ΟΤΕ ΙΗΣΟΥΣ ΠΑΡΑΓΙΝΕΤΑΙ ΑΠΟ ΤΗΣ ΓΑΛΙΛΑΙΑΣ ΕΠΙ ΤΟΝ ΙΟΡΔΑΝΗΝ ΠΡΟΣ ΙΩΑΝΝΗΝ ΘΟΡΥΒΗΤΟ ΒΑΠΤΙΣΘΗΝΑΙ ΙΩΑΝΝΗΣ ΑΕΓΩΝ ΔΙΔΑΣΚΑΛΕ ΔΙΟΤΙ ΕΡΩΤΑΣ ΕΜΕ ΒΑΠΤΙΖΕΙΝ ΟΤΕ ΕΓΩ ΧΡΕΙΑΝ ΕΧΩ ΥΠΟ ΤΟΥ ΥΙΟΥ ΑΝΘΡΩΠΟΥ ΒΑΠΤΙΣΘΗΝΑΙ ΣΕ ΔΙΑΘΗΝΗ ΠΙΣΤΕΩΣ

ΚΑΙ ΑΠΟΚΡΙΘΕΙΣ Ο ΙΗΣΟΥΣ ΕΙΠΕΝ ΑΥΤΩΙ ΑΦΕΣ ΑΡΤΙ ΟΥΤΩΣ ΔΙΑΘΗΚΗ ΠΙΣΤΕΩΣ ΗΜΩΝ ΚΑΙ ΟΤΕ ΙΗΣΟΥΣ ΑΝΕΒΗ ΕΚ ΤΟΥ ΥΔΑΤΟΣ ΚΑΙ ΙΔΟΥ ΗΝΕΩΙ ΧΘΗΣΑΝ ΟΙ ΟΥΡΑΝΟΙ ΚΑΙ Ο ΘΕΟΣ ΕΥΔΟΚΗΣΕ

ΚΑΙ ΠΕΡΙΗΓΕΝ Ο ΙΗΣΟΥΣ ΠΑΝΤΑΣ ΤΑΣ ΚΩΜΑΣ ΚΑΙ ΠΟΛΕΑ ΔΙΔΑΣΚΩΝ ΕΝ ΤΑΙΣ ΣΥΝΑΓΩΓ ΑΙΣ ΚΑΙ ΚΗΡΥΣΣΩΝ ΤΟ ΕΥΑΓΓΗΛΙΟΝ ΤΗΣ ΒΑΣΙΛΕΙΑΣ ΣΥΝ ΜΑΘΗΤΑΙΣ ΟΙ ΕΙΣΙ ΣΙΜΩΝ Ο ΛΕΓΟΜΕΝΟΣ ΠΕΤΡΟΣ ΚΑΙ ΑΝΔΡΕΑΣ Ο ΑΔΕΛΦΟΣ ΑΥΤΟΥ ΙΑΚΩΒΟΣ Ο ΤΟΥ ΖΕΒΕΔΑΙΟΥ ΚΑΙ ΙΩΑΝΝΗΣ Ο ΑΔΕΛΦΟΣ ΑΥΤΟΥ ΦΙΛΙΠΠΟΣ ΚΑΙ ΒΑΡΘΟΛΟΜΑΙΟΣ ΘΩΜΑΣ ΚΑΙ ΜΑΤΘΑΙΟΣ Ο ΤΕΛΩΝΗΣ ΙΑΚΩΒΟΣ Ο ΤΟΥ ΑΛΦΑΙΟΥ ΚΑΙ ΘΑΔΔΑΙΟΣ ΣΙΜΩΝ Ο ΚΑΝΑΝΑΙΟΣ ΚΑΙ ΙΟΥΔΑΣ Ο ΙΣΚΑΡΙΩΤΗΣ Ο ΚΑΙ ΠΑΡΑΔΟΥΣ ΤΟΝ ΚΥΡΙΟΝ

ויבא אל נצרת אשר גדל שם וילך אל בית הכנסת ביום השבת כמשפטו ויקם לקרא: והיתה רוח יהוה עליו לבשר לבשרה: ואיש היה בבת הכנסת ובו רוח שמן ויצעק לאמר הניחה לנו ישוע הנצרי: ויצו ישוע את השמן לצת ממנו וראו כלם את אלה ותפל אימה על כלם כי בשלטן ובגבורה מצוה לשמן לצאת: וידברו בו בבית ובבתי הכנסת ויצא שם ישוע בכל

הארץ ויזמר ישוע שהוא מבשר מלכות השמים גם בעירים אחרות כי על כן הוא שלח: ויהי קורא את בשרתו בבתי הכנסת ולעם עד שיהודה הסגיר אותו:

ΜΕΤΑ Ο ΚΥΡΙΟΣ ΠΡΟΔΕΔΕΤΕΤΑΙ ΠΑΝΤΕΣ ΟΙ ΑΡΧΙΕΡΕΙΣ ΚΑΙ ΟΙ ΠΡΕΣΒΥΤΕΡΟΙ ΕΖΕΤΟΥΝ ΚΑΤΑ ΤΟΥ ΙΗΣΟΥ ΜΑΡΤΥΡΙΑΝ ΕΙΣ ΤΟ ΘΑΝΑΤΩΣΑΙ ΕΝ ΤΗΙ ΑΥΤΗΙ ΩΡΑΙ ΒΑΡΑΒΒΑΣ Ο ΖΕΛΩΤΗΣ ΚΑΤΑΔΙΚΑΣΘΗΣΕΤΑΙ ΠΡΟΣ ΤΟΝ ΘΑΝΑΤΟΝ ΚΑΙ ΑΥΤΩΣ ΚΗΣΤΟΣ ΚΑΙ ΔΙΣΜΑΣ Ο ΠΑΤΗΡ ΕΜΟΥ

ΚΑΤΑ ΕΟΡΤΗΝ ΕΙΩΘΕΙ Ο ΗΓΕΜΩΝ ΑΠΟΛΥΕΙΝ ΕΝΑ ΔΕΣΜΙΟΝ ΚΑΙ ΠΙΛΑΤΟΣ ΠΡΟΣΕΚΑΛΕΣΕ ΤΟΝ ΟΧΛΟΝ ΕΡΩΤΑΝ ΟΝ ΗΘΕΛΟΝ ΠΑΡΕΔΟΘΗ ΠΡΟΣ ΣΕΑΥΤΟΙΣ Ο ΟΧΛΟΣ ΠΡΟΣΕΚΑΛΕΣΕ ΒΑΡΡΑΒΑΣ ΚΑΣΙ ΚΑΤΑ ΝΟΟΝ ΑΥΤΩΝ ΒΑΡΡΑΒΑΣ ΑΦΕΙΤΑΙ ΟΙ ΑΛΛΟΙ ΔΕΣΜΙΟΙ ΚΗΣΤΑΣ ΔΙΣΜΑΣ ΚΑΙ ΙΗΣΟΥΣ ΣΤΑΥΡΟΥΝΤΑΙ

ΠΑΡΑ ΤΗΝ ΣΤΑΥΡΩΣΙΝ ΤΟΥ ΧΡΙΣΤΟΥ ΔΙΣΜΑΣ ΠΑΤΗΡ ΕΜΟΥ ΠΡΟΣΕΚΑΛΕΣΕ ΙΗΣΟΥΝ ΜΝΗΜΟΝΕΥΕΙΝ ΣΕΑΥΤΟΝ ΟΤΑΝ ΕΛΘΗ ΕΝ ΤΩΙ ΠΑΡΑΔΕΙΣΩΙ ΚΑΙ ΘΝΗΣΚΩΝ ΕΝ ΤΩΙ ΣΤΑΥΡΩΙ ΨΥΧ ΤΟΥ ΠΑΤΡΟΥ ΕΜΟΥ ΕΣΩΘΗ

ΟΤΕ ΙΗΣΟΥΣ ΣΤΟΥΡΟΥΤΑΙ ΚΑΙ ΕΤΕΘΗ ΕΝ ΤΩΙ ΜΝΗΜΕΙΩΙ ΑΥΤΟΥ ΗΓΕΡΘΗ ΕΚ ΤΟΥ ΘΑΝΑΤΟΥ ΑΠΟ ΤΟΥ ΑΝΑΣΤΑΣΕΩΣ ΑΥΤΟΥ ΕΦΑΝΗ ΠΡΩΤΟΝ ΣΙΜΩΝΙ ΕΝ ΤΩΙ ΟΔΩΙ ΚΥΡΑΝΑΙΩΙ ΚΑΙ ΩΙ ΤΟΝ ΣΥΜΒΟΛΟΝ ΔΕΔΩΚΕ ΤΟΤΕ ΚΕΦΩΙ ΤΟΤΕ ΤΩΙ ΔΩΔΕΚΑ ΚΑΙ ΑΠΟ ΤΟΥΤΩΝ ΤΟΙΣ ΑΔΕΛΦΟΙΣ ΠΕΝΤΑΚΟΣΙΟΙΣ ΑΥΤΟΘΕ

ΔΙΑ ΚΗΡΥΞΕΩΣ ΕΜΟΥ ΑΠΟΔΕΔΕΓΜΑΙ ΥΠΟ ΤΩΝ ΒΑΣΑΝΙΖΩΝΤΩΝ ΕΜΕ ΤΕΣΣΑΡΑΚΟΝΤΑ ΠΑΡΑ ΜΙΑΝ ΤΩΝ ΙΜΑΣΘΛΙΩΝ ΕΛΙΘΟΣΘΗΝ ΣΧΕΔΟΝ ΠΡΟΣ ΘΑΝΑΤΟΝ ΚΑΙ ΕΝ ΦΥΛΑΚΑΙΣ ΑΠΕΙΛΟΜΕΝΟΣ ΠΡΟΣ ΤΗΝ ΣΤΑΥΡΩΣΙΝ ΕΝΕΠΟΡΕΥΘΗΝ ΕΝ ΤΩΙ ΠΕΛΑΓΩΙ ΕΚΙΝΔΥΝΕΥΣΕ ΤΑ ΡΕΥΜΑΤΑ ΚΑΙ ΤΟΥΣ ΟΔΟΥΡΟΥΣ ΚΑΘΑΠΕΡ ΤΟΝ ΛΑΟΝ ΕΜΟΝ ΟΙ ΜΗ ΕΛΑΒΟΝ ΤΟΝ ΚΥΡΙΟΝ ΑΥΤΩΝ

ΚΑΙ ΤΟΙ ΔΙΑ ΠΑΝΤΩΝ Ο ΚΥΡΙΟΣ ΘΕΟΣ ΕΜΟΥ ΠΕΦΥΛΑΚΕ ΕΜΕ ΚΑΙ ΕΠΕΜΠΣΕ ΤΟΝ ΑΓΓΕΛΟΝ ΕΠΙΣΚΟΠΕΙΝ ΕΜΕ ΚΑΙ ΑΠΟΔΕΔΕΙΓΤΑΙ ΤΗΝ ΟΔΟΝ

Impressão e acabamento
Imprensa da Fé